Hoe het licht binnenvalt

M.J. Hyland

Hoe het licht binnenvalt

ROMAN

Uit het Engels vertaald door Peter Abelsen

J • M • MEULENHOFF

IMMER • MET • MOED

Voor Richard Clements (1951-1999)

De auteur is dankbaar voor de steun, wijze raad en aanmoediging van Stewart Muir, David McCormick, Clare Forster, Danny Lynch, David Lumsden, Marion May Campbell, Evelyn Conlon, Sam Chesser, Fran Martin, Carolyn Tétaz, Alice en Arthur Shirreff, Jamie Byng, Karen McCrossan en Polly Hutchinson. Zonder hen was deze roman niet geschreven.

Oorspronkelijke titel *How the Light Gets In*
Oorspronkelijke uitgever Penguin Books Australia Ltd

Vormgeving omslag Marjolein Spronk (www.dietwee.nl)
Omslagfoto David Waldorf/Getty Images
Foto achterzijde omslag Ewen Bell (www.ewenbell.com)

Meulenhoff Editie 2068
www.meulenhoff.nl
ISBN 90 290 7448 5 / NUR 302

Deel een

1

Dit vliegtuig zal binnen twee uur landen op de luchthaven O'Hare van Chicago. Het is lunchtijd. Het scherm van mijn raam is omhoog, de hemel is blauw en immens, de aarde bruin en plat. De stewardess heeft me zojuist mijn maaltijd en iets te drinken gebracht, en op de inflight-televisie discussieert een panel van christenen over de recente executie, door middel van een dodelijke injectie, van een ter dood veroordeelde in Texas.

'Hij was een gelovig man,' zegt een vrouw met een crucifix in haar hand.

'Als galgenmaal wilde hij een banaan, een perzik en een salade met Italiaanse of mayonaisedressing,' zegt een man met een baard.

'Naar de hel met hem,' zegt een ander.

Ik trek de aluminiumfolie van het witte plastic bakje op mijn blad, maar moet er niet aan denken om nu te eten.

Ik snap niet hoe de oude vrouw naast me haar broodje met warme kip kan vullen en weg kan werken terwijl ze het beeld voor haar neus heeft van een brancard met leren riemen in een executiekamer.

De camera gaat langs de dodencellen. Mannen in oranje hemden en broeken staan met hun handen om de tralies of liggen op hun brits naar het plafond te staren.

De oude vrouw kijkt naar het scherm en neemt een slokje.

Er komt een man in beeld met een zwart balkje voor zijn ogen om zijn identiteit te verhullen.

'Jaren geleden,' zegt hij, 'werkte ik voor een staatsgevangenis. Ik was er degene die de hendel overhaalde.'

De interviewer vraagt of hij er destijds wel altijd zeker van was dat de mannen die hij ter dood bracht ook echt schuldig waren. Hij wendt zijn blik af en zegt: 'Tamelijk zeker, ja. Voorzover je echt zeker kan zijn, natuurlijk.' En na een paar peinzende tellen: 'Ja, ik was er altijd wel zeker van. Meestal wel.'

De oude vrouw heeft haar broodje kip op. 'Opgeruimd staat netjes,' zegt ze. 'Oog om oog, tand om tand.'

Om het niet uit te gillen van afschuw tel ik de erwtjes die nog op haar tray liggen en geef ze allemaal een naam.

'Wat doen ze met rotte appels in jouw land?' vraagt ze.

'Die gaan in de vuilnisbak.'

Paula, Patrick, Patricia, Penelope, Paul, Pilar.

'Wat?'

'De vuilnisbak,' zeg ik. 'Of in de biobak, zodat er compost van kan worden gemaakt.'

'O,' zegt ze. Het lijdt geen twijfel dat ze graag eens een executie zou bijwonen, door het glas zou willen toekijken als de naald in iemands arm wordt gestoken.

'Kom je naar Amerika om te studeren?' vraagt ze.

'Ja,' zeg ik. 'Ik zit in een uitwisselingsprogramma en ga hier naar een highschool.'

Ik kijk de andere kant op.

'Lijkt me leuk,' zegt ze.

Ik draai me weer naar haar toe. Je weet maar nooit of ze een spionne voor de organisatie is, die moet nagaan of ik wel beleefd genoeg ben. Lijkt me typisch iets voor de organisatie.

'Uit welke stad kom je?' Ze heeft groene slaap in haar ooghoeken.

'Sydney,' zeg ik. 'Vanuit mijn slaapkamerraam kun je de haven zien, en het operagebouw.'

'O, wat prachtig.'

'Ja,' zeg ik. 'Echt prachtig.'

We wonen in een hoge huurflat aan de rand van de stad, en in plaats van de haven of het operagebouw kun je vanuit mijn kamer alleen lange rijen lichtjes zien, als de lampjes op een schakelbord.

'Nou, op zo'n uitzicht hoef je in Chicago niet te rekenen. En het is er ook niet het hele jaar zonnig.'

'Geeft niet, ik heb juist een hekel aan de zon,' zeg ik. 'Ik heb liever koud weer.'

'Ha!' zegt ze, terwijl ze theatraal haar armen over elkaar slaat. 'Over een maand of wat piep je wel anders.'

'Ik denk het niet,' zeg ik. 'Wilt u mijn kip?'

'O nee,' zegt ze met een vies gezicht.

Als het toestel begint te dalen, kijk ik naar de buitenwijken van Chicago en vraag me af waarom ik alleen maar blij kan zijn als ik iets in het vooruitzicht heb, waarom de dingen nooit zo leuk blijken als ze eenmaal realiteit worden. Ik zou weleens willen weten of ik de enige op de wereld ben bij wie het zo werkt. Op dit moment zou ik dolgelukkig moeten zijn. Ik heb eindeloos lang naar deze vlucht uitgezien.

Ik blijf hierover piekeren, blijf erop herkauwen, en tien minuten voor de landing maak ik me zo nerveus om de ontmoeting met mijn gastouders dat ik bijna geen lucht meer krijg. Mijn tanden voelen metalig aan. Ik sta op, loop naar het toilet en bestrooi er mijn handpalmen met talkpoeder. Het bordje met 'seatbelts' begint te branden en de bel gaat. Er klopt een stewardess op de deur. Ik maak hem open.

'Wil je alsjeblieft naar je plaats teruggaan?' vraagt ze.

Ik volg haar door het gangpad naar mijn plaats. Ze ruikt lekker.

'Neem me niet kwalijk,' vraag ik, 'maar zou ik wat van je parfum mogen gebruiken?' Ze legt haar hand op mijn onderrug en vertrekt geen spier van haar zombiegezicht.

'Sorry,' zegt ze, 'maar nu moet je echt gaan zitten.'

Als ik weer zit, grijpt de oude vrouw mijn arm en boort haar scherpe gele nagels in mijn vlees. Vergeleken met de stewardess ruikt zij naar oud bloemenwater.

'Bent u bang voor de landing?' vraag ik.

'Als de dood,' zegt ze.

'U gaat niet dood,' zeg ik, en de stompzinnigheid van wat ik zeg bezorgt me een vuurrood hoofd.

Het vliegtuig landt en de passagiers haasten zich naar de ontvangsthal voor binnenlandse vluchten. Daar is het rumoeriger dan in een kalkoenenfokkerij en de plafondspots, oranje als broedlampen, werpen een hete gloed op mijn achterhoofd.

Een man in een donker pak houdt een bordje met mijn naam omhoog. Ik weet dat hij Henry Harding is, mijn gastvader. De vrouw naast hem draagt een donker mantelpak. Zij is mijn gastmoeder, Margaret Harding.

Niemand van mijn familie is ooit overzee geweest. In Sydney woon ik met mijn vader (Mick), mijn moeder (Sandra) en mijn twee oudere zussen (Erin en Leona) in een veel te kleine driekamerflat (vier kamers als je de berging meetelt), en met hen heb ik nooit reizen gemaakt waar visa, koffers of vliegtuigen aan te pas kwamen.

Ik zwaai naar mijn gastouders. Henry doet een stap naar voren.

'Jij moet Louise Connor zijn,' zegt hij met uitgestoken hand.

'Ja,' zeg ik, terwijl ik zijn hand schud. 'Wat enig om jullie te ontmoeten.'

'Wederzijds,' zegt Margaret met een brede glimlach. 'Welkom in ons gezin.'

'En dat je maar een geweldig jaar bij ons mag doorbrengen,' zegt Henry.

'Dat hoop ik ook,' zeg ik.

'Kom, dan gaan we naar huis,' zegt Margaret. Ze stapt op me af en pakt met twee handen mijn hand beet, een intiem gebaar waardoor ik me acuut bewust word van mijn gebit, van hoe slecht mijn tanden in mijn kaken passen. Mijn mond is zijn grip op mijn gezicht kwijt. Sinds mijn kindertijd heeft niemand mijn hand meer vastgehouden, behalve de jongen met wie ik voor het eerst zoende. Die hield altijd mijn hand vast als we samen rolschaatsten. Kon ik absoluut niet tegen, en ik kan er nu weer niet tegen. Ik zou me niet ongemakkelijker kunnen voelen.

Ik laat los en zij blijft glimlachen.

'We kunnen nog niet weg,' zeg ik. 'Er moeten eerst nog wat papieren worden ingevuld door iemand van de organisatie.'

'Nou, dan gaan we maar even zitten.'

'Goed idee,' zegt Henry, die een lichte huid en lichtblond haar heeft. Zijn wimpers en wenkbrauwen zijn nauwelijks zichtbaar. Hij is nog net geen albino.

We nemen plaats op plastic kuipstoeltjes en slaan de andere leerlingen en hun gastouders gade.

'Ik ben dol op vliegen,' zeg ik. 'Ik geniet al als ik die tekst op de vleugels lees: "niet voorbij dit punt lopen".'

'Wat grappig,' zegt Margaret. 'Grappig, hè?' zegt ze tegen Henry.

'Nee,' zegt Henry zachtjes. 'Ik bedoel, mij is die tekst nooit opgevallen.' Hij kijkt me fronsend aan.

'Is het niet heerlijk om Louise eindelijk te ontmoeten?' zegt Margaret tegen Henry.

'Nou,' zegt hij, en hij legt een hand op het been van zijn vrouw.

'Ik vind het ook geweldig,' zeg ik, en ik leg mijn beide handen op mijn jeans om het kleiige mengsel van mijn zweet en de overmaat aan talkpoeder in de stof te laten dringen.

De voorzitter van de plaatselijke tak van de organisatie komt op ons af. Haar naam is Florence Bapes en ze was onze kampleidster bij de introductieweek in Los Angeles.

'Ik ben Florence Bapes,' zegt ze. '*Apes* met een b ervoor.'

'Aangenaam,' zegt Henry.

Florence geeft Margaret een hand.

'Ik ben het komend jaar de mentrix van Louise,' zegt ze. 'Noem me maar Flo.'

Tijdens de vlucht liep Flo voortdurend door het gangpad. Ze is vier keer een praatje met me komen maken en ze begon elk praatje met: 'Hoe gaat-ie?' Ik hoor het liever geen vijfde keer.

'Hai, Flo,' zeg ik. 'Hoe gaat het?'

Flo heeft abnormaal kleine oogjes, nietig en donkerbruin, zo donker dat je haar pupillen niet kunt zien.

'Geweldig, joh, steeds beter!'

Dit zegt Flo elke keer als iemand vraagt hoe het met haar gaat. Het is een vaste frase van haar, alsof ze een spelprogramma presenteert.

Margaret glimlacht naar me, en likt haar bovenlip met een verrassend dikke en brede tong.

'Nou, jongens,' zegt Flo, 'vergeet niet om Lou's ouders te bellen en te melden dat ze heelhuids is aangekomen.' Ze slaat een arm om mijn schouders en trekt me tegen zich aan. 'Dit meissie heeft een hoop liefde nodig.'

Flo dreigt me te gaan knuffelen, dus deins ik achteruit. Ze denkt dat ik extra vertroeteld moet worden omdat ik een beurs voor leerlingen uit kansarme gezinnen heb, en omdat ze in de introductieweek ontdekte dat ik nog nooit zalm had gegeten. Ze kwam op een avond de slaapzaal binnen en ging op de rand van mijn bed zitten, waardoor ik me verplicht voelde om haar wat dingen te vertellen. Toen ze hoorde dat we thuis bliksoep van het Leger des Heils aten, barstte ze bijna in tranen uit.

'Natuurlijk,' zegt Margaret, die op haar beurt een hand op mijn schouder legt. 'We bellen ze vanavond nog. Het lijkt me enig om Louises ouders even te spreken.'

'Dat gaat niet,' zeg ik.

Flo kijkt op haar horloge. 'Waarom niet?' vraagt ze.

'Het schiet me nu pas te binnen,' zeg ik. 'Mijn hele familie is deze maand op vakantie in Spanje.'

'O,' zegt Flo, minder sceptisch dan ze zou moeten zijn. 'Nou ja, bel ze in ieder geval zodra ze terug zijn. En vergeet de bijeenkomst van vanavond niet, bij mij thuis!'

'Leuk,' zeg ik. 'Zullen we dan nu mijn koffers van de band gaan pakken?'

'Goed, jongens, ik moet gaan,' zegt Flo alsof ze inziet dat ze ons daar veel verdriet mee doet. 'Ik zie jullie vanavond. Halfacht precies.'

'We verheugen ons erop,' zegt Margaret.

'Geweldig,' zeg ik. 'Fantastisch.'

Henry kijkt naar me en er komt een plooi tussen zijn wenkbrauwen.

Het is trouwens waar dat mijn ouders niet thuis bereikbaar zijn. Ze verblijven momenteel bij de oudste zuster van mijn moeder, die haar heup heeft gebroken. Maar Erin en haar vijfentwintigjarige vriendje Steve zullen er wel zijn en de lucht in mijn kamer verpesten met de waterpijp die ze van een shampoofles hebben gemaakt. Leona zal waarschijnlijk dronken in het bed van mijn ouders liggen om een kindje te maken met haar verloofde Greg, een automonteur met eczeem op zijn met olie besmeurde vingers.

Als Henry of Margaret vanavond naar de flat belde, zou Steve waarschijnlijk opnemen met een van zijn ongehoord ongrappige spitsvondigheden. Het was Steve (hij werkt als uitsmijter in een kroeg op de hoek van onze straat) die me deed beseffen dat ik geen dag meer met mijn familie wilde doorbrengen. Nooit meer.

Drie weken voor mijn vertrek besloot ik een dag te spijbelen om de flat voor mij alleen te hebben. Mijn ouders, die allebei werkloos zijn en elke veertien dagen een cheque van de sociale dienst krijgen, hangen doorgaans de hele dag op de bank, roken de ene sigaret na de andere en kijken naar praatprogramma's. Om een uur of twaalf kwam Erin thuis voor het middageten, met Steve en drie van zijn vrienden, die ieder een sixpack bier bij zich hadden.

Ik zat aan de keukentafel anonieme gedichten uit de vijftiende eeuw te lezen. Steve boog zich over me heen terwijl de pizza zichzelf warmdraaide in de magnetron.

'Ha!' zei hij, en hij wees over mijn schouder naar de bladzij. '"Mijn tamme haan." Moet je viagra slikken, maatje!'

Ik sloeg het boek dicht en stond op. 'Je zult het niet willen geloven,' zei ik. 'Maar dit gedicht gaat over vogels.'

'Geef mij maar gedichten over poesjes!' zei hij.

Ik schopte hem tegen zijn scheen en een van zijn vrienden zei: 'Neem je dat, Steve?'

Hij gaf me een speels tikje tegen mijn achterhoofd en zei: 'Ze bedoelt het niet zo kwaad.'

Ik probeerde naar zijn vriend te spugen, maar de klodder belandde op mijn eigen schoen.

'Hé hé,' zei Steve, geamuseerd omdat ik nog feller bloosde dan normaal. 'Een beurs voor hoogbegaafden maar spugen kan ze niet. Moeten wij je even spuugles geven op het parkeerterrein?'

'Mij best,' zei ik, en ik liep met Steve en zijn vrienden de trap af om naar de was aan de lijn te spugen en bier te drinken. Een gepaste manier om voorgoed afscheid te nemen.

'Ik draag je koffers wel,' zegt Henry.

'Er zitten wieltjes onder,' zeg ik, maar als hij de eerste koffer op de grond zet, valt er meteen een wieltje af. Ik pak het op en krijg een rood hoofd.

'Ja, die zit los.'

'Maakt niet uit,' zegt Margaret. 'We dragen er gewoon ieder een.'

Margaret en Henry gaan op weg, maar ik blijf nog even staan en kijk over mijn schouder naar de andere leerlingen die afscheid nemen, elkaar omarmen en adressen uitwisselen alsof ze elkaar al jaren kennen.

'Wacht even!' roep ik met een stem die niet de mijne is, en ren achter Henry en Margaret aan, ren naar hun rijzige lichamen en de donkere, schone ruggen van hun pakken.

Henry steekt zijn vrije arm naar me uit en slaat hem om mijn schouder. Ik haal diep adem. En dan gebeurt het. Eindelijk. Ik ruik mijn toekomst in de geur van Henry's aftershave.

Mensen worden vaak door geuren aan vroeger herinnerd – de geur van cake die je aan het strand at, van een broodje ham, de kraaltjes van een rozenkrans of een sinaasappel. Maar ik kan op dezelfde manier mijn toekomst ruiken, en de geur van Henry vertelt me dat ik van nu af aan tussen schonere lakens zal slapen.

2

Henry rijdt ons naar huis. De Mercedes ruikt alsof hij net uit de plastic verpakking is gehaald.

'Is dit een nieuwe auto?'

'Ja,' zegt Margaret. 'Vind je hem mooi?'

'Hij is prachtig,' zeg ik.

'Het wordt een behoorlijke rit,' zegt Margaret. 'Geniet maar van de omgeving.'

'Zal ik doen,' zeg ik, maar voorlopig zie ik alleen auto's en reclameborden, net als in Sydney.

Henry en Margaret wisselen elkaar af met beleefdheidsvragen. Wat eet ik het liefst? Doe ik aan sport? Hoe heet kan het in Sydney worden? Hou ik van het strand? Heb ik weleens een echte kangoeroe gezien?

Ik zit achterin en wou dat ik mijn mond kon houden. Ik ben te nerveus en kan geen weerstand bieden aan de aandrang om te liegen. Ik zeg dat ik aan allerlei sporten doe. Ik zeg dat ik dol ben op het strand. Ik zeg dat ik ooit een tamme kangoeroe heb gehad, die Skippy heette. Ze vinden mijn verhaaltjes enig, dus vertel ik het ene na het andere. Ik voel me smerig. Hun tanden zijn zo wit en die van mij zijn zo rot.

'Zijn jullie voor de doodstraf?' vraag ik.

Margaret keert zich om. Ze kijkt me voor het eerst aan zonder te glimlachen.

'Of wij voor de doodstraf zijn?'

'Ja.'

Ze kijkt naar Henry.

'Nee, dat ben ik zeker niet,' zegt ze alsof ik haar ergens van beschuldigd heb.

Henry kijkt me aan via de achteruitkijkspiegel.

'Nee, ik ook niet. Beslist niet.'

Margaret draait zich weer naar voren.

'Waarom vraag je dat?'

'O, vroeg ik me zomaar af,' zeg ik.

We zwijgen.

'Ik denk dat ik even een dutje ga doen,' zeg ik.

'Tuurlijk,' zegt Margaret, 'maar hou wel je gordel om.'

Henry roept me wakker als we de voorstad binnenrijden.

'Hier wonen we,' zegt hij en hij wijst naar een welkomstbord met de naam B..., het inwonertal (480.320) en de bewering dat het leven in B... niet beter kan.

Margaret vertelt me over de nationale parken in de omgeving, over het nieuwe winkelcentrum en over de leraar/leerling-ratio van de highschool waar ik heen zal gaan, en dan rijden we over de brede oprit van huize Harding.

Mijn nieuwe thuis is een voorstedelijk landhuis – statig en wit, met een bovenverdieping en een veranda met zes witte zuilen en ramen met kraakheldere witte gordijnen. Op de bovenverdieping is het middelste raam smaller en hoger dan de andere en het heeft lichtblauwe luiken waarvan er één openstaat. Ik hoop dat dit mijn kamer is.

De stille straat met zijn identieke bomen heeft de onberispelijke symmetrie van een bouwplaat of een modelspoorbaan. Alles oogt pas geverfd. Nergens vuil of afval.

'Wat een schitterend huis!' zeg ik. 'Fantastisch.'

Henry duwt de voordeur open met zijn rug. Als hij mijn twee koffers de trap op sleept, valt er nog een wieltje af.

'Kom,' zegt Margaret, 'dan geef ik je een rondleiding.'

Aan weerszijden van de voordeur zitten glas-in-loodramen en

het zonlicht werpt rode en blauwe vlekken over de vloer, net gemorste verf.

'O, kijk eens!' zeg ik alsof ik water zie branden.

Margaret glimlacht. 'Mooi, hè?'

'Wauw,' stamel ik, en het klinkt alsof ik nu al een Amerikaans accent heb.

Margaret voert me langs een aantal van de vijftien vertrekken die het huis telt. De eetkamer, de keuken, de grote zitkamer. Elke ruimte ruikt opvallend fris. Een dauwige, schone lucht, makkelijk in te ademen, alsof er niet alleen buiten grote bladrijke bomen groeien, maar ook hierbinnen.

In de flat in Sydney was de vloerbedekking zo versleten dat je er de draden van de rug doorheen zag schemeren, en de bank en leunstoelen waren bekleed met vinyl dat er als verbrande huid vanaf bladderde. Hier glimmen de houten vloeren van de boenwas, de meubels zijn zwaar en volumineus, er hangen olieverfschilderijen en de boekenkasten reiken tot aan het plafond.

Ik wijs naar de houten betimmering die de onderste helft van de muren bedekt.

'Hoe noem je dat?'

'Lambrisering. Vind je het mooi?'

'Het moet hier net zijn alsof je in een reusachtige boomhut woont.'

'Ah, zo heb ik het nog nooit bekeken. Wat een lieve gedachte.'

Haar stemt klinkt alsof ze verkouden is. Henry klinkt ook zo. Maar hun accent bevalt me. Niet te sterk, niet te verwarrend.

Margaret neemt me mee de trap op. Net als ik denk dat ik wel op Henry en haar gesteld zal raken, en dat ze mij hopelijk ook aardig zullen vinden, haakt ze haar arm in de mijne. Mijn arm voelt onmiddellijk als een zieke slang, een slang met een allergische aanval, verhit en vergiftigd. Mijn gezicht gloeit. Mijn oren en hals moeten vuurrood zijn. Ik probeer mijn gezicht af te wenden. Op de overloop komt Henry een deur uit.

'We zien je straks beneden,' zegt Margaret tegen hem.

'Goed idee,' zegt hij met een glimlach die zo breed is dat zijn gezicht er pijn van moet doen. Ik weet hoe hij zich moet voelen. Als de druk om blij te zijn zo groot wordt, is het net alsof je wordt gewurgd.

Margaret neemt mijn hand en voert me door de gang.

'Dit is de slaapkamer van Henry en mij.'

Deze kamer heeft geel als hoofdkleur, een hemelbed en een badkamertje en suite.

'Dit is Bridgets kamer.'

Bridgets kamer is roze en netjes opgeruimd.

'Dit is de kamer van James.'

James' kamer is blauw en rommelig.

We lopen terug en blijven stilstaan op het midden van de overloop. 'En dit is jouw kamer.'

Ze duwt de deur open en ik zie een schoon wit kamertje. Het heeft een smal hoog raam, met één lichtblauw luik open en het andere dicht.

'Dit is je bed.'

'Wat een prachtige kamer,' zeg ik. Het is dat ze nog steeds mijn hand vasthoudt, anders zou mijn geluk volmaakt zijn. 'Fantastisch.' Ik laat haar hand los.

De beddensprei is krijtwit en hangt tot op de stofloze houten vloer. Op het bed ligt een stapel kussens, wit, roze en crèmekleurig, als marshmallows uit een pasgeopende zak. Het enige wat ik nu nog wil is slapen.

Hier is mijn garderobe, en hier is mijn sandelhouten schrijfbureau, en hier is de sleutel voor de laden van mijn schrijfbureau.

'Bevalt het je?'

In Sydney moest ik mijn kamer met Erin delen, die de muren had volgehangen met bollende posters van debiele popsterren. Op de deur zaten de gênante foto's die mijn zussen in het winkelcentrum hadden laten maken, door een vent die hen voor honderd dollar als een stel hoeren had uitgedost. Naast Erins bed stond altijd een asbak vol stinkende peuken, en aan de deurknop hing onveranderlijk een slipje te drogen.

'Het is perfect,' zeg ik.

'Mooi zo,' zegt Margaret die opeens tussen mij en het bed staat. Haar blauwe ogen fonkelen. Ik voel me smerig en weet me geen raad met mijn houding.

Ze draagt haar glanzende haar in een elegante knot op haar ronde hoofd. Ik voel me een gammel, lek bootje dat ronddobbert onder de boeg van een luxe passagiersschip.

Volgens mij wil ze me omhelzen en ik vraag me af wat ik moet doen. Ik wou dat ik wist hoe je dat eigenlijk doet, iemand omhelzen.

Margaret loopt om me heen naar het hoofdeinde van het bed, waar ze de sprei terugslaat en de kussens opschudt.

Als substituut voor een fysieke uiting van genegenheid zeg ik: 'Ik vind het écht een schitterende kamer. Dank jullie wel.'

'Mooi zo,' zegt ze, en ze komt weer vlak bij me staan, zoals ik dacht dat mensen het alleen in films deden. Verwacht ze soms dat ik me ga omkleden waar ze bij staat?

'We waren eerlijk gezegd bang dat je het te wit zou vinden,' zegt ze. 'Vind je het niet te veel op een ziekenhuiskamer lijken?'

Ik hou toevallig van ziekenhuizen en ziekenhuisafdelingen, en vooral van ziekenhuisbedden. Ik hou ervan om 's nachts de huisarts aan mijn bed te krijgen, met zijn leren dokterstas en een witte jas aan, en ik hou ervan om naar het ziekenhuis te worden gebracht. Niets kan tippen aan de rust die over me komt als ik in een ziekenhuisbed lig en er komt een dokter of zuster naar me toe, met een stethoscoop of een klembord, en de belofte van pillen.

Hoe schoner en witter een kamer, des te beter voel ik me op mijn gemak. Ook hou ik van de bedschorten die je van het ziekenhuis krijgt – korte gewaden van dun blauw papier, gesteriliseerd en voor eenmalig gebruik, die met een veter in je nek worden vastgemaakt en je rug bloot laten.

'Nee, hoor,' zeg ik. 'Ik vind het écht fantastisch.' Ik gaap en kijk om me heen, speur naar iets waaraan ik me zou kunnen vasthouden om niet om te vallen.

Margaret blijft staan waar ze staat. Haar armen hangen losjes langs haar zijden. Geen noodzaak om haar handen dicht te knijpen of met haar vingers te wriemelen of ergens naar te wijzen. Het is alsof haar lichaam op een andere manier bestaat dan het mijne. Haar lichaam is geen obstakel voor haar, hindert haar niet. Het is wat het moet zijn – een omhulsel voor gedachten, een apparaat om gedachten mee in daden om te zetten.

‘Zal ik je helpen uitpakken?’ vraagt ze. Ze wil zien wat ik bezit.

‘Graag,’ zeg ik, zo bang dat ze me weer aanraakt dat mijn aluminiumfolietanden ervan klapperen.

‘Ga jij maar lekker zitten,’ zegt ze, ‘dan hang ik je kleren wel in de garderobe.’

Waarom laat je me niet naar bed gaan? wil ik zeggen. Sla dat bed voor me open, stop me in, breng me thee en een geroosterde boterham en trek de gordijnen dicht. Zie je dan niet dat ik nog maar amper op mijn benen kan staan?

Margaret pakt langzaam mijn koffers uit, en ik doe wat ik wel vaker doe als ik een beetje grip op mijn zenuwen wil krijgen.

Ik denk aan Mawson, de Australische poolreiziger. Ik heb ooit een boek over hem gelezen, over hoe hij in Antarctica de botten van zijn dode sledehonden tot een gelei had moeten koken om zichzelf voor de hongerdood te behoeden. Hij at zoveel hondenlever dat hij een vitamine A-vergiftiging opliep. Zo’n vergiftiging veroorzaakt desquamatie, het afschilferen van de huid, met name die van de handen, voeten en genitaliën. In Mawsons geval werd dit zo erg dat zijn voetzolen begonnen los te laten en hij ze met touw moest omwikkelen om ze niet kwijt te raken.

Ik sta op, neem Margaret een stapeltje kleren uit handen en kwak het in een lade. Zij haalt de kleren er meteen weer uit en legt ze een voor een terug.

Ik doe een stap achteruit en ga weer op de rand van het bed zitten.

'Weet jij wat desquamatie is?' vraag ik.

Margaret vouwt mijn pyjamajasje en -broek op en legt ze op het voeteneinde.

'Geen idee. Waarom wil je dat weten?'

'Ik las erover in een boek over poolreizigers. Die stierven tijdens een expeditie vaak aan desquamatie, stond er, en ik vroeg me af of jij misschien wist wat dat was.'

'We hebben een encyclopedie beneden. Zal ik je daar even naartoe brengen?'

Margaret is manager van een bankfiliaal, maar ze klinkt als een juffrouw op een lagere school.

'Nee, dank je,' zeg ik. 'Ik zoek het later nog weleens op. Het is nu misschien beter als ik een dutje doe.'

'O,' zegt ze. 'Wil je niet eerst de rest van het huis zien en even wat eten?'

'O,' zeg ik met brandende ogen. 'Graag.'

Henry zit aan de keukentafel een krant te lezen en een appel te eten. Hij is knap en ziet er gezond uit, net als Margaret. Ik weet niet hoe het komt, maar gezonde mensen zijn altijd zo schoon, en ze ruiken zo nieuw. In deze smetteloze keuken zal ik minder moeite hebben met eten. Misschien ga ik voortaan wel ontbijten.

'Bevalt je kamer je?' vraagt Henry. 'We waren eerlijk gezegd bang dat je hem wat klein zou vinden.'

'O, zeker niet,' zeg ik. 'Hij is perfect.'

Mijn stem klinkt een beetje deftig, precies de toon waar ik op geoefend heb. De klank bevalt me, hij glijdt dit huis binnen als een nieuw gladhouten meubelstuk over de gladhouten vloer.

'Je bent in het echt nog knapper dan op de foto,' zegt Margaret terwijl ze de koelkast opentrekt en een appel uit de grote transparante groentela pakt. Er liggen volop appels in die la. Een hele massa peentjes ook.

Henry kijkt naar me.

'Ze heeft gelijk, hoor. Je foto's doen je geen recht.'

Margaret houdt twee appels omhoog.

'Je hebt een levendig, knap gezichtje,' zegt ze.

'Leuk om te horen,' zeg ik.

'Echt waar, we herkenden je nauwelijks op het vliegveld,' zegt Henry. Het klinkt alsof ze dit van tevoren besproken hebben.

Margaret gaat achter hem staan en nu word ik door twee gezichten bekeken.

'Welke wil jij?' vraagt Margaret, die nog steeds de appels omhoog houdt.

Ik heb een hekel aan appels. Ben er niet mee opgegroeid en weet niet hoe ik ermee om moet gaan. En ik ben bang voor mijn tanden. Ik ben beducht voor hard voedsel.

Mijn zussen zijn ooit binnen één week ieder een tand kwijtgeraakt met het eten van toffees in de bioscoop. Erin nam de hare mee naar huis in een papieren zakdoek. Hij zat nog vast in de toffeeklont en aan de rand zat gesmolten chocola die op geronnen bloed leek. Het verlokte mijn moeder tot haar favoriete uitdrukking (toevallig ook de favoriete uitdrukking van mijn vader): 'Eigen schuld, dikke bult.'

'Maar, mam,' zei Erin, 'ik kan toch niet met een groot zwart gat in mijn mond blijven lopen?'

'Waarom niet?' zei ik. 'Je hebt een minstens zo groot gat in je hoofd.'

Erin trok aan mijn haar, gaf me een knietje in mijn maag en liep weg. Ik viel op de grond, waar ik de vieze lap kon ruiken die mijn moeder voor het keukenzeil gebruikt.

'Zo kan-ie wel weer,' zei mijn vader, en hij maakte de gesp van zijn overall vast, die waarschijnlijk urenlang los had gehangen zonder dat hij het in de gaten had.

'Doe eens wat aan die overall, Mick,' zei mijn moeder. 'Dat ding zit als een hobbezak om je lijf.'

'Wat denk je dat ik aan het doen ben?' zei mijn vader. 'Een dansje opvoeren?'

Ze lachten en ik stond op van de stinkende vloer. Mijn vader gaf me een harde klap op mijn rug en grijnsde naar me.

'Dat was een goeie,' zei hij.

'Nee, dank je,' zeg ik. 'Ik heb geen honger.'

Margaret legt een appel naast Henry's krant neer en ze zoenen elkaar. Op de mond. Het is geen vluchtig zoentje en Henry brengt er een diepe mmmmm bij voort, die me een raar gevoel in mijn maag bezorgt.

'Kom op,' zegt Margaret. 'Dan laat ik je de rest van je nieuwe huis zien.'

Ze toont me de muziekkamer, compleet met piano, een kleine bibliotheek, de werkkamers van Henry en haarzelf, de salon, de twee badkamers op de begane grond, en hapt ondertussen met haar grote hoekige tanden in haar appel.

Ze vertelt me over de vijf jaar die het gezin in Chicago heeft gewoond, waar zij voor haar bank algemeen directeur voor de staat Illinois was.

'We zijn hiernaartoe verhuisd om de ratrace te ontvluchten,' zegt ze. 'Maar met de uren die ik nu werk, had ik net zo goed algemeen directeur kunnen blijven.'

'Heb je een hekel aan werken?' vraag ik. Ik ben moe en nerveus, maar ik weet dat ik niet mag stilvallen.

'Nee, het probleem is meer dat ik vroeger van alles deed, terwijl ik tegenwoordig...' ze zegt het met een zucht '... alleen nog maar werk.'

'Wat deed je dan zoal?' vraag ik.

'Voor we kinderen hadden, heb ik jarenlang pianogespeeld. Henry en ik woonden toen in Parijs, en ik gaf daar pianoles en schilderde.'

'Maar je kunt nu toch ook nog pianospelen en schilderen?'

'Nee, dat lukt niet meer,' zegt ze. 'Geloof me, je zult er op een dag zelf wel achter komen hoe moeilijk het is om alles te doen wat je zou willen doen. Vroeg of laat word je gedwongen om prioriteiten te stellen.'

Ik verfoei het als mensen dit soort dingen zeggen, vooral als ze er zulke uitdrukkingen bij gebruiken als 'prioriteiten stellen'. Bij het horen van stopwoordjes of clichés moet ik vaak tot tien tellen om het niet uit te gillen van ergernis. Toen ik de flat in Sydney verliet, dacht ik voorgoed verlost te zijn van kalenderwijsheden en modewoordjes.

'Kun je niet parttime gaan werken?' vraag ik.

'O, lieverd,' zegt ze, 'je moest eens weten!'

'Neem me niet kwalijk,' zeg ik. 'Ik wilde alleen maar...'

'Welnee,' zegt ze, 'zo'n vreemde gedachte is dat niet.'

Terwijl we door het huis lopen vertelt ze over Henry's werk als actuaris. Ik vraag niet wat dit woord betekent, al weet ik dat ik dat wel zou moeten doen. Ze vertelt dat hun twee kinderen naar de beste universiteiten van het land willen en allebei dokter willen worden.

'Ik ook,' zeg ik. 'Ik wil ontzettend graag dokter worden. Plastische chirurgie lijkt me geweldig.'

'Aha, gezichten en...'

'Nee, geen cosmetische ingrepen,' zeg ik. 'Echte verminkingen en misvormingen herstellen. Handtransplantaties en zo.'

'O, wat geweldig,' zegt ze. 'Ik weet zeker dat jullie drieën het uitstekend met elkaar zullen kunnen vinden.'

Ze vertelt me wat 'die twee' nu voor schoolvakken hebben en welke sporten ze beoefenen. Ze vertelt me zo veel dat elk nieuw feit een eerder feit uit mijn hersens lijkt te drukken. Maar ik doe mijn best om geconcentreerd te blijven. Ik wil alle details onthouden. Alleen egoïsten luisteren niet naar de details van anderen, en de ergste egoïsten stellen zelfs nooit vragen. Zoals mijn zussen. Als die iemand tegenkomen, vragen ze niet eens hoe het gaat. Ze beginnen gelijk te zwetsen over troep die in de uitverkoop is, of hoe bepaalde slipjes tussen je billen kruipen.

Als we in de reusachtige tuin onder de boomhut staan, zeg ik: 'Ik heb nog nooit zo'n luxueus huis gezien. Jullie moeten enorm rijk zijn.'

Margaret grijpt mijn hand.

'Ik weet dat dit een hele nieuwe wereld voor je is,' zegt ze, 'maar je moet je eigen familie niet met ons vergelijken.'

'Maar dit is een kasteel vergeleken met...'

En opeens omhelst ze me, zonder waarschuwing. Ze houdt me stevig vast, klopt op mijn rug en laat me weer los, maar kijkt me daarna doordringend aan. Net als Flo Bapes. Met zo'n blik die je tot tranen lijkt te willen dwingen.

'Geen vergelijkingen trekken,' zegt ze. 'Kom, dan breng ik je naar je kamer.'

'Graag,' zeg ik. 'Ik ben doodmoe.'

Eindelijk alleen. Ik trek de gordijnen dicht, trap mijn schoenen uit en ga op het eenpersoonsbed met de krijtwitte sprei liggen. Er speelt een heerlijk briesje om mijn blote voeten en ik wil wanhopig graag in slaap vallen. Maar een minuut nadat ik mijn ogen heb gesloten, richt mijn geest zich op, springt open als een knipmes. Het is nu negen dagen geleden dat ik langer dan vier of vijf uur geslapen heb. Ik heb altijd al slecht geslapen, maar zo slapeloos als in de laatste maanden ben ik nog nooit geweest. Ik ontwaak iedere ochtend vlak voordat de vogels zich beginnen te roeren, alsof ik hun gefluit en getjilp opwek door mijn ogen te openen. En dan lig ik daar, een dood gewicht, naar de vogels te luisteren en ze te haten.

Ik open mijn koffer, haal mijn thesaurus tevoorschijn en ga synoniemen liggen opzoeken – bij de laatste jaarwisseling heb ik me voorgenomen om dit jaar twee nieuwe woorden per dag te leren. Halfvloeibaar, dikvloeibaar, taaivloeibaar, slijmachtig, slijmerig, lijmachtig, lijmerig, rekkerig, glutineus, viskeus, geleiachtig, geleiig, stroopachtig, stroperig, kleverig, taai, dik, lijvig, lillig, papperig, pappig, brijachtig, harsachtig, resineus, ongelig, prutterig, smeerachtig, smerig, olieachtig. Ik denk: ik tel slijm in plaats van schaapjes, en de gedachte doet me glimlachen, maar ik zou liever slapen.

Net als ik begin te overwegen om op mijn knieën neer te zinken en om slaap te bidden, komen mijn gastbroer en -zus thuis. Ik hoor ze de trap op komen en vervolgens hun snelle voetstap op de overloop.

Margaret roept: 'Louise, ben je wakker?'

Ik ga overeind zitten. 'Binnen,' zeg ik, alsof ik een belangrijk personage in een duur kantoor ben.

Ik ga naast mijn bed staan als mijn gastbroer en -zus het kleine witte kamertje binnenstappen, zoals het je past als je te gast bent in andermans huis. Margaret blijft op de drempel staan en legt haar beide handen op de schouders van haar kinderen.

'Louise, dit zijn Bridget en James.'

'Leuk jullie te ontmoeten,' zeg ik, en ik geef ze beiden een hand. Ik wou dat ik tijd had gehad om nieuwe talkpoeder op mijn palmen te strooien.

De hand van James is droog en merkwaardig klein en zacht – een handvormig kussentje.

Margaret drukt haar kinderen tegen zich aan, maar ze ontworstelen zich aan haar greep en lopen mijn kamertje in. Ik ga op de sierkussens zitten, met mijn rug tegen de muur.

'Je ziet er op je foto's heel anders uit,' zegt Bridget, die me net als haar moeder recht in mijn ogen kijkt. Ik moet op die foto's wel een vreselijk mormel hebben geleken.

'Werkelijk?'

Bridget is dertien maar oogt ouder. Ze is langer dan haar broer, die ouder is dan zij. Langer zelfs dan haar moeder. Ze gaat op mijn bed zitten, kruist haar lange, blote, bruine benen en trekt ze op tot aan haar kin, alsof ze van elastiek is. Ik kan mijn ogen niet van die benen en haar schone witte shorts af houden.

'Misschien komt het door het schooluniform dat je op die foto's aanhebt,' zegt ze. 'Wij dragen geen uniformen op school.'

Zij klinkt ook alsof ze verkouden is.

Op mijn school werden ook geen uniformen gedragen. Ik had het van mevrouw Walsh geleend, mijn lerares Engels wier dochters naar een particuliere school gaan. Marineblauw was het, met een bordeauxrood streepje, en volgens mevrouw Walsh stond het me geweldig. Ze nam vierentwintig foto's van me, staand naast haar piano. Het leek me goed om die foto's te sturen, want een uniform zegt weinig over de afkomst en eigenschappen van degene die het aanheeft.

Bridget glimlacht. Ze is opvallend ontspannen voor iemand die kennismaakt met een vreemde die een jaar lang bij haar komt wonen en een soort zuster voor haar zal zijn. Ze wil weten hoe het introductiekamp in Los Angeles was, omdat ik ze vandaar dagelijks een ansichtkaart heb gestuurd.

Ik vertel haar over het terrein en de drie zwembaden en de bibliotheek met meer dan zeven miljoen boeken, en dat laatste is een leugen.

'Lees je graag?' vraagt ze.

'Nou en of,' zeg ik. 'En jij? Heb jij veel boeken?'

'Geen zeven miljoen, maar meer dan je in een jaar zult kunnen lezen.

Ik denk: En als ik nu eens langer blijf dan een jaar?

James komt vlak naast zijn zuster zitten, alsof hij zich bij haar aansluit. 'Wist je dat jij en ik precies een jaar schelen?' zegt hij. 'Ik ben vijftien en jij bent zestien.'

'Wauw,' zeg ik, en ik vervloek degene die dat woordje ooit bedacht heeft.

Bridget stapt van het bed af en gaat naast Margaret staan. Wat is ze lang.

'Ik ga even douchen,' zegt ze. 'Tot straks.'

James staat ook op en trekt een voor een de laden van mijn lege bureau open. Hij is mollig. Hij heeft puistjes op zijn kin en wat vage dons op zijn bovenlip, het begin van een pubersnorretje.

Hij kijkt naar Margaret. 'Moet Louise ook dingen in huis doen?'

'Zeg maar Lou, hoor,' zeg ik.

Margaret glimlacht naar me alsof ze me gerust wil stellen.

'Lou? Dat is toch een jongensnaam?' zegt James.

'Niet plagen,' zegt Margaret.

Ze ziet me rood aanlopen en legt een hand op James' schouder. 'Oké, laten we Lou nog maar een beetje rust gunnen tot we gaan eten.'

'Geeft niet, hoor,' zeg ik.

James blijft me ondanks mijn blos aangapen. Als ik nog roder word, kijkt hij naar mijn koffers en meteen weer naar mij, en zegt: 'Moet je je cadeautjes en zo niet uitpakken?'

Hij kijkt gefascineerd naar mijn gezicht, benieuwd naar wat er nu mee zal gebeuren.

'Kom op,' zegt Margaret. Ze duwt hem voor zich uit en trekt de deur achter zich dicht. 'Laat Lou nog even tot zichzelf komen.'

Ik ga plat op mijn buik liggen en een paar tellen later is James weer terug. Hij buigt zich over me heen alsof hij me iets wil toefluisteren. Maar hij fluistert niet. Zijn stem klinkt hard, met een bozige ondertoon.

'Wat voor IQ moest je eigenlijk hebben om op die school voor hoogbegaafden te komen?'

Ik realiseer me dat het gevaarlijk is om het hem te vertellen, maar aan zwijgen zijn andere, minstens zo grote gevaren verbonden. Ik fluister het antwoord en hij reageert zoals iedereen altijd reageert: met een combinatie van ontzag, ontreddering en ongeloof.

'Jezus,' zegt hij, 'dat is verschrikkelijk hoog!'

Hij beent weg zonder om te kijken. Nou ja, hij vroeg me tenminste niet of ik een remedie tegen kanker ga ontdekken, of waarom ik niet allang voor de NASA werk, of waarom ik niet ga schaken om miljoenen aan prijzengeld in de wacht te slepen.

Als ik eindelijk ben ingedommeld, met de thesaurus op mijn borst, roffelt Henry op de deur. 'Tijd om op te stappen!' Als ik geen antwoord geef, doet hij de deur open en steekt zijn hoofd om de rand.

'Sorry,' zegt hij, 'maar het wordt tijd dat we gaan.'

'Wacht even,' zeg ik als hij zich weer terugtrekt. Hij stapt mijn kamer binnen. 'Ik wil nog even zeggen hoe ontzettend dankbaar ik ben dat ik hier bij jullie mag komen wonen.'

Hij komt op de rand van het bed zitten. De bovenste drie knoopjes van zijn overhemd zijn los. Het bijna albino-blonde haar op zijn borst rijst en daalt met zijn ademhaling. Hij buigt zich naar me toe en legt schuchter zijn hand op mijn knie. Hij is nerveus, net als ik, en ik voel me in zijn gezelschap meer op mijn gemak dan bij Margaret.

'Volgens mij,' zegt hij, 'zal het een waar genoegen zijn om jou in ons huis te hebben.'

Onze blijdschap hangt bijna voelbaar in de lucht. Ik houd mijn adem in en kijk naar de sprei.

'Dank je,' zeg ik. 'Heel erg bedankt.'

Henry loopt de kamer uit en ik voel me rustig.

We stappen in Margarets four-wheel drive, een hoog zwart monster van een voertuig. Geef mij die Mercedes maar. Het zou mooi zijn om hier mijn rijbewijs te halen en ermee over de buitenwegen te scheuren.

We rijden door het centrum van B., langs de winkelgalerij en het stadhuis met zijn gloednieuwe vleugel, op weg naar de plek waar we zullen eten. De zon is heet en fel.

'Dit is de auto waar we ons kroost altijd mee vervoeren,' zegt Henry, wiens onzichtbare wenkbrauwen inmiddels zichtbaar zijn, door het zweet dat er in glinstert.

'Wij zijn geen kroost meer,' zegt Bridget.

'Kroos drijft op het water,' zegt James.

Henry negeert hun protest en tikt tegen de voorruit. 'Kogelvrij,' zegt hij. 'Alle ramen zijn van kogelvrij glas.'

De zakenwijk staat vol lage flatgebouwen met veel glas. Getinte ruiten die de identieke gebouwen aan de overkant weerspiegelen. Er rijdt niet één oude auto rond en ik zie nergens afval liggen. Geen politiesirenes, geen claxons, geen gebruikte injectienaalden en geen graffiti.

'Wat is het hier vredig,' zeg ik.

James schiet in de lach. Een akelig, schamper lachje. Hij wil zo te horen dat ik naar hem kijk. Ik geef hem zijn zin en zie hem hooghartig grijnzen. Zijn gezicht en houding stralen een heftigheid uit die ik bijna ruiken kan.

Henry kijkt naar me in de achteruitkijkspiegel, met een bezorgde glimlach, alsof hij bang is dat ik elk moment uit de auto kan springen. Ik weet dat er conversatie van me wordt verwacht, dus probeer ik iets interessants of aardigs te bedenken. Ik kijk om me heen om inspiratie te vinden.

We stoppen voor rood licht en voor ons wordt een jonge vrouw in een rolstoel naar de overkant gereden. Ze maakt onbeheerste grimassen.

Als de rolstoel het trottoir op wordt geduwd, zeg ik: 'Wisten jullie dat de heksen uit de zeventiende eeuw nazaten hebben met de ziekte van Huntington? De gezichtskrampen die je daarbij krijgt zijn waarschijnlijk de reden waarom die vrouwen destijds voor heks werden aangezien en op de brandstapel werden gezet.'

Niemand reageert.

Ik wou dat ik niets gezegd had. Ik klink niet goed. Ik ben een aanstelster. Een indringster. James fluistert Bridget iets in haar oor en ze duwt zijn voorhoofd weg met de muis van haar hand.

Margaret wijst uit het open raam. 'Jouw school ligt aan het eind van die straat.'

'Wanneer begint het schooljaar eigenlijk?'

'Over een week of vier,' zegt ze. Ze draait zich naar me om. 'Dus je hebt alle tijd om hier te wennen.'

Henry kijkt naar me in de achteruitkijkspiegel. 'Voor je school begint, gaan we nog twee weken op vakantie met zijn allen.'

'Een lekker lang tochtje met de auto,' zegt Margaret, 'zodat we als een gezin met elkaar kunnen optrekken.'

'O, wat leuk. Geweldig.'

'We gaan vooral voor jou,' zegt Bridget. 'Mam gaat anders nooit op vakantie.'

'Ontzettend leuk,' zeg ik. 'Zo kan ik meer van Amerika zien.'

Het landschap kan me weinig schelen, maar misschien vind ik een universiteit waar ik me volgend jaar kan inschrijven.

James lacht zijn schampere lachje weer.

'Wat is er leuk?' vraag ik.

Hij kijkt me aan en ik kijk terug.

'Ik weet niet,' zegt hij. 'Gewoon, zoals jij praat. Wat een rare ben jij.'

'Zeg, doe niet zo lelijk,' zegt Margaret, en ze steekt over de leuning van haar stoel een hand naar me uit. Ik weet niet wat ik met die hand aan moet. Ik kijk naar buiten en schuif mijn handen onder mijn benen. Ze draait zich naar me om, maar ik kijk haar niet aan. Mijn handen zijn vochtig, veel te vochtig om vast te houden. Ze laat haar hand zakken en knijpt liefkozend in mijn knie.

'Alles goed?' vraagt ze.

'Ja, hoor,' zeg ik.

'Waarom heb je dan zo'n rood hoofd?' vraagt James.

Bridget stompt hem op zijn arm.

'Hou je bek, James!'

We rijden de parkeerplaats van een groot familierestaurant op, dat ongetwijfeld deel uitmaakt van een landelijke keten.

'Wat een enorm restaurant,' zeg ik om mijn teleurstelling te verbergen.

Margaret trekt de deur open. 'Hebben jullie dit soort restaurants niet in Sydney?'

'Nee, niet zulke grote,' lieg ik.

Ik zou ze waarschijnlijk teleurstellen als ik zei dat we ze bij de vleet hebben, net zo groot, met een waardeloze inrichting en een beroerde keuken. Mijn zussen gaan er altijd heen als hun uitkering eindelijk binnen is en ze al dagenlang met een lege maag rondlopen.

Henry kijkt me weer fronsend aan. Denkt hij soms dat hij er goed uitziet als hij fronst?

'We zijn hier nog nooit geweest,' zegt hij, 'maar het leek ons misschien leuk voor jou.'

'Dat is het zeker,' zeg ik.

Ik sta met Margaret in de rij bij het buffet. De anderen hebben een voorsprong op ons genomen. Ze staat vlak bij me, zoals ze dat ook in mijn kamer deed, en als ik me naar haar toe draai, kan ik haar adem ruiken. Hij ruikt naar picknickthee met melk, uit een thermosfles.

Ze legt een hand op mijn schouder. 'Wat enig toch, dat je een jaar lang bij ons komt wonen. We hebben ons er enorm op verheugd en we zijn reuze opgewonden. Jij ook?'

Ik voel mezelf blozen alsof ik iets schunnigs heb gedacht of gezien. Zo rood als ik nu word, word ik ook altijd als iemand een schuine mop vertelt, of als er een seksscène op de tv is en mijn ouders zitten in de kamer.

'O ja,' zeg ik. Eigenlijk ben ik vooral blij om in Amerika te zijn. En ik zou wel willen uitleggen waarom ik zo graag bij mijn familie vandaan ben, maar als ik dat doe, zal de haat die ik voor mijn zusters voel als gal bij me omhoogkolken, opwellen als een stinkende boer.

De rij schuift weer wat verder langs het buffet en ik probeer de geur te mijden van de bacteriën die in al dat voedsel voortwoekeren.

Margaret legt een hand op mijn arm. 'Kun je niet kiezen, Lou? Of zit er niets bij dat je lekker vindt?'

'Nee, nee, het ziet er allemaal heerlijk uit. Maar ik ben moe, en dan heb ik nooit zo'n honger.'

Margaret schept wat aardappelsalade op haar bord, naast een enorme kipschnitzel, plat en dun als een lap menselijke huid. Ik neem niets. Ze pakt mijn lege bord.

'Lieverd, ben je echt alleen maar moe, of is er iets?'

Ik probeer een antwoord te bedenken en dan valt me opeens op hoe klein haar borstjes zijn. Haar bruine harde tepels tekenen zich af in haar witte T-shirt, als boomknoppen. Van het ene moment op het andere is ze een mens van vlees en bloed geworden. Mijn gedachten gaan onwillekeurig uit naar wat het betekent om mens te zijn. Hoe vergankelijk ons lichaam is. Wat zich erin afspeelt en wat er uiteindelijk van zal overblijven.

'Nee, echt, ik voel me prima.'

Margaret glimlacht. 'Kijk, ze hebben opgebakken boontjes. Die zijn lekkerder dan ze eruitzien, hoor.'

Dan kan ook haast niet anders.

'Lijkt me lekker,' zeg ik, bang dat ik moet kokhalzen.

Als we bij onze tafel komen, heb ik drie kippenpootjes op mijn bord. Ze doen me denken aan de ellebogen van dat meisje in de rolstoel. Bridget kijkt naar mijn bord en staat op.

'Ik ga nog wat voor haar halen, mam, of ze nu wil of niet.'

Ik heb er een hekel aan als mensen 'haar' of 'hem' zeggen in plaats van iemands naam.

Bridget komt terug met meer salade dan al mijn familieleden (ooms, tantes, neven en nichten meegerekend) in hun hele leven gegeten hebben.

'Dank je wel,' zeg ik, zonder een idee te hebben van wat je met zo'n slablad aan moet. En die harde, witte blokjes, zijn die eetbaar?

James haalt tot drie keer toe een nieuwe portie. Als hij kauwt, lijkt het vuurrode puistje bij zijn mondhoek te groeien. Hij raakt het voor elke hap even aan, alsof het speciale aandacht nodig heeft.

Het wordt al donker als we bij Flo Bapes arriveren. In haar woonkamer zitten al acht andere gastgezinnen met hun uitwisselingsgast. Flo staat voor een wit schrijfbord waarop ze de regels van de organisatie aan het schrijven is. Langs de achterwand staan drie schalen met punch, waar stukjes ananas in ronddrijven.

Elke gastleerling krijgt het verzoek om naar voren te komen en iets over zichzelf te vertellen. Ik ben als laatste aan de beurt en ik vertel wat dingen die ik al lang geleden heb ingestudeerd. Voor zo'n kamer vol mensen ben ik minder nerveus dan ik zou moeten zijn.

Ik vertel over Sydney en er wordt regelmatig gelachen, maar het genoegen is geheel aan mijn kant. Als ik weer ga zitten, klopt Henry me op mijn rug en zegt: 'Dat ging góed, zeg. Uitstekend.' James kijkt me sceptisch aan en Bridget zit vlechtjes bij zichzelf te draaien.

In kleine, nauwelijks leesbare letters schrijft Flo de volgende verboden op het witte bord: Geen alcohol, Geen sigaretten, Geen drugs, Niet autorijden, Niet liften!

Een leerling in het midden van de kamer zegt: 'Ik kan het niet lezen.'

Flo kijkt verstoord om. 'Anders past het er niet allemaal op!'

Flo is het schoolvoorbeeld van een 'vlek' – zo noem ik vage, onduidelijke mensen, zonder persoonlijkheid, zonder opmerkelijke karaktertrekken, met een duffe, rommelige geest vol slecht gelukte kopieën van de ideeën van anderen. Al zit je een jaar lang met een vlek in een kast opgesloten, je zult niets van hem of haar opsteken. Mijn zusters zijn vlekken.

Het is veel te warm bij Flo en ik begin over de luchthaven te fantaseren. Ik dagdroom dat we terug zijn in de terminal met zijn airconditioning, en dat Margaret en Henry me meenemen naar een taxfreeshop, waar ik een cadeau mag uitzoeken. 'Koop maar iets leuks voor jezelf als welkomstgeschenk,' hoor ik Margaret zeggen. 'Kijk maar rustig rond, hier en in de andere winkels,' zegt Henry. 'We komen je over een paar uur wel weer ophalen.'

Mijn dagdroom wordt onderbroken door een lichtflits, gevolgd door een paar beukende donderslagen. Midden in een eindeloze volzin van Flo sta ik op en loop naar het raam. Het onweer komt snel dichterbij en geeft de kamer een ander karakter. Nieuw gerommel, oorlogsgebulder en zigzaggende bliksemstralen. Dit is mijn lievelingsweer.

Ik wou dat ik het slaapmaskertje uit het vliegtuig had meegenomen. Dan kon ik hier op de vloer naar het onweer gaan liggen luisteren tot iemand me optilde en meenam om me in mijn schone witte kamer in bed neer te leggen.

Flo begint te stotteren. 'Hè, b-b-bah.' Haar neusvleugels krullen omhoog als versgebakken kroepoek. 'V-verstaan jullie me nog?' Ze huilt bijna van ontreddering.

Meer mensen schuifelen nu door de kamer, op weg naar een handje tortillachips. Flo drenst verder, maar ze wordt overstemd door de volmaakte muziek van de donderbui.

Margaret en Henry komen ook bij het raam staan, zonder iets te zeggen. Henry staat vlak naast me. We kijken naar buiten. Alweer zo'n lange, hemelverscheurende donderslag, alsof er een aluminium biervat over de stoep wordt gesleept bij de kroeg op de hoek van onze straat in Sydney.

Het weerlicht lijkt de voortuin van het huis aan de overkant in lichterlaaie te zetten. Margaret deinst achteruit en loopt weg, maar Henry en ik blijven staan waar we staan.

'Wat een noodweer,' zegt Henry met ontzag in zijn stem.

De regen hamert op het asfalt.

'Ik vind regen het mooiste wat er is,' zeg ik.

'Ja,' zegt hij. 'Het is zo schoon, hè?'

'Ja,' zeg ik, en het is net alsof al onze neuronen een douche hebben genomen. Ik kijk naar hem op en glimlach. Hij glimlacht terug.

'Alle zegen komt van boven,' zeg ik.

'Eens even zien,' zegt Henry, en hij schuift het raam helemaal omhoog. Achter ons valt de kamer stil. Doodstil. Iedereen kijkt naar ons, naar Henry en mij, want de regen slaat naar binnen en de donder lijkt langs de muren te daveren.

'Ja, deze zegen in elk geval wel,' zegt hij, en hij staat nu zo dicht bij me dat ik de geur van zijn stem opvang. Het is de geur van regen.

3

Ik heb weleens gelezen dat een door honden grootgebracht schaap de gewoonte had om auto's achterna te rennen. Maar hoe lang duurt het eer een dier de eigenaardigheden van een andere soort overneemt? Hoe lang zal ik bij de Hardings moeten wonen om de trekjes van mijn eigen familie af te leren?

Het is mijn tweede dag in hun huis. We zitten aan tafel na het avondeten, ik tegenover de openstaande deuren van de muziekkamer en de bibliotheek. Ik stel me voor hoe het in Sydney is: mijn vader, moeder, Erin, Leona, Greg en Steve, opeengepropt in de doosachtige zitkamer, en iedereen zit te paffen, zoveel rook dat ze elkaar amper kunnen zien, de gloeiende punten gaan van hun schoot naar hun mond en terug, iemand wuift de rook opzij om naar de tv te kunnen kijken. Alle ramen zitten dicht.

Margaret haalt twee volgeschreven velletjes uit de zak van haar spijkerbroek en legt ze voor zich op tafel.

'Ik vond dat Flo gisteravond een paar interessante opmerkingen had over conflictbeheersing,' zegt ze. Ze draait een velletje om en kijkt naar Henry. 'Volgens mij heb ik daar bij mijn werk ook wel iets aan.'

Bridget slaakt een zucht. 'Werk, werk, werk,' zegt ze. Margaret doet alsof ze het niet hoort of alsof het haar niet schelen kan.

Henry legt een hand in zijn nek en schraapt zijn keel.

'We doen er waarschijnlijk goed aan om Lou even onze huisregels uit te leggen. Des te sneller kunnen we plezier gaan maken met zijn allen.'

James kijkt naar me om te zien of ik een kleur krijg.

'We ontbijten elke ochtend om halfacht, met het hele gezin,' zegt Henry, 'en we willen natuurlijk graag dat jij ook meedoet.'

'Bridget,' zegt Margaret, 'wil jij Lou vertellen wat we in de weekends doen?'

Bridget zucht opnieuw. 'Kan ze niet gewoon doen waar ze zelf zin in heeft? Wat maakt dat nou uit?'

Margaret kijkt haar aan. 'We proberen altijd aanwezig te zijn bij elkaars wedstrijden en optredens,' zegt ze. 'Bridget doet aan jazzballet en basketbal, en daarnaast is ze lid van de Franse club van haar school. James zit in de wetenschapsclub en de debatingclub. We hopen dat jij ook komt kijken om ze te steunen in hun buitenschoolse activiteiten, zoals zij jou natuurlijk zullen steunen.'

Henry legt een hand op Margarets been. 'En Margaret zingt in het plaatselijke koor...'

Er valt een stilte. Niemand neemt de moeite om te zeggen wat Henry doet. Hij staart even naar het tafelblad en haalt zijn hand van Margarets been.

'Dus je ziet, we zijn een bezig gezinnetje. Het zal in het begin wel even wennen zijn voor je, maar ons weekprogramma hangt aan de koelkast.'

Margaret kijkt me glunderend aan, alsof dit goed nieuws is. 'Kijk er straks maar even naar. We hebben jouw naam er ook op gezet, dan kun je er je eigen dingen bij schrijven.'

Bridget zegt: 'Maar je hóeft er niks bij te zetten, hoor. Het gaat er alleen maar om dat we weten waar iedereen uithangt. Voor de rest stelt het niks voor.'

James kijkt naar me. 'Ga jij je ook aanmelden bij de debatingclub?'

'Weet ik nog niet.'

'Heb je trek in roomijs?' vraagt Bridget.

'Ja, lekker.'

Margaret pakt een appel van de fruitschaal en legt hem met

een klap naast haar bord neer, alsof ze het idee van een toetje de oorlog verklaart.

'Ik hoef niet,' zegt ze.

Bridget komt met het ijs en Margaret en Henry praten verder over de maaltijden, het afwasrooster, samenwerking, teamgeest en wederzijds respect. Ik laat mijn blik door de smetteloze eetkamer dwalen, kijk naar de piano in de muziekkamer, de boekenplanken in de bibliotheek, de lambrisering en de ingelijste familiefoto's daarboven.

Ik realiseer me dat ik te weinig zeg en probeer iets te bedenken.

'Wie wint er volgens jullie als een appel tegen een sinaasappel vecht?' vraag ik.

'Doe niet zo stom,' zegt James.

Henry glimlacht naar me. 'De sinaasappel,' zegt hij.

'Ja, want die heeft een harnas!' zegt Bridget.

Iedereen lacht, behalve James, en niemand zegt meer iets.

Margaret drinkt het laatste beetje ijsthee op en komt weer terug op de huisregels.

'Voor de rest zijn er nog maar een paar dingetjes die je moet weten,' zegt ze. 'Als het schooljaar weer begonnen is, wordt er niet langer dan twee uur tv gekeken, en in het weekend gaat hier om tien uur de avondklok in.'

Bridget slaakt een zucht. 'Noem dat geen avondklok, mam. Het is hier geen politiestaat.'

Margaret glimlacht. 'Volgens mij begrijpt Lou heel goed wat ik met avondklok bedoel.'

'Ja, hoor,' zeg ik. 'Thuis hebben we dezelfde avondklok.'

In Sydney blijf ik tot in de kleine uurtjes buiten, speel kaart, luister naar muziek en drink alcohol zonder dat ik zelfs maar naar huis hoef te bellen.

James grijnst naar me.

'Hé, laten we liedjes gaan zingen. Lou eerst!'

Hij wil me alleen maar weer laten blozen, maar dat hebben zijn ouders niet door.

'Goed idee,' zegt Henry.

'Zing je dan?' vraagt Bridget aan mij.

'Wat nou, dat weet je toch?' zegt James. 'Je hebt haar formulier toch gelezen?'

'Nee, niet echt,' zeg ik tegen Bridget.

James lacht. 'Kom op, zeg. Je schreef dat het je tweede hobby is, na lezen.'

Margaret staart naar de vloer naast mijn voeten, alsof ze daar afvallende ledematen verwacht.

James heeft gelijk. Ik heb van alles en nog wat op mijn aanmeldingsformulier geschreven, was buiten mezelf van zelfvertrouwen toen ik het invulde. Als ik eenmaal in Amerika was, met vermogende mensen om me heen, omgeven door frisse lucht en het idee van een nieuw begin, zouden al mijn angsten en remmingen vervliegen. Ik dacht dat ik als een dubbelagente van identiteit kon wisselen.

'Ja, maar ik zing eigenlijk nooit waar mensen bij zijn,' zeg ik.

James lacht opnieuw.

'Da's ook raar. Wat heeft het nou voor zin om te zingen als niemand je kan horen?'

Margaret grijpt niet in. Ik voel me als een walnoot die onder de volgende opmerking zal openbarsten en ik moet hem hoe dan ook zijn mond zien te snoeren. Ik doe alsof ik een hoestbui krijg, maar het wordt al snel een echte. Voor ik het weet, zit ik als een bezetene te blaffen.

Margaret gaat naar de keuken om een glas water te halen, maar als ze terug is, ben ik de trap al opgerend naar de badkamer. Ik drink er wat water uit de kraan en het hoesten stopt. Ik moet plassen, maar er zit geen slotje op de deur. Ik pak een stoel onder het raam vandaan en zet hem onder de deurkruk.

Margaret komt kijken hoe het met me gaat en morrelt vergeefs aan de deur. 'Alles goed daarbinnen?'

'Ja, hoor. Ik kom zo.'

'Oké,' zegt ze.

Ik luister naar haar voetstappen op de trap, wacht tot ze zijn weggestorven en loop dan naar buiten.

De regels van de organisatie schrijven voor dat ik nooit het huis mag verlaten zonder Margaret of Henry te zeggen waar ik heen ga, maar ik moet nu alleen zijn, en wel meteen. Ik loop in één keer de voordeur uit en begin door de buurt te wandelen.

Ik hou ervan om 's avonds over straat te lopen en te fantaseren hoe het zou zijn om bij andere mensen binnen te zijn.

Dat is begonnen toen ik negen was en op een dag van school wegbleef. De avond daarvoor hadden mijn zussen mijn broek omlaag getrokken waar hun vriendjes bij waren, omdat ik een lelijk woord had gezegd. Mijn moeder had erbij staan lachen en ik haatte haar.

Ik stapte op een trein en reed zo ver als mijn kaartje toeliet. Het was een hete dag en de zon maakte het asfalt week, verdoofde de kraaien op hun kabels en liet de mensen naar azijn stinken. Bovendien maakte de zon het een dag om niet snel te vergeten.

Ik drukte mijn gezicht tegen het raam en gebruikte mijn handen als zonnescherm. De trein zoefde door groene buitenwijken. Ik zag achtertuinen vol speelgoed en schuurtjes en schommels en zwembaden. Ik wilde die trein uit en een van de levens binnen die ik daar zag.

Tijdens die treinrit kwam het idee bij me op dat ik op een dag mijn intrek in het huis van een ander zou nemen, in het gezin van een ander zou worden opgenomen. Daarvoor had ik al vaak vondelingenfantasieën gehad, maar dit was meer dan een dagdroom over wie mijn echte ouders waren, of ik misschien het kind was van een beroemde schrijver, vorstelijk persoon of miljardair. Dit ging over een definitief afscheid, voorgoed weggaan. En het was spannender dan mijn lievelingsboek *Papillon*, en enerverender dan *The Great Escape*.

Ik stapte uit de trein en liep tot in de avond door de stille straten en steegjes. Ik slenterde langs voortuintjes gevuld met het knusse blauw van de tv-schermen die achter de zitkamerramen flakkerden. Ik kreeg honger terwijl ik naar de mensen keek die achter de vitrages bewogen, schimmig en traag, alsof ze onder zware lakens lagen te woelen.

Ik klopte op de voordeur van een eengezinshuis en vroeg: 'Mag ik binnenkomen? Ik ben van huis weggelopen.'

Ik wilde dat de vrouw in de deuropening mijn verlangen zonder vragen of tegenspraak zou accepteren. Ik wilde dat ze het gewoon meteen zou snappen.

In dat grote huis zat het hele gezin naar een film te kijken. De moeder nam me mee naar de woonkamer en zei dat ik moest gaan zitten. De vader drukte de knop van de tv in, die naar een teleurstellend zwart siste. De kleine kinderen, een jongen en een meisje, zeiden niets en keken zelfs niet naar me. 'Wat een mooi huis,' zei ik. De moeder stuurde haar kinderen naar hun kamers. Ik wilde achter ze aan de trap op lopen en daar een bed voor mij aantreffen. Ik wilde dat de moeder zou zeggen: 'Hier is jouw bed. Blijf hier vannacht maar slapen.' Maar in plaats daarvan sprak ze me streng toe. Ze wilde weten wat ik zo laat nog op straat deed, in mijn eentje nog wel.

Ik vertelde haar dat ik in een groot, schoon huis wilde slapen. De vader stond bij de deur. Hij had een onsmakelijke onderkin en ik meed zijn aanblik zoveel mogelijk.

'Is er thuis iets gebeurd? Is je daar iets overkomen?' vroeg hij, en zijn onderkin wiebelde mee op zijn woorden.

Mijn lichaam was er gedurende een kort moment van overtuigd dat het thuis iets wreeds en verschrikkelijks had doorgemaakt, en ik overwoog even of ik een leven van denkbeeldige martelingen zou opvoeren.

'Nee,' zei ik. 'Er is niks gebeurd. Ik wilde alleen maar zien hoe het ergens anders was.'

'Ik kan maar beter even je ouders bellen,' zei de moeder, maar ik weigerde het nummer te geven en had spijt dat ik niet gelogen en gehuild had.

'Kan ik niet één nachtje blijven? Kan ik niet nog even tv met u kijken en dan naar bed?'

De moeder liep naar de telefoon die in de hal hing. 'Ik ga nu de politie bellen,' zei ze. 'Je ouders weten zich vast geen raad meer.'

Ik krulde mezelf op in een hoek van de bank en sloeg mijn armen om mijn knieën. Ik staarde naar het zwarte tv-scherm.

Ik wilde een kussentje in mijn rug en een beker warme chocola in mijn hand. Ik wilde een hapje van de broodpudding met roomijs die de kinderen op tafel hadden laten staan, maar de moeder belde de politie en meldde dat ze een weglopertje in huis had.

Toen de hoorn in zijn zwarte wieg terugviel, bolde de vitrage op door een windvlaag vol kille ellende.

Ik rende de hal in, zag een rood kinderjasje liggen en griste het van de vloer. Het was veel te klein om aan te trekken, maar ik klemde het tegen mijn borst en rende ermee naar het station.

Sinds die avond ben ik altijd blijven fantaseren over een verblijf bij welgestelde vreemden. Levendig genoeg soms om te geloven dat het echt gebeurd was. Na een avond van ronddwalen en door de ramen van onbekenden gluren, heb ik dikwijls de neiging om ze op te bellen en te bedanken voor hun gastvrijheid, of ze een brief te schrijven over hoe het met me gaat, en er misschien wel een foto bij te doen van mij en mijn hond.

Op weg naar school neem ik elke dag hetzelfde lommerrijke straatje en kom dan langs een keukenraam dat geen gordijn heeft en altijd openstaat. Dan hurk ik neer achter de heg en gluur naar binnen, zie hoe het vierkoppige gezin (vader, moeder en twee zoontjes) pap en geroosterde boterhammen eet en sinaasappelsap drinkt.

De geur van dat tafereel is een obsessie voor me. Zoals de vader zijn krant leest en de moeder zich verdiept in haar tijdschrift, het doet mijn hart zover opzwellen dat ik nauwelijks meer adem kan halen. Ik brand van verlangen om naar binnen te klimmen, of door ze gezien te worden en dat ze me dan vragen om bij hen te komen wonen.

Soms word ik op mijn dwaaltochten door verre buurten zo hongerig dat het water me in de mond loopt. Dan ga ik naar huis, gooi wat patat in de frituurpan en bak een paar eieren en spuit een laag ketchup over het geheel en ga het in mijn kamer met mijn ogen dicht zitten opschrokken terwijl mijn vader en moeder en zussen in de woonkamer zitten en 'Lazer toch op!' en 'Wat een gelul!' roepen tegen het journaal van elf uur.

Als ik weer terug ben bij huize Harding, krijg ik op de oprit een visioen van mijn familie, alle vier, kettingrokend in de woonkamer, en kan het me niet meer schelen wat er met ze gebeurt.

Henry zit op de leren divan in de hal, bij het tafeltje met de telefoon, op me te wachten.

'Ah, daar ben je,' zegt hij. Zijn gezicht is vertrokken van de inspanning waarmee hij zijn ongerustheid probeert te verbergen.

'Neem me niet kwalijk,' zeg ik. 'Maar ik moest even een eindje om voor wat frisse lucht.'

'Geeft niks,' zegt hij. 'Je bent er weer.'

4

Het is zaterdagmorgen. Het grootste gedeelte van de afgelopen nacht, en de nacht daarvoor, heb ik van mijn ene zij op de andere liggen draaien en bij elke draai gehoopt dat de slaap zich over me zou ontfermen, maar de slaap bleef me negeren.

Het belooft vandaag beter weer te worden en in de lucht hangt de geur van drogend gras, het parfum van de zomer. Het huis wordt overspoeld met zonlicht vol dansende stofjes. Hoewel ik maar een uur of drie, vier geslapen heb, is mijn eetlust terug en mijn ademhaling minder oppervlakkig.

Ik ga naar de keuken en schuif aan tafel bij de Hardings, al hoef ik geen ontbijt. Ik neem nooit ontbijt. Bridget en James staan plotseling op en gaan naar de grote zitkamer waar de tv staat. Henry komt ook overeind. 'Ik ben aan de beurt voor de afwas,' zegt hij. Hij pakt zijn ontbijtkom en zijn hand raakt de mijne aan. Ik krijg een vreemd gevoel en vraag me af waarom ze geen afwasmachine hebben en waarom ze nooit de hifi of de radio aanzetten onder het eten. Het is hier altijd veel te stil.

'Ik doe het wel,' zegt Margaret.

Henry vertrekt en ik ben alleen met Margaret.

'Kom, dan gaan we nog even in de eetkamer zitten,' zegt ze.

'Goed,' zeg ik.

We zitten naast elkaar aan de eettafel en ze draait haar stoel een kwartslag naar me toe. Haar huid glanst van gezondheid. 'En, hoe bevalt het je tot nu toe?'

Ze schuift haar stoel naar me toe en slaat een arm om mijn

schouders. Mijn keel wordt dik en ik kan geen woord uitbrengen. Ik krijg een hoestprikkel. Ik moet plassen. En ik krijg mijn gedachten niet op orde. Ik ben beter in een groep, voel me allerminst op mijn gemak als ik met iemand alleen ben, zeker als zo iemand blaakt van zelfvertrouwen en opgewektheid, en dicht bij me komt.

Margaret wil de rol van vertrouwelinge op zich nemen. Ze heeft deze scène grondig gerepeteerd, en niet alleen voor zichzelf maar met het hele gezin. Of wordt dit een kruisverhoor in opdracht van de uitwisselingsorganisatie?

'Geweldig,' zeg ik. 'Echt geweldig.'

Mijn keel kriebelt en ik krijg weer een hoestbui.

Margaret kijkt toe en pakt geen glas water voor me.

'Pardon,' zeg ik als ik uitgehoest ben.

'Vertel me eens over je zingen,' zegt ze. 'Ik zou je graag eens willen horen.'

Ik zing alleen maar als er niemand bij is, als ik alleen thuis ben en een cd kan opzetten. Volgens mij hoeft het mensdom er niet om te treuren dat niemand me ooit zal horen.

'Daar voel ik me nog niet zeker genoeg voor. Ik moet echt met mensen vertrouwd zijn eer ik voor ze kan zingen.'

Ik vertel deze leugen om mezelf tot die zekerheid te dwingen. Desnoods door middel van zelfbedrog.

'Volgend weekend zing ik voor jullie,' zeg ik. 'Dat is zo'n beetje de tijd die ik doorgaans nodig heb.'

'Alleen als je er echt aan toe bent,' zegt Margaret. 'Maar het lijkt me heerlijk om hier eens een goede zangstem te horen.'

Ze staat op.

Ik sta op.

'Maar je zingt zelf toch ook?' zeg ik.

'Alleen in het koor, en dat ook nog maar zelden. Vroeger, in de goeie ouwe tijd, zong ik veel vaker,' zegt ze. 'Da's alweer lang geleden, hoor.'

'Misschien kun je het weer opvatten. We zouden samen iets kunnen instuderen en iedereen verrassen.'

Ze pakt mijn hand en geeft een kusje op mijn knokkels. Dan drukt ze hem aan haar borst en kijkt me diep in mijn ogen.

'Het is heerlijk om jou hier te hebben, Lou,' zegt ze. 'Je zet me aan het denken.'

Ik volg haar naar de keuken.

'Wat dacht je van een paar pannenkoeken?' zegt ze.

'Heerlijk,' zeg ik.

En ik denk: Wat laat ik je dan denken? Waarom is het zo heerlijk om me hier te hebben? Ik ben toch nog niet bijster interessant geweest, dunkt me. Nog niet half zo interessant als ik van plan was. Ik hoest en bloos alleen maar, en gedraag me als een idioot.

Als ik klaar ben met eten, vraagt Margaret me de wasmachine te vullen. Terwijl ik daarmee bezig ben, komt Henry binnen en zet een v'tje achter mijn naam op het wasrooster voor deze week. Hij loopt langs me heen en ik zie dat zijn ogen vochtig zijn.

Vanuit het raam van mijn kamer kijk ik naar de brede straat, de bomen aan weerszijden, kinderen op driewielers en fietsen en skateboards. Gazons worden gemaaid en auto's worden gewassen. Mensen joggen in felgekleurde kleren die van plastic lijken te zijn gemaakt. Op de middenberm staat een man aan tai-ji te doen. Hij beweegt alsof hij zich onder water bevindt. Ik steek mijn hoofd uit het raam en het briesje op mijn gezicht en de geur van een barbecue doen me glimlachen.

Als ik op bed lig met mijn favoriete korte verhaal, *De mantel* van Nikolai Gogol, klopt Bridget op mijn deur.

'Heb je zin om met mijn vriendinnen en mij mee te gaan?' vraagt ze. De randen van haar T-shirt steken onwaarschijnlijk wit af tegen haar bruine hals en armen.

'Waar gaan jullie heen?' vraag ik.

'Winkelen,' zegt ze.

'Wat gaan jullie kopen?'

'Kleren,' zegt ze. 'Ik heb nog steeds geen nieuwe zomerkleren. Echt verschrikkelijk. Ik loop rond in de mode van vorig jaar.'

Dit is het soort flauwekul dat ik van mijn zussen ben gewend. Ik kijk haar fronsend aan. Zonder opzet. Het is de geringschattende blik waar mijn zussen me altijd om aftuigen. Ik heb er meteen spijt van en probeer te glimlachen.

'Ik hou eerlijk gezegd niet zo van winkelen,' zeg ik.

Bridget slaakt een zucht en zet haar ene sneaker op de andere, alsof ze de aanvechting moet bedwingen om me een trap te geven. 'Dan niet,' zegt ze.

'Wacht even,' zeg ik, woedend op mezelf omdat ik de kans heb verprutst om voor het eerst een praatje met haar te maken. 'Weet jij wat desquamatie is?'

'Wát?' zegt ze.

'Desquamatie.'

Ze kruist haar armen voor haar borsten. 'Hoe spel je dat?'

'Zoals het klinkt.'

Ze haalt haar schouders op.

'Waarom zoek je het niet op in een woordenboek of zo?'

'Zal ik doen,' zeg ik met een uiterste poging tot een glimlach. 'Dank je.'

'Ja, best,' zegt ze, en als ze wegloopt laat ze de deur wijd openstaan.

Ik verafschuw meisjes in groepen, hun geroddel en verraad. Winkelcentra, modetijdschriften, pashokjes – het maakt me allemaal kwaad, het maakt allemaal dat ik me smerig voel. Verkoopsters die je belagen, meisjes die verzot zijn op winkelen, ze willen zich allemaal aan de lichamen van andere meisjes vergapen.

Ik loop achter Bridget aan de trap af, maar ze is de deur uit voor ik nog iets kan zeggen. Ik daal verder af naar de kelder, waar James staat te tafeltennissen met een paar vrienden. Ze onderbreken hun dubbelspel en draaien zich naar me om. De andere jongens hebben net zo'n vettige huid als James en ieder heeft het begin van een snorretje, vlassig maar goed zichtbaar. James heeft het minste gezichtshaar van de vier en hij ziet er het jongst uit.

Hij komt naar me toe maar zegt niets en pakt wat blikjes frisdrank, een grote fles cola en twee reuzenzakken chips. Zijn vrienden staan toe te kijken.

'Dit is Lou, onze uitwisselingsleerling,' zegt hij dan alsof ik de nieuwe huiskat ben.

'Hai,' zeg ik.

Ze nemen me onderzoekend op om te zien of ik een lekker stuk ben, en besluiten van niet. Ik ben te veel een 'het' – meisje noch jongen. Kort zwart haar, witte huid en tenger, zonder rondingen. Ik trek alleen de aandacht van oudere vrouwen, gefascineerd als zij worden door wat mevrouw Walsh weleens mijn 'androgynie' heeft genoemd. Paula, de beste vriendin van mijn moeder, zegt vaak tegen haar: 'Met een beetje make-up, wat peroxide en een mooie jurk zou Lou net zo'n model kunnen zijn als jij was.'

Mijn moeder ergert zich aan mijn jongensachtige kleren en legt vaak een van haar jurken op mijn bed neer, met een briefje – 'dit zou je geweldig staan'.

'Als je maar wilde, zou je een echte schoonheid kunnen zijn,' zegt ze vaak. 'Je zou er echt uit kunnen springen.' Maar volgens mijn zussen heb ik gemene ogen. 'Donker en gluiperig grijs,' zegt Erin.

De vrienden van James zeggen ook 'Hai' en ze gaan weer verder met pingpongen.

Ik loop de trap op, trek in de keuken de koelkast open en ga erin staan turen om mijn gezicht te laten afkoelen. Ik kan wel raden wat James' vrienden nu tegen hem zeggen: 'Pech gehad, James. Ze lijkt wel een koorknaapje.' En dat is misschien ook wel zo.

Ik keer via de achtertrap naar mijn kamer terug en kom daardoor langs Margaret in haar werkkamer.

'Hai,' zeg ik.

'Hai,' zegt ze. 'Henry is in de tuin bezig. Heb je zin om hem een handje te helpen?'

'Doe ik.'

Henry is de boomhut aan het afbreken.

'Hai,' zeg ik.

'Hai,' zegt hij met een geconcentreerde uitdrukking op zijn gezicht. De hamer bungelt in zijn hand.

Ik lig een paar uur op mijn bed en dan komt Henry mijn kamer binnen. Of ik zin heb om met hem mee te rijden en kip voor het avondeten te halen. Zijn ogen tranen weer. Zijn onderste wimpers zijn er helemaal kleverig van. Ik moet de neiging onderdrukken om hem te vragen hoe dat komt.

'Nee, dank je,' zeg ik. 'Ik geloof dat ik maar hier blijf.'

'Zoals je wilt,' zegt hij.

'Ik ben moe,' zeg ik. Ik zou wel met hem mee willen, maar ik ben bang dat ik te weinig gespreksstof heb als ik met hem alleen ben in de auto, vooral als we in het verkeer komen vast te zitten.

We zitten aan tafel in de eetkamer. De voordeur staat open en laat de geluiden van de zaterdagavond binnen. James heeft net een douche genomen en zijn natte haar drupt op zijn placemat. Onder de pompoensoep staat Bridget twee keer op omdat de telefoon voor haar gaat. Margaret zegt dat ze niet steeds moet opstaan onder het avondeten.

Bridget slaakt een zucht. 'Wat maakt dat nou uit, mam?'

Henry haalt de soepkommen van tafel en komt terug met het hoofdgerecht, een stoofschotel met kip.

De pepermolen gaat rond en Henry bedekt zijn portie met een laagje zwart poeder.

Ik herinner me de keer dat we in Sydney in een restaurant zaten om het feit te vieren dat mijn vader eindelijk eens op een winnende hond had gewed. Een paar tafels verderop was de ober met een pepermolen in de weer. Mijn vader keek opeens op van zijn biefstuk en kwam half overeind om uit het raam te kijken. Ik zag hem grijnzen.

'Volgens mij komt er een paard en wagen voorbij,' zei hij.

'Waar dan?' vroeg mijn moeder. Ik sloot mijn ogen, luisterde naar het geluid van de pepermolen en begreep het grapje van mijn vader. Het malen klonk net als paardenhoeven op straatstenen. Ik lachte en wees naar het grote raam achter me.

'Kijk,' zei ik, 'daar gaan ze de hoek om.'

Mijn vader tuurde. 'Ik zie niks.'

'Ja, ze gingen zo snel dat ze al weg zijn,' lachte ik. 'Een mooi ouderwets rijtuig met vier wielen.'

Op dat moment vond ik hem leuk, mijn vader.

Na het eten deelt Margaret twintigjes uit aan mij, Bridget en James (in die volgorde).

'Jullie moeten er zelf voor zorgen dat je er de hele week mee doet. Als het op is, hoef je niet om meer aan te kloppen.'

Het is een welbewuste poging om me bij alles wat het gezin doet te betrekken – de leuke, de minder leuke en de stomvervelende dingen. Ik vraag me af of de organisatie een handboek heeft verstrekt: *Gids voor een geslaagd gastouderschap* of: *Hoe bied ik mijn gastkind een thuis?* Zou ik zo'n boek in Henry's of Margarets nachtkastje kunnen vinden? Als ik eens alleen thuis ben, ga ik op zoek.

Na het toetje ga ik met James naar de zitkamer. Ik ga languit op de ene leren bank liggen en hij op de andere. Hij draagt een basketbaltenue, een korte broek en een hemdje. We zwijgen. En dan komt hij opeens overeind en buigt zich naar me toe alsof hij een geheim wil verklappen. Ik kom ook overeind, maar hij laat zich weer vallen, heeft zich kennelijk bedacht. Hij pakt een pen van de salontafel en doet alsof hij iets belangrijks opschrijft in de kantlijn van de tv-gids, fronsend, peinzend, nadrukkelijk mijn aandacht opeisend.

'Je bent linkshandig,' zeg ik.

'Gefeliciteerd met je scherpe blik,' zegt hij zonder op te kijken. 'Ja, ik ben een linkspoot.'

'Dat is een sportterm, hè?'

'Welnee, het betekent gewoon dat ik linkshandig ben. Niks meer, niks minder.'

Hij kijkt me doordringend aan, knijpt zijn lichtblauwe ogen tot spleetjes, als een hagedis die in de felle zon probeert te ontwaren wat hij onder zijn poot gevangen heeft.

'O, dat wist ik niet,' zeg ik, en mijn wangen gloeien.

Ik kijk naar zijn armen, zijn benen, zijn jukbeenderen. Hij kijkt niet meer naar mij, maar hij weet mijn blik op zich gericht en doet zijn uiterste best om te doen alsof hij het niet weet. Hij zapt naar een reality-programma over de politie. Een ploeg FBI-agenten tuigt een stelletje drugskoeriers af in een steegje. Ze dragen gele overgooiers met 'FBI' in felrode letters op hun borst.

'Het lijkt wel een footballteam, die FBI-agenten,' zeg ik.

'Wat een onzin,' zegt hij zonder me aan te kijken. 'Ze lijken helemáál niet op een footballteam.'

Ik vraag me af hoe lang het zal duren eer ik eens alleen ben in dit huis. Alsof je in een vijfsterrenhotel verblijft. Ik zou in elk bed kunnen slapen, in alle kasten kunnen snuffelen, in het bubbelbad naast de slaapkamer van Margaret en Henry kunnen zitten, wat alcohol kunnen drinken, de hele doos likeurbonbons kunnen leegeten die ik in de muziekkamer heb zien staan, een sigaar kunnen roken terwijl ik aan de telefoon zit en alle fotoalbums kunnen doornemen. Ja, ik zou me hier dagenlang kunnen vermaken.

En de Hardings zouden een noodlottig ongeval kunnen krijgen, waarna het huis mijn eigendom zou worden.

Het is bijna donker buiten, maar de lampen zijn nog uit. De kamer is blauw door het schijnsel van de tv. Er is nu een programma over helderzienden en waarzeggers aan de gang.

Ik herinner me een zelfbedacht grapje dat niemand ooit snapt.

'Waarom moet je voor bezoeken aan waarzeggers eigenlijk een afspraak maken?' vraag ik.

James kijkt me niet aan. 'Gefeliciteerd, heel geestig,' zegt hij. 'Als je ervan houdt, tenminste.'

Ik bloos opnieuw. James schenkt me een vals glimlachje en kijkt me recht in mijn gezicht. Ik blijf hem in zijn ogen kijken tot mijn maag zich omkeert en ik mijn blik moet afwenden.

Margaret komt de kamer binnen en gaat tussen de twee banken staan.

'Jullie kijken nu al uren naar die tv,' zegt ze.

'Werkelijk?' Ik vraag me af wat de norm is voor zaterdagen.

'Alleen maar rotzooi,' zegt James, 'op wat geestige commentaren na.'

Margaret komt naast me zitten, haalt een appeltje tevoorschijn en zet er haar tanden in. Alweer een appel – ze lijkt wel een tennisspeelster die de ene bal na de andere uit haar plooirokje opdiept. Als ze hem met snelle, regelmatige hapjes heeft weggewerkt, houdt ze het klokhuis tussen haar duim en wijsvinger. 'James, waarom zit je nu nog steeds in die zweterige gymspullen?'

James negeert haar.

Ze fronst. 'Ik snap er niets van. Wie trekt er nu zijn vieze kleren weer aan als hij gedoucht heeft?'

Ze loopt de kamer uit en ik zeg: 'Ik ga naar mijn kamer, wat lezen.'

James werkt zichzelf overeind en gaat met zijn kin op de rugleuning van de bank zitten, zodat hij me kan zien gaan.

'Er staat gemberbier in de koelkast,' zegt hij. 'Als jij wat voor me haalt, mag je kiezen waar we naar kijken.'

Nu moet ik hem wel aankijken, en hij ziet dat ik weer bloos.

'Je bloost.'

'Gefeliciteerd met je opmerkingsgave,' zeg ik.

Hij laat zich weer achteroverzakken en zijn gezicht verdwijnt achter de leuning.

Ik ga naar mijn kamer, maar voel me daar meteen eenzaam en besluit Henry op te zoeken. Ik wil met iemand praten.

Ik klop op de deur van zijn werkkamer.

'Binnen,' zegt hij.

'Hai,' zeg ik. 'Is het goed als ik even bij jou kom zitten?'

Ik kijk naar zijn leunstoel en de identieke leunstoel daartegenover. Er ligt een krant op zijn schoot en hij rookt een pijp. Heb ik zelf ook altijd al eens willen doen. Hij kijkt op zijn horloge.

'Ga zitten,' zegt hij. 'Wil je het ergens over hebben?'

'Nee, hoor,' zeg ik. 'Ik wil hier alleen maar even zitten en een boek lezen of zo. Ga jij vooral door met wat je doet.'

'Prima,' zegt hij.

Als ik zit, legt hij zijn krant opzij en begint me allerlei vragen te stellen, van het soort dat Margaret en hij ook al stelden op de rit van het vliegveld naar hier. Wat doe ik het liefst in het weekeinde? Wat zijn mijn lievelingsvakken op school? Heb ik weleens een echte koala gezien? Als ik zo doorga met leugens vertellen, zal ik ze moeten opschrijven om mezelf niet te gaan tegenspreken.

Ik vind het prettig om met Henry te praten. Hij is verlegen, maar kalm. Ik voel me op mijn gemak bij hem. Hij is het type mens dat ik zelf ook zou willen zijn. De bovenste drie knoopjes van zijn overhemd staan open. Ik heb zin om hem iets over thuis te vertellen, iets wat hem zal doen inzien dat ik onmogelijk nog terug kan gaan. Maar in plaats daarvan zeg ik: 'Zou ik een van je boeken mogen lezen?'

Hij zegt dat ik zelf maar wat moet uitzoeken, en als ik er een uit de kast heb gepakt, wordt het stil. Het is aangenaam om hier in Henry's kamer met een boek te zitten. Ik kijk naar zijn ontspannen houding en probeer me ook zo te ontspannen. Ik lees vijf bladzijden en dan begin ik opeens te praten.

'Weet je,' zeg ik, 'ik heb thuis een heel ander leven dan jij waarschijnlijk denkt.'

Hij gaat rechtop zitten.

'Ik heb begrepen dat jullie het niet zo breed hebben,' zegt hij. 'Dat zal niet altijd meevallen.'

'O, maar dat is het niet,' zeg ik. 'Ik doel eigenlijk op mijn twee zussen en de randfiguren met wie ze omgaan.' Ik val stil om te slikken, maar niet lang genoeg om mezelf van een nieuwe leugen te weerhouden.

'Steve, het vriendje van mijn zuster Erin, moet nu een poosje brommen, maar daarvoor zat hij vaak met zijn vrienden bij ons thuis en ze hadden het altijd op mij voorzien. Ik verheug me niet echt op de dag waarop hij weer vrijkomt.'

Henry wrijft zijn nek.

'Waar zit hij voor?'

'Zware mishandeling,' zeg ik. 'Het is een gewelddadig figuur.'

Hij schuift heen en weer in zijn stoel en fronst.

'Tja, ik weet niet goed wat ik hierop moet zeggen,' zegt hij bedachtzaam. 'Je zou toch denken dat de organisatie ons wel op de hoogte zou stellen van zoiets ernstigs.'

Hij staat plotseling rechtop. Ik snap niet waarom. Ik ga ook staan.

'Neem me niet kwalijk,' zeg ik. 'Ik wilde je niet aan het schrikken maken. Het valt allemaal wel mee, want mijn zus is vast van plan om het uit te maken met hem. Ik denk niet dat ik hem ooit nog zie.'

Ik heb de indruk dat Henry me wil zien gaan, maar hij ziet er ook uit alsof hij me wil omarmen. Ik zou eigenlijk wel willen dat hij me omarmde.

'Dat zou mooi zijn,' zegt hij, zonder van zijn plaats te komen. Er lijkt woede in zijn blik te schuilen. 'Ik hoop dat je zuster inderdaad zo verstandig is om hem voortaan te mijden, en dat jij vooral ook uit zijn buurt blijft.'

'Zal ik zeker doen,' zeg ik.

Henry sluit de deur en ik sta in de gang. Mijn hart bonkt. Ik weet niet goed wat ik nu moet doen. Ik wou dat ik opnieuw kon beginnen.

Ik zoek Margaret op. Ze zit aan de eettafel op haar laptop te werken. Ik vraag haar of ik een bad mag nemen.

'Natuurlijk mag dat,' zegt ze. 'Zulke dingen hoef je niet te vragen, Lou. Je maakt nu deel uit van ons gezin, dus ga gewoon je gang.'

Ze zegt het zonder haar typewerk te onderbreken, alsof ze iemand vertelt waar de potloden liggen.

'Dank je wel,' zeg ik. 'Reuze bedankt.'

Ik voel me goed tot ik in de badkamer tot de ontdekking kom dat de stoel die ik onder de deurkruk had gezet is weggehaald. Ik ga naar mijn eigen kamer om me daar uit te kleden en hol in een badjas terug. Terwijl het bad volloopt, laat ik de deur openstaan, zodat iedereen kan zien wat ik doe en niemand binnen zal komen om het toilet van de bovenverdieping te gebruiken.

Een paar minuten later wordt er op de deur geklopt.

'Ik zit in bad,' zeg ik.

'Ik ben het,' zegt Margaret. 'Ik kom alleen iets uit het kastje pakken.'

Ik wil 'Nee' zeggen of 'Wacht even', maar ze is al binnen. Ze heeft een handdoek om zich heen gewikkeld. Daaronder is ze naakt. Ik kan een toefje schaamhaar zien uitsteken, zwart tegen het roze van de handdoek. Ze kijkt me recht in mijn ogen, heel kort, maar ook heel doordringend.

Ze neuriet. Ze opent het kastje boven de wastafel en draait zich naar me om.

'Schik eens wat op,' zegt ze. 'Anders pas ik er niet bij.'

Ik trek mijn knieën op tot aan mijn kin en heb geen idee wat ik zeg. Het kan 'Gaat het zo?' zijn, maar ook 'Kom maar.'

'Ik maak maar een grapje, hoor,' zegt ze. 'Ik neem het bad bij onze slaapkamer. Je hebt hier het rijk alleen.'

Ik doe alsof ik lach, maar mijn gezicht, hals en oren staan in brand van gêne, en mijn keel voelt alsof iemand er zijn vuist in heeft gestoken.

Na mijn bad ga ik op mijn bed een brief van mijn moeder zitten lezen. Hier zijn wat passages:

Lieve yankeedochter,

... Je neefje Paul is nou tweenhalf en je tante Mary is heel bezorgd omdat hij nog geen woord spreekt en nog niet goed loopt en de hele tijd huilt en met zijn koppie tegen de muur bonkt. Maar ik zeg tegen haar

dat Einstein pas liep toen hij drie was en een moeilijk kind was maar hij was toch een wereldgenie dus ze moet er niet zo over inzitten. Ik zeg dat hij waarschijnelijk heel speciaal is en ze moet gewoon niet zo vaak met hem naar die dokters gaan die denken dat ze alles weten. Jij weet toch zelf hoe dokters zijn? Ze zeiden altijd dat jij die ziekte had en ze hielden je de hele tijd in het ziekenhuis en zeiden dat ze een operatie bij je wilden doen zodat je niet steeds meer rood werd. Wat weten ze nou van kinderen lieverd? Moet je je nou zien!

... Ze hebben de heup van je tante Sally helemaal vastgezet en...

... Je pa heeft vorige week met cricket gewonnen en hij is zo trots als een hond met twee lullen. Hij heeft die beker op het tvmeubel gezet zodat we er de hele tijd naar kunnen kijken maar ik ga dat ding in zijn sokkenla stoppen.

... Erin is blij omdat ze nou denkt dat ze een opleiding voor verpleegster gaat doen. Dat duurt maar een jaar en dan kan ze gaan werken en met Steve samen gaan wonen. Ze zegt dat ze in een andere staat gaat werken want hier staken de verpleegsters altijd en daar krijgt ze langere vakanties!

Et cetera, et cetera...

Veel liefs van je enige echte moeder

ps: Leona wilde er wat bijschrijven wat ik niet mag lezen. Ze wil hem met alle geweld zelf dichtlikken. Dus kijk mij er niet op aan als het heel grof is want dat is het natuurlijk weer.

Hé Cisko Kid!

Greg had laatst een keigoeie mop bedacht over katholieken. Hij zegt: je hebt twee soorten van katholieke meisjes. De ene helft wil het in hun hand en de andere willen het in hun mond! Gaaf he? Ja, die snap je natuurlijk niet een twee drie, maar ik geef je een tip: Weet je nog toen we als kinderen naar de communie gingen?

Vaarwel,

Zuster Indehandia

Om bij te komen van dit obscene gezwets, schrijf ik zeven bladzijden vol met beloften, oogmerken en voornemens.

Ik schrijf dat ik een vreemde taal ga leren en pianolessen ga nemen. Die kan Margaret me geven. Misschien krijgt zij daarmee terug wat ze mist en zo graag weer zou willen doen. Ik beloof mezelf dat ik het geweldig zal doen op school, en uitstekend zal slapen, en voor de schoolkrant zal schrijven. 's Ochtends voor schooltijd ga ik zwemmen om net zulke benen te krijgen als Bridget. Ik ga al mijn talenten tot ontplooiing laten komen, ga elke dag een nieuw woord leren, elke week een roman lezen en de meest indrukwekkende autodidact en allesweetster ter wereld worden. Ik ga studeren en op kamers wonen.

En dat is slechts de eerste bladzij.

Als ik klaar ben, ga ik liggen en kijk naar de streep licht onder de deur en ben ervan overtuigd dat alles nu beter zal worden.

5

De vakantie met de Hardings gaat beginnen. Bridget en James zijn aan het pakken en Henry staat te fluiten in de badkamer. Ik wil hier blijven. Het is heet buiten en mijn ogen branden.

Ik kon vannacht niet in slaap komen, ben opgestaan en liep op mijn sokken door het huis. Ik dronk melk aan de keukentafel en ging in de deuropening van James' kamer staan om te zien hoe hij lag te slapen. De slaapkamerdeur van Henry en Margaret stond op een kier en ik duwde hem verder open om ook bij hen naar binnen te kijken. Henry snurkte. Ik liep heen en weer over de overloop en wenste dat ik iemand wakker kon maken. Ik dacht erover om het werkelijk te doen. Ik dacht erover om zoveel rumoer te maken dat ze wakker werden en ik iemand zou hebben om mee te praten. Hoe langer ik op en neer liep, des te bozer werd ik omdat zij wel konden slapen. Ik dacht erover om potten en pannen uit de keukenkastjes te trekken of een boekenplank in de bibliotheek leeg te vegen en dan snel naar mijn bed te rennen.

Dan konden we bij elkaar zitten om te overleggen of we de politie moesten bellen omdat er was ingebroken. Maar als alle opwinding was weggeëbd, zouden zij hun bed weer opzoeken om verder te slapen terwijl ik wakker bleef.

Ik ging met mijn rug tegen de spijlen van de trapleuning zitten en stelde me voor hoe het zou zijn om mezelf naar beneden te laten rollen. Henry zou me als eerste vinden. Dan lag ik daar met mijn ogen dicht en zouden ze denken dat ik had geslaapwandeld en van de trap was gevallen. Ik kon dit een keer of vijf herhalen, tot ik onder de blauwe plekken zat en ze geen andere keus hadden dan me naar een slaapkliniek te sturen. Ik wilde niet langer wakker en alleen zijn.

Margaret komt zonder te kloppen mijn kamer binnen.

'Ben je zover?' vraagt ze. Haar mond is rood gestift en haar lange haar is uit zijn knot gehaald. Ze heeft nu twee dikke vlechten. Ze draagt shorts en lange sokken.

'Jazeker,' zeg ik. 'Wanneer gaan we?'

Ik hoop dat ik nog een minuut of tien de tijd heb om wat te soezen.

'Nu!' zegt ze, en ze grijpt speels mijn hand. 'Kom op, de wijde wereld in.'

'Nog even wat boeken pakken,' zeg ik.

'Tja, als je denkt dat je die nodig hebt...'

Wat bedoelt ze daarmee?

'Maar zou het geen goed idee zijn om de komende weken wat minder te lezen en van het uitzicht te genieten?'

'Oké,' zeg ik en we lopen samen mijn kamer uit.

We gaan veertien dagen op pad en zullen drie staten aandoen. Het busje (de derde auto van de Hardings) is volgeladen met dekens, kussens, spelletjes, eerstehulpspullen en junkfood. Maar ik heb slechts één boek bij me en ik vraag me bezorgd af hoe ik al die uren gevuld krijg.

Het is onze tweede dag op de weg. James, Bridget en ik liggen op onze buik en staren door de achterruit naar de witte strepen die onder het busje vandaan schieten. Ik heb de ene zak zoute troep na de andere doos zoete rommel verorberd, voel me beroerd door de hitte en doezel voortdurend weg.

Ik word wakker met een gore smaak in mijn mond, sla mijn ogen op en betrap James die naar me ligt te staren. Als ik door de achterruit kijk zie ik een volstrekt nieuw landschap van steile bergen en welvende groene valleien, maar de hitte en mijn overvolle maag hebben me te zeer verdoofd om het mooi te kunnen vinden.

Margaret draait zich om. 'Hoe gaat het daar achterin?' vraagt ze. 'Prima,' zeggen we, of 'Uitstekend.'

Telkens als Bridget en James ruziemaken, dreigt Henry het busje naar de kant te sturen, en als ze stilvallen maakt hij nog even een geërgerd geluidje met zijn tong tegen de achterkant van zijn snijtanden. Het verrast me om hem dat geluidje te horen maken. Mijn moeder maakt het ook altijd. Het irriteert me mateloos.

Bridget plukt haar wenkbrauwen, speelt patience en praat over haar vriendin Sonja, wier ouders (vertelt ze keer op keer) een jacht hebben gekocht en nu op zee zitten. Ze zegt er niet bij dat ze liever met hen was meegegaan, maar dat is duidelijk genoeg.

'Mag ik even je mobiel, mam?' vraagt ze elke keer als we stoppen om te tanken.

'Eén telefoontje, meer niet,' zegt Margaret.

James leest stripboeken en wacht tot Henry en Margaret buiten gehoorsafstand zijn om een sarcastische opmerking te maken, met woorden die hij onmiskenbaar van de stripauteurs overneemt. Hij vertelt me tien keer per dag dat hij me een 'rare' vindt.

'Waarom?'

'Daarom,' zegt hij dan, of 'Dat ben je nou eenmaal.'

Ik lees steeds maar een paar bladzijden van mijn boek, tot ik wagenziek word, moet gaan liggen en wegdommel. Ik zou weer in het grote huis met zijn airconditioning willen zijn. Ik zou alleen willen zijn, zodat mijn hart weer een beetje tot rust kon komen.

Vier identieke dagen gaan voorbij en de verveling van het rijden wordt alleen onderbroken als we stoppen om bij een wegrestaurant te gaan eten, of voor een picknick in een bos. Die smoezelige truckerstenten waren eerst wel leuk, allemaal anders en toch steeds hetzelfde met hun zalm- of perzikkleurige plastic stoelen, wc-brillen vol schroeiplekken en gestreepte of gebloemde gordijnen met vettige koorden. Maar de charme gaat er snel vanaf, net als van de motelkamers waarin we de nachten doorbrengen. Bij het binnenkomen bieden die de bekoring van het nieuwe, maar 's ochtends heb ik het er alleen nog maar benauwd en voel ik me smerig.

In de eerste dagen legde ik een lijst aan van typisch Amerikaanse merknamen en uitdrukkingen. Maar ook daarvoor kan ik nog slechts een geforceerde toeristenbelangstelling opbrengen. Zo leuk is het eigenlijk niet dat veel dingen hier anders heten.

Het enige wat ik tot dusver in mijn dagboek heb geschreven is een beschouwing over fastfood en neonreclames en advertentieborden waarop reuzenporties worden aangeprezen. Het eten oogt zo reusachtig in die advertenties dat het in werkelijkheid een muizenhapje lijkt als je het uit de verpakking hebt gehaald. Ik wil meer. Ik wil iets anders. Ik heb me nog nooit zo hongerig gevoeld. Ik heb nog nooit zo'n sterke behoefte gehad om van alles en nog wat in mijn mond te proppen. Misschien wekken die reclames een speekselvloed bij je op. Ik verwacht nu dat voedsel me een emotie bezorgt – de emotie die ik in de advertenties heb gezien, op de gezichten van al die wondermooie mensen.

Als die reclamewaanzin jaar in jaar uit over mensen wordt uitgestort, kan het niet anders of ze gaan elkaar verachten om hun lelijkheid. Dan wordt er al op je neergekeken als je een moedervlek op je kin hebt.

Toen we gisteren onze foto's ophaalden, vond ik mezelf er amper menselijk uitzien – tanden niet wit, haar niet glanzend, armen niet sierlijk. Ik had het liefst mijn gezicht van mijn schedel gerukt.

Ziedaar het enige wat ik in mijn dagboek heb geschreven.

Als we ergens stoppen, doet Henry er zo lang mogelijk over om ons afval weg te brengen.

'Er staat hier een afvalbak,' zegt Margaret, maar Henry wil op sjouw met zijn plastic zakken.

'Kan ik meteen even mijn benen strekken,' zegt hij, en het is duidelijk dat hij alleen wil zijn.

Bridget heeft altijd haar basketbal bij zich en holt dribbelend voor ons uit. Of ze dribbelt om ons heen en gooit ons dan onverwacht de bal toe.

'Vangen!' roept ze, en de bal raakt iemand op zijn borst of hoofd.

Als we in het verkeer komen vast te zitten, stelt Margaret steevast een woord- of geheugenspelletje voor en wil James nooit meedoen.

'Ja ja, je hebt nu tegenstand, hè?' zegt Henry met een knipoog naar mij in de achteruitkijkspiegel. 'Wen er nou maar aan, joh.'

Waar we ook stoppen, James wil een duur paar sportschoenen of op zijn minst een nieuw stripboek.

'Je hebt er zoveel,' zegt Margaret. 'Hoe komt het toch dat jij nooit genoeg hebt?'

'Verveling misschien,' zegt James. 'Of materialisme. Maar mag ik alsjeblieft mezelf zijn? Laat me nou maar mezelf zijn.'

In de wegrestaurants zitten we met onze patat en burgers onder langzaam draaiende plafondventilatoren vol aangekoekt vuil. Henry bestelt bijna altijd hetzelfde – een biefstuk, rare of medium, die hij overdekt met ahornsiroop. Ik voel me smerig en slonzig en zou het liefst een koude douche nemen en dan ergens in de schaduw gaan liggen. Ik begrijp niet hoe de Hardings er steeds zo schoon uit kunnen zien, en hoe het kan dat ze het wel heet zeggen te hebben maar nooit lijken te zweten.

Misschien leven ze gewoon schoner, hebben ze door de jaren heen een schild van pure smetteloosheid opgebouwd. De gloednieuwe kleren die ze hebben gekocht, lijken aan mijn lijf alweer smerig, en ik draag ze pas voor het eerst.

Achter in het busje probeer ik ondanks de hitte en mijn wagenziekte te lezen, maar ik word altijd wel gestoord door een paar vliegen. Eén dikke vlieg is volgens mij al vanaf het vertrek bij me. Hij strijkt op mijn boek neer en loopt er traag overheen, alsof hij de woorden een voor een tot zich laat doordringen. Als ik hem wegwuif, komt hij meteen weer terug en landt links bovenaan alsof hij weer opnieuw aan de bladzij wil beginnen.

Telkens als ik met Henry alleen ben, vraagt hij of het goed met me gaat.

Als ik ja zeg, fronst hij, dus vraag ik: 'Zie ik er dan uit alsof het níet goed gaat?' En daar heeft hij steeds hetzelfde antwoord op: 'O nee, je ziet er prima uit.' Het maakt een echt gesprek bij voorbaat onmogelijk, dat voortdurende gevraag of het goed met me gaat, het lijkt wel alsof we kibbelen en van geen ophouden weten. Dus vraag ik op mijn beurt: 'En met jou, gaat het met jou wel goed?' En hij zegt: 'Natuurlijk.' En dat is dan dat.

Verder komen we niet, hoewel het duidelijk is dat we dat allebei willen. Soms praten we nog wel door, maar als Margaret erbij komt, worden zijn zinnen korter en trekt hij zich terug.

Ik zou weer terug willen zijn in hun huis. Henry en ik in zijn werkkamer, 's avonds, ieder in onze eigen leunstoel, hij met zijn pijp en ik met een boek. Ik wou dat we een sprong terug konden maken naar mijn eerste of tweede avond, of vooruit in de tijd naar de winter, zodat we wollen truien konden dragen. Bij de open haard konden zitten. En een nieuwe start konden maken.

Het is onze zesde dag op de weg en ik zit met Margaret en Bridget op een bankje in het winkelcentrum van een klein stadje. Henry is met James op pad om de universiteiten in de omgeving te verkennen.

Even verderop slaat een vrouw haar zoontje. Ze krijst tegen hem en mept hem op zijn achterwerk. 'Stoute jongen!' schreeuwt ze. 'Stoute, stoute jongen!' Onophoudelijk, terwijl hij tussen haar benen probeert weg te kruipen. Als ze hem een keiharde tik op zijn hoofd geeft, rent hij weg om beschutting te zoeken achter een plantenbak, brullend van schrik en ongeloof.

Ik sta op en loop in de richting van de vrouw, in de hoop dat ze zal ophouden met slaan als ze ziet dat ik kijk. Margaret rent me achterna, legt haar hand op mijn arm en zegt: 'Kom nu maar zitten, daar kunnen wij toch niets aan doen.'

Ik duw haar hand weg. 'Wou jij dan blijven toekijken hoe ze dat kind het ziekenhuis in slaat?'

Ze pakt mijn arm weer en trekt eraan.

'Zo moet je nooit meer tegen me praten, Lou,' fluistert ze.

'Waarom niet, godverdomme?' Ik spreek dat laatste woord uit alsof het fysieke pijn kan veroorzaken.

Margaret loopt weg en de vrouw sleept het kind mee naar de toiletten.

Ik loop weer naar ons bankje, ga naast Bridget zitten en leg mijn hoofd in mijn handen. 'Dat was beláchelijk,' zegt ze. Ik ben te kwaad om iets terug te zeggen en staar naar de grond. Een paar minuten later komt Margaret terug met drie ijsjes, hoorntjes met bollen in verschillende kleuren.

We likken onze ijsjes en niemand doet een mond open, tot ik tegen Margaret zeg: 'Dit is het grootste overdekte winkelcentrum dat ik ooit heb gezien.' Bridget is nog steeds razend op me en knijpt haar ogen tot spleetjes.

Margaret lacht. 'O, dit is nog niets. Sommige zijn zo groot, dat joggers er in de winter hun rondjes rennen.'

Bridget gooit haar half opgegeten ijsje in een afvalbak. Ze kijkt naar me alsof ik een stuk straatvuil ben.

'Laten we nieuwe kleren gaan kopen voor Lou.'

'Dank je,' zeg ik, 'maar dat is echt niet nodig.'

De volgende dag gaan Henry, Bridget en ik naar een basketbalwedstrijd. Margaret blijft met rugpijn in het motel achter, en James blijft daar ook om voor haar te zorgen.

Het is heet. Een intense, verlammende hitte die je in de loop van de dag een huilerig gevoel bezorgt.

Henry volgt de wedstrijd met een starende blik en kijkt me niet aan als ik iets zeg.

Ik pak een tissue en veeg het zweet weg dat in straaltjes over mijn nek loopt. Ik wil niets liever dan dat deze vakantie voorbij is en we teruggaan naar het grote, gekoelde huis.

'Ik kook zowat,' zeg ik. 'Het is veel te heet.'

'Hm?' zegt hij.

Ik houd een uur lang mijn mond en zie Henry om de paar minuten naar me kijken. Hij wenst waarschijnlijk dat Margaret er ook was en niet met spit in bed lag. Zo zei hij het: 'Ze ligt met spit in bed.'

'Met spit in bed liggen' klinkt alsof Margaret vreemdgaat met een of andere Scandinaviër. Ik vraag me af of ik dit tegen hem kan zeggen, en besluit het maar voor me te houden.

Henry drukt zijn vinger tegen de zijkant van zijn gezicht en kauwt op de binnenkant van zijn wang.

Ik zoek afleiding door Bridgets benen te bekijken. Haar bruine huid spant er als een kous omheen en je ziet de spieren rollen als ze ze uitstrekt. Sterke, dierlijke spieren. Ze heeft dezelfde tere gelaatskleur als haar vader, maar je ziet haar nooit blozen, en de huid glimt niet zo als die van James.

De wedstrijd is afgelopen en Henry haast zich naar de uitgang. Als we het parkeerterrein oplopen, houdt hij Bridgets hand vast. Hij koopt frisdrank voor haar bij een man met een koelkast op wieltjes en een opvallend brede, platgedrukte neus.

'Het leek wel of die man een nylonkous over zijn gezicht droeg,' zeg ik als we instappen.

'Wat een gemene rotopmerking,' zegt Bridget.

Henry zwijgt.

Ik zeg maar niet dat Bridget uitsluitend blanke vriendinnen heeft, die allemaal uit een modeblaadje lijkten te zijn weggelopen en die alleen maar over kleren en elkaars uiterlijk praten. Ik zeg maar niet hoe schijnheilig ze is in haar verontwaardiging. Maar het zou voor Henry misschien wel goed zijn als hij het wist.

Mijn slapeloosheid wordt steeds erger. Tijdens onze urenlange ritten in de brandende zon dagdroom ik van een wereld waarin lijders aan slapeloosheid speciale bedden kunnen huren in kleine, nette en propere kamertjes waar je een muntstuk in een gleuf kunt stoppen voor een halfuur slaap. Die kamers zouden gevuld mogen zijn met een onschadelijk slaapgas, of er zou een fles kunnen staan met een drankje dat je naar dromenland helpt. Alles mag, zolang die bedden maar volop beschikbaar zijn, en comfortabel, en je slaap gegarandeerd is.

Je zou ze in winkelcentra moeten kunnen huren, die speciale slapelozenkamertjes, en in bibliotheken, bioscopen en scholen – met een bed achter geluidsdichte muren en afsluitbare deuren, met klimaatbeheersing en desgewenst muziek, en een broodrooster en een theeketel en een mand vol koekjes in plastic verpakking.

James heeft gisterochtend een knipkam gekocht – een namaak-knipmes met een kam in plaats van een lemmet. Hij gebruikt dat ding de hele dag door. Nu knipt hij het weer open in de richting van een oud dametje dat aan de andere kant van het restaurant naar ons zit te kijken.

'Hou daarmee op!' zegt Margaret, maar hij gaat gewoon door.

Henry slikt haastig een half gekauwde hap biefstuk weg.

'Wat héb jij toch, James?' vraagt hij.

James wappert met zijn mes-kam voor mijn gezicht.

'Niks,' zegt hij. Zijn kindsnorretje staat als een potloodkras op zijn bovenlip.

'Hou daar nou mee op, James,' zegt Henry. 'Ik weet werkelijk niet wat jou mankeert. Je gedraagt je buitengewoon vreemd sinds...'

Hij weet de rest nog net in te slikken, wendt zijn gezicht af en schuift heen en weer op zijn stoel, beschaamd. Voor wie schaam je je nu eigenlijk? wil ik hem vragen. Voor je zoon of voor mij? Wat heb ík dan misdaan?

Het is onze negende dag op de weg en we stoppen bij een eettent omdat ik zeg dat ik naar de wc moet.

'Naar het toilet,' zegt Bridget. 'Je moet naar het toilet.'

Margaret loopt achter me aan en we gaan een hokje binnen waar het vreselijk stinkt – strontlucht vermengd met dennengeur uit een spuitbus. Ik kan alleen nog door mijn mond ademen.

Het hokje is zo klein dat de deur bijna tegen de wc-pot stoot. Verder is er alleen nog een fonteintje.

Ik neem aan dat Margaret met me is meegelopen om haar handen te wassen terwijl ik een plas doe, en nu het fonteintje en de wc zich in dezelfde kleine ruimte blijken te bevinden, ga ik ervan uit dat ze buiten zal wachten tot ik klaar ben. Maar als ik naar binnen stap, komt ze mee. Ik voel haar borsten tegen mijn rug.

'Ga jij maar eerst,' zegt ze.

De gedachte alleen al verlamt me. Ik weet dat ik ontspannen zou moeten reageren, iets moet zeggen als: goed, wacht maar even buiten, dan geef ik wel een gil als ik klaar ben. Maar ik krijg geen woord over mijn lippen.

Ze staat op haar gemak voor de dichte deur en kijkt naar mijn onderlichaam. Het lijkt wel alsof ze altijd onaangedaan is, nooit zal blozen of in tranen zal uitbarsten of welke emotie dan ook zal tonen. Ze is veel te normaal, veel te ontspannen, blijft gewoon naar me kijken en over de hitte praten.

Ik voel me spiernaakt.

'Sorry,' breng ik ten slotte uit. 'Ik hoef toch niet zo nodig, geloof ik.'

'Oké,' zegt ze. 'Dan ga ik.'

En zo sta ik naar de muur te staren, met een vuurrood gezicht, terwijl Margaret langzaam de metalen knopen van haar spijkerbroek losmaakt.

Als we weer in het busje zitten, waar James en Bridget in slaap zijn gevallen, denk ik terug aan het afscheid van mijn moeder op het vliegveld.

'Goed, dan ga ik maar,' zei ik.

Mijn moeder keek naar het gloednieuwe fototoestel dat aan een riem om haar nek hing. 'Maar je hoeft pas over een dik uur aan boord te zijn!'

'Ja, maar ik wil alvast gaan zitten,' zei ik.

Ze had vrolijke plaatjes willen schieten, wilde er een leuk afscheid van maken, zodat ze op een dag kon zeggen: 'Weet je nog hoe ik je toen op het vliegtuig naar Amerika heb gezet?'

Ze keek over haar schouder naar een groepje uitwisselingsleerlingen die met hun ouders in de cafetaria zaten. Ze wilde een van hen vragen om een foto van ons samen te maken, met onze armen om elkaar heen, lachend.

'Nou, ga je gang dan maar,' zei ze.

Ze tilde de riem van het fototoestel over haar hoofd en stopte het behoedzaam in haar tas, maakte er een holletje voor en keek of het goed lag, alsof ze een miniatuurtje van mij opborg. Ze had de mouwen van haar wollen vest om haar middel gebonden. De andere moeders droegen het hunne om hun schouders.

'Geef me een knuffel,' zei ze. Dus omhelsde ik haar, belemmerd door mijn zware rugzak en mijn schoudertas die in de vouw van mijn arm gleed. Haar grote, warme borsten pletten zich met onaangename gretigheid tegen de mijne, klein en koud.

Ik liet haar los, hees mijn schoudertas omhoog en zei: 'Verhuur gerust mijn kamer als je wilt. Je krijgt er zo dertig dollar per week voor.'

Ik draaide me om en liep weg, met een dikke strot en klappertandend van emotie. Ik hoorde hoe ze begon te huilen, trok mijn rugzak recht, hees mijn schoudertas weer op en tastte naar mijn paspoort terwijl ik mijn pas versnelde. Bij de gate ontspande mijn keel zich weer.

Haar verdriet was niet belangrijk. Als mijn nieuwe familie een slaapkliniek of een goede slaaptherapeut voor me kon regelen, sloot ik me graag bij ze aan. Al moest ik me bij twintig families tegelijk aansluiten, ik had het er graag voor over.

Een paar uur later wordt James wakker en ik merk dat hij naar me ligt te kijken. Zijn snorretje is iets minder iel nu, begint wat meer op de groeisels van de vrienden te lijken met wie hij tafeltennist in de kelder van het huis. We liggen onder zijn zwarte laken en zijn been beweegt langs het mijne.

'Hé, rare,' fluistert hij zachtjes.

'Rot op, sukkel,' zeg ik. Om te voorkomen dat ik rood aanloop, stel ik mezelf voor als een telefoon met de stekker uit het contact, het snoer bungelend, afgesloten voor alles wat schrik aanjaagt.

'Rare,' zegt hij.

6

Het is de avond van de elfde vakantiedag. Ik zit met gekruiste benen door de achterruit te kijken en wip omhoog bij elke hobbel in de weg, geef me over aan de vering van het busje. De weg is af en toe zo stil dat we als een ruimteschip onder de sterren lijken te zweven, opstijgend als de weg heuvelopwaarts gaat en neerstrijkend als hij weer daalt.

Ik hou ervan om in het donker over buitenwegen te rijden, zoals ik van het geluid van autobanden op een nat wegdek hou, en van neonreclames met messen en vorken die voor eten staan, en bedden die slaap beloven, en de aanblik van vliegtuigen in de zwarte hemel, met hun landingslichten aan. Alles wat overdag stompzinnig is, lijkt in het donker betekenis te krijgen en zin te hebben. Het is heerlijk om door de achterruit te staren en te doen alsof ik alleen ben.

Ik geniet van de wegverlichting die gaten in het zwart brandt. De vochtige lucht en de duisternis buiten en binnen doen me terugdenken aan de eerste keer dat ik 'moordenaartje' speelde. De schok van het licht dat opeens werd uitgedraaid, van handen die naar handen tastten, de opgewonden kreten, het gevoel van gewichtsloosheid in mijn benen toen ik wegrende om me in de gangkast te verstoppen. Ik was negen of tien en de vriendjes van mijn zussen waren veel ouder, volwassen vergeleken bij ons.

Als we 's avonds rijden komt diezelfde gewichtsloosheid en jachtigheid weer in mijn bloed. En er gebeurt ook iets met James. Bij daglicht is alles wat hij zegt scherp en afwerend, als verbale kungfu. Maar 's avonds is hij anders. Zijn ronde gezicht, zijn vlassige, puberale bakkebaarden, zijn puistjes, zijn olieachtige huid, dat alles is dan verborgen. Hij ziet er beter uit. Maar daar blijft het niet bij. De verduistering van zijn onvolkomenheden lijkt een psychische verandering in hem teweeg te brengen en zijn woorden zijn vriendelijker.

Bridget en Margaret slapen en Henry zit achter het stuur. Alles is kalm en vredig. James zit vlak naast me, ook in kleermakerszit. Zijn gezicht lijkt knap in het donker, en ik bedenk dat het mijne er misschien ook wel beter uitziet. Ik kijk naar hem, en houd dat langer vol dan ik zou kunnen als het licht was.

Hij kijkt terug en ik voel hoe zijn ogen me veranderen. Mijn lichaam komt tot leven, er begint een tintelende energie in te kloppen en in plaats van een gloeiende blos komt er een warmte op mijn gezicht alsof ik voor een open haard zit. Mijn handen gaan niet zweten maar hunkeren naar een vleselijke aanraking, dus wrijf ik ze zachtjes langs elkaar om mijn eigen huid te voelen. James' ogen vernauwen zich maar blijven op me gevestigd. Hij blijft me diep in mijn ogen kijken en ik zie zijn borst opzwellen in een plotse, diepe ademhaling. We zijn in iets anders getransformeerd, hier in het donker. Iets wat dichter bij de waarheid staat.

Een auto passeert ons met veel te hoge snelheid. Henry drukt op zijn claxon en maakt zijn geërgerde tonggeluidje.

Ik kijk van James weg, geprikkeld en geschrokken. We hadden bijna elkaars schaduw gekust, maar de ban is gebroken. We gaan liggen, beiden met ons gezicht naar de achterruit, maar dicht genoeg bij elkaar om de opwinding te laten nazinderen.

Een van ons zal iets moeten zeggen. Ik vraag hem: 'Weet jij wat desquamatie is?'

Hij kijkt me niet aan.

'Geen idee. Een zelfstandig naamwoord in ieder geval. Waarschijnlijk een of andere aandoening. Klopt dat?'

'Als ik wist wat het was, had ik het niet hoeven vragen,' zeg ik, naar buiten starend, en daarmee is het teleurstellende achterafgesprekje ten einde, en de waarheid van daarnet lijkt nu een gevaarlijke leugen van de duisternis.

We eten in een hotel-restaurant om Bridgets veertiende verjaardag te vieren. Ze maakt haar cadeautjes open. Van Henry en Margaret krijgt ze een gouden armband met een diamant, en haar grootouders hebben een gouden pen voor haar gekocht. Henry bestelt champagne en mijn maag krimpt samen bij de aanblik. Ik snak al dagenlang naar alcohol. Ik mis het gevoel dat alcohol me geeft, het gevoel dat ik zacht ben, zonder scherpe randjes en zonder zenuwen. Maar wat ik vooral mis is de manier waarop alcohol me in slaap helpt.

'En nu een toast op Lou, ons nieuwe gezinslid.'

Mijn frisdrankglas is leeg maar ik vul het niet bij, sla mijn beide handen eromheen en drink de lucht.

Ik kijk Henry aan. 'Mogen wij ook wat champagne bij deze bijzondere gelegenheid?'

Henry kijkt naar Margaret en Margaret kijkt naar Bridget.

'Het spijt me,' zegt Margaret, 'maar de minimumleeftijd voor alcoholconsumptie is eenentwintig in dit land.'

Na het deftige diner gaan we naar de vervallen bioscoop van het stadje. Bridget mag de film uitkiezen. We graaien rond in dozen met vettige, gummiachtige popcorn en ik zie de bijna lichtgevende witte bolletjes van onze knieën opstuiteren en over het tapijt rollen.

De film is saai en mijn gedachten dwalen af naar Steve en zijn hobby om de bioscoopavondjes van onbekende mensen te vergallen.

Met zijn beste vriend Ryan zoekt hij dan een romantische zwijmelfilm uit en ze gaan vlak naast een vrouw zitten, bij voorkeur een oudere vrouw. Nog tijdens de reclame draait Steve zich naar Ryan en bekent dat hij enkele uren eerder een moord of een andere gewelddadige misdaad heeft gepleegd.

Duidelijk hoorbaar zegt hij dan iets als: 'Jezus, man, hoe kon ik nou weten dat dat mes dwars door haar longen zou gaan!' of: 'Het was echt niet de bedoeling dat ze de pijp uitging!'

En zo gaat het door tot die vrouw bang wordt en ergens anders gaat zitten of de zaal uitloopt.

Steve heeft een bedenkelijke vindingrijkheid bij het verzinnen van misdaden. Toen ik Erin daar eens op wees, werd ze nijdig. 'Dat is maar voor de lol, trut! Maar ja, wat weet jíj nou van lol?'

Bridget en Margaret zitten hand in hand naar de saaie film te kijken. Henry is in slaap gesukkeld. Als alle popcorn op is, gaat James zo verzitten dat zijn schouder de mijne raakt. Als ik van hem weg schuif, schuift hij mee. Hij vlijt zijn knie tegen me aan en doet alsof hij jeuk heeft, zodat zijn krabbende hand langs mijn been kan gaan.

Ik krijg een gevoel alsof ik snelwerkend vergif heb geslikt en krijg een zweetaanval die mijn handen kletsnat maakt. Ik moet maken dat ik uit deze zaal wegkom.

Ik werk me over de benen van Bridget, Margaret en Henry heen.

'Zo terug,' fluister ik.

Ik zit een minuut of twintig in de foyer en besluit iets te drinken te gaan halen. Alleen alcohol kan deze paniek verjagen en me vannacht misschien zelfs in slaap helpen. Ik moet aan een klein flesje gin zien te komen, waar ik nu wat van kan nemen, niet te veel, en later nog iets.

Ik haal mijn portemonnee uit mijn zak en kijk naar de twintig dollar die Margaret me gegeven heeft.

Een paar straten verder vind ik een supermarktje met een slijtvergunning. De vrouw achter de toonbank zou weleens een probleem kunnen vormen. Ik zie er weliswaar ouder uit dan ik ben, maar vrouwen van haar leeftijd zijn als geen ander in staat om het verschil tussen zestien en eenentwintig te zien.

Het is donker in de winkel en achterin staat een groepje jongens aanstalten te maken om iets te jatten.

'Een klein flesje gin, alstublieft.'

De vrouw probeert één oog op de aanstaande winkeldieven te houden. Ze steekt haar pen in haar mond en bekijkt me van top tot teen.

Ze heeft een Guatemalaans gelukspoppetje aan haar kassa vastgeplakt, met plakband om zijn hoofd en voeten – een treurig blijk van bijgeloof in deze armzalige, slechtverlichte winkel. Ik besluit nog maar iets te zeggen. Mijn accent laat me misschien wel oud genoeg klinken.

'Als u geen gin heeft, is wodka ook goed,' zeg ik.

'We hebben gin,' zegt ze met vermoeide berusting. Ze legt de pen op de toonbank. 'De grote fles is in de aanbieding.'

Een buitenkansje.

'Hoeveel goedkoper dan normaal?' vraag ik.

'Twee dollar twintig,' zegt ze. Het verbaast me dat ze niet vraagt uit welk deel van Engeland ik kom. Dat doet iedereen tot nu toe.

'Zo, dat is een flinke korting,' zeg ik. 'Laat ik er maar twee nemen dan.'

Dit maakt haar opeens argwanend. Ze kijkt me onderzoekend aan en ik wil weg, bang dat ik flauwval of moet overgeven.

Uit de hoek waar de jongens staan komt onheilspellend gelach.

'Stelletje etters,' zegt de vrouw.

Ze laat nog even haar ogen over mijn gezicht gaan, draait zich met een ruk om en reikt naar de plank met de flessen gin. 'Eén fles per klant,' zegt ze met haar rug naar me toe.

'Prima,' zeg ik.

Ik zit in een parkje en drink genoeg gin om dat zachte gevoel te krijgen. Ik sta een paar keer op en ga weer zitten om mijn motoriek te testen. Niets aan de hand. Ik wikkel de fles in een jasje, stop hem in mijn rugzak en loop terug naar de bioscoop. Daar koop ik een fles mineraalwater en ga in de foyer zitten wachten.

Margaret komt met een boos gezicht de filmzaal uit. 'Niet erg beleefd om zo weg te lopen,' zegt ze bestraffend. 'Pijnlijk voor de mensen met wie je bent. Waar ben je naartoe gegaan?'

'Nergens,' zeg ik. 'Ik vond het gewoon geen leuke film en ben maar een eindje om gegaan.'

Vreemd dat ze het zich zo aantrekt. Ik loop zo vaak weg bij films, vooral als de acteurs niet weten waar ze hun handen moeten laten, of hun rol alleen maar aan hun knappe uiterlijk te danken hebben.

'Als je ergens aan begint, moet je het ook afmaken,' zegt ze.

Ik had er rekening mee gehouden dat ze boos zou zijn omdat ik in mijn eentje door een donkere, vreemde stad had gelopen. Maar dat lijkt haar niet te interesseren.

'Je mag wel even je excuses maken bij Bridget,' zegt ze als we naar buiten lopen.

'Ziezo, op weg maar weer,' zegt Henry als hij zich even later bij ons voegt. Hij doet voor het eerst geen moeite om te verbloemen dat hij het niet naar zijn zin heeft gehad. Ik knipoog naar hem, maar hij knipoogt niet terug.

Achter in het busje zeg ik sorry tegen Bridget. 'Sorry? Waarom?' zegt ze.

'Omdat ik uit die film ben weggelopen.'

Ze rolt met haar ogen en kijkt van me weg. 'Wat kan míj dat nou schelen? Je doet maar waar je zin in hebt.'

Het motel waar we de nacht gaan doorbrengen ziet er haveloos uit. De neonreclame is kapot, er staat een overvolle vuilnisbak bij het kantoortje van de beheerder en de bakstenen zien eruit alsof ze van mest zijn gemaakt.

Als Margaret het kantoortje uitkomt, zie ik meteen dat ze maar één sleutel heeft.

'Ze hebben nog maar één kamer,' zegt ze.

'Kunnen we dan niet ergens anders heen?' vraag ik.

'Kom kom, je overleeft het wel,' zegt ze.

Henry kijkt haar aan alsof hij tegen haar zou willen ingaan, maar hij kan de moed niet opbrengen. Ze krijgt altijd haar zin.

'Er is verderop nog een motel,' zeg ik. 'Zal ik daar even heen lopen en vragen of zij nog kamers hebben?'

Henry schudt van nee en maakt zijn onvermijdelijke tonggeluidje.

'Rustig nou maar,' zegt hij. 'Het komt wel goed.'

De kleine kamer heeft geen airconditioning, laat staan een theeketel en een mandje met koekjes in plastic verpakking. Tot overmaat van ramp staat er maar één bed, en daar zullen Margaret en Henry in slapen. Er zijn geen andere vertrekken en ik hunker naar wat privacy.

James, Bridget en ik ploffen op de bank neer en mopperen over het vooruitzicht van een nacht op de vloer. Margaret zet haar handen op haar heupen en zegt: 'Jullie overleven het heus wel!'

Bridget blijft protesteren en zeggen dat het niet eerlijk is, en als ze naar mij kijkt, begrijp ik opeens dat dit mijn straf is voor de poging om in te grijpen toen die vrouw haar kind sloeg, of voor het weglopen uit de film, of voor allebei. Geldgebrek kan er onmogelijk de reden van zijn.

We spreiden onze dekens uit op de vloer, krijgen ieder twee kussens en gaan onder onze lakens liggen.

Bridget en ik liggen midden in de kamer en James iets van ons vandaan, bij de muur. We hebben afgesproken dat niemand de bank neemt, wat niet sportief zou zijn, maar ik vraag me af of James er niet stiekem op zal kruipen als hij denkt dat Bridget en ik slapen.

Het raam staat open, maar er is geen zuchtje wind. Ik lig urenlang wakker en luister naar de auto's die bij het motel aankomen en naar de mensen die uitstappen. Het licht van de koplampen schuift over de muren – zo moet het zijn als je je verstopt voor de zoeklichten van de vijand. Een lichtbundel glijdt traag naar het midden van het plafond en blijft daar even hangen, alsof we ontdekt dreigen te worden, maar vervolgens schiet hij weg over de muur en lijkt het erop dat de vijand ons ongemoeid zal laten. Of is de vijand de kamer hiernaast binnengegaan om daar de rest van de nacht bier te hijsen en de tv te laten blèren?

Ik heb geen idee hoe lang ik geslapen heb als ik wakker schrik van de hand van James, die onder het elastiek van mijn slipje glipt. Eerst denk ik nog dat ik het droom, maar als ik me beweeg, blijf ik zijn hand voelen.

Ik lig met mijn rug naar hem toe en schuif naar voren, in de verwachting dat hij slaapt en niet weet wat hij doet. Maar hij kruipt alleen maar dichter tegen me aan en ik besluit me slapende te houden. Zolang ik slaap is er toch niets aan de hand? Dan gebeurt er toch niet echt iets tussen ons?

Ik blijf stil liggen. Zijn hand zoekt verder en ik doe niets om hem te blokkeren. Ik ben nieuwsgierig. Ja, ik ben verdomd nieuwsgierig naar wat hier gebeuren gaat.

Zijn hand lijkt een eigen leven te leiden en kruipt over mijn heup naar de voorkant. Ik klem mijn dijen tegen elkaar. Ik wil het gevoel, maar ik wil niet dat James het opwekt. Ik knijp nog harder. Maar dan ontspan ik me. Zijn vinger begint te wrijven.

Morgen zal het zijn alsof er niets is gebeurd. Ik wil hem niet aanraken en dat hoeft ook niet. Hoe zou ik hem kunnen aanraken? Ik slaap toch? Zijn vinger gaat stilletjes, snel en onvermoeibaar zijn gang, het voelt steeds lekkerder en ik vraag me af hoe hij zo vaardig kan zijn en wat hij hier zelf aan heeft.

Hij stopt en we houden ons allebei dood.

Het is ochtend. Margaret schuift veel te vroeg de gordijnen open en maakt het veel te licht.

'Opstaan allemaal,' zegt ze. 'We gaan weer op pad.'

7

Ik heb weleens ergens gelezen dat het niet is toegestaan om op de wc aan de thora te denken. Ik heb ook weleens gelezen dat Tolstoj als kind vaak getreiterd werd door zijn oudere broer, die hem in de hoek zette en hem verbood om aan een witte beer te denken – waardoor hij natuurlijk aan niets anders kon denken.

Vanochtend, het is de ochtend van onze laatste dag, kan ik aan niets anders denken dan slaap. We hebben ontbeten en ik zit alleen met Margaret aan de tafel in het fastfoodrestaurant. De anderen zijn nog iets te drinken halen voor onderweg.

Ik moet haar maar eens over mijn slaapproblemen vertellen.

'Margaret, ik heb last van slapeloosheid.'

Ze trekt haar wenkbrauwen op.

'Dan moet je je wat meer ontspannen,' zegt ze. 'Niet te graag in slaap willen vallen. Je bent er waarschijnlijk veel te veel mee bezig. Denk gewoon aan iets anders.'

'Grappig dat je dat zegt,' zeg ik. 'Dat idee had ik zelf ook al. Maar weet je, omdat ik niet in slaap kom, kán ik nergens anders aan denken. Het is net als Tolstoj en de witte beer.'

'De wát?'

'Laat maar. Volgens mij is het iets waar je voor behandeld kunt worden. Ik zou misschien eens naar een specialist moeten, in een goed ziekenhuis of zo.'

'Welnee, je moet je gewoon ontspannen. Inademen door je neus en uitademen door je mond. Kijk, zo...'

Ze doet voor hoe je moet ademhalen, pakt zelfs mijn hand en

houdt die tegen haar middenrif om me te laten voelen hoe het hoort.

Maar ik weet alles van ademhalen en ontspanningsmethoden. Ik weet hoe belangrijk het is om kalm te blijven en oefeningen te doen en warme melk te drinken en al die flauwekul meer. Mevrouw Walsh heeft dat allemaal al uitentreuren uitgelegd.

Ik wou dat ik er met Henry over begonnen was.

'Het komt vanzelf in orde,' zegt ze. 'Heus.'

Ik wil haar zeggen dat ze het recht niet heeft om me te vertellen wat ik moet doen, omdat ze zelf een van die leeghoofdige snurkers is die makkelijk slapen en daarom nooit iets van slapeloosheid zullen begrijpen. Ik wil vertellen dat ik in de weinige uren die ik wél slaap de vreselijkste nachtmerries heb.

Maar in plaats daarvan zeg ik: 'Dank je voor de goede raad. Ik zal het proberen.'

Ze omhelst me en houdt me iets te lang vast en zegt: 'Het is gewoon een fase waar je doorheen moet.'

'Maar als dat nou niet lukt?' zeg ik. 'Ik heb er al heel lang last van, moet je weten. Zou ik niet toch eens naar een dokter moeten, een of andere specialist?'

Ze draagt haar haar weer in een knot en begint daar nu aan te prutsen, ten teken dat ik haar verveel of irriteer. Ze zegt: 'Je moet je gewoon leren ontspannen. Niet zo tobben. Het is allemaal een kwestie van innerlijke kalmte, van vrede hebben met jezelf. Maak je er nou maar geen zorgen over. Je bent veel te jong om je zoveel zorgen te maken.'

Ik wil haar tegen haar schenen trappen. Daar wil ik mensen altijd raken als ze onzin uitkramen. Vol op hun schenen.

En ik wil haar uitleggen dat mijn slapeloosheid nauw samenhangt met mijn blozen. Hoe minder ik slaap, des te erger bloos ik. Ik wil zeggen dat het volgens mij een aandoening is waar vast wel een behandeling voor bestaat. Maar ze staat op en kijkt waar ze haar handtas heeft gelaten.

'Oké,' zeg ik. 'Ik zal het proberen.'

'Zo mag ik het horen,' zegt Margaret en we lopen naar de uitgang.

Ze zegt het met haar luide stem, de stem die ze altijd opzet als ze de mensheid wil laten profiteren van haar wijsheid.

'Ik meen het, hoor. Op jouw leeftijd zou je echt wat losser moeten zijn. Toen ik zo oud was als jij sliep ik als een roos. Misschien moet je wat meer lichaamsbeweging nemen, dat helpt vast. Wacht maar tot je mijn leeftijd hebt en de hele dag moet werken, dan heb je redenen te over om 's nachts wakker te liggen!'

Ik voel me gegriefd tot op het bot, maar ik glimlach.

'Dank je,' zeg ik.

Even later stoppen we bij een pretpark met de naam Old MacDonald's, net buiten het stadje. Het thema is ontleend aan het beroemde kinderliedje, met attracties vol plastic schapen, koeien en kippen. Het is mijn schuld dat we er belanden. Ik wees het aan toen we langsreden, en op Henry's vraag of ik een kijkje wilde nemen zei ik: 'O ja! Lijkt me leuk!' Alleen maar omdat ik voor één keer enthousiast wilde klinken over iets anders dan het bezoeken van boekhandels of het spelen van woordspelletjes in motelkamers met airconditioning.

Het is weer een bloedhete dag, al is er bewolking – laaghangend en massief wit, als opgeklopt eiwit. Een beschermende deken in de lucht. Normaal maken zulke wolken me vrolijk.

We slenteren over het Erf van Vertier, waar zonder ophouden 'Old MacDonald' uit de luidsprekers schettert. Er hangt een mestgeur die me dwingt om door mijn mond te ademen.

We lopen elke spelletjestent voorbij, laten ons niet verlokken tot het schieten van eenden, het vetmesten van ganzen met pingpongballen of het bekogelen van hooibalen.

De lorrigheid van de te winnen speelgoedbeesten, de stank van frituurvet, de overduidelijke manier waarop er met de spelletjes is geknoeid – dit soort kermissen heeft altijd iets deprimerends, en deze is zonder twijfel de ergste die ik ooit heb gezien.

Alles is geautomatiseerd. Er zijn geen artiesten van vlees en bloed, zelfs geen mensen die kaartjes verkopen voor de attracties. Om aan een kaartje te komen, moet je geld in een gleuf stoppen. Zijn er genoeg verkocht, dan gaat het hek naar de attractie open en komt de boel in beweging.

Het maakt me net zo neerslachtig als trekautomaten in openbare toiletten die zowel condooms, mintjes als aspirines uitspuwen. Ooit, denk ik somber, zullen er automaten zijn voor boeken, muziek, schoenen, pruiken, ondergoed, goudvissen en overlijdensaktes.

We passeren de ene agrarische amusementsmachine na de andere en laten ons kwellen door het blikkige 'Old MacDonald Had A Farm, Eeee Eye Eeee Eye Oh'. Niemand die ergens de regels van uitlegt, niemand die klaar staat om een speelgoedbeest voor de winnaar te pakken.

Ik ga naast Henry lopen.

'Kan ik je even spreken?'

'Tuurlijk,' zegt hij.

Hij vertraagt zijn pas en we laten de anderen voor ons uit gaan.

'Ik lijd aan slapeloosheid,' zeg ik. 'Ik doe er 's nachts vaak uren over om in slaap te vallen. Of ik word heel vroeg wakker en voel me de hele dag doodmoe. Volgens mij is het iets waar je een medische behandeling voor kunt krijgen.'

Henry kijkt naar mijn handen terwijl ik praat. Dat doet hij altijd en het irriteert me zo langzamerhand mateloos. Alsof hij een expert is op het gebied van lichaamstaal en controleert of ik wel de waarheid spreek. Het dwingt me mijn handen in mijn zakken te steken, en daar krijg ik weer het gevoel van dat ik elk moment voorover kan kukelen.

'Hoe lang heb je dat al?'

'Al heel lang,' zeg ik. 'Vanaf mijn negende of tiende, zoiets.'

'Dat is dan een behoorlijk groot probleem. Zijn je ouders weleens met je naar een dokter gegaan?'

Mijn ouders? Het klinkt als een exotische term. *Ouders*. Een begrip waarvan ik niet precies weet wat het inhoudt.

'Niet echt, nee,' zeg ik. 'Ze weten er wel van, maar ze zeggen altijd dat het vanzelf overgaat.'

'Nou,' zegt Henry, 'ik zal er eens met Margaret over praten. Misschien moet je maar eens naar onze huisarts. Die is heel erg goed. We hebben hem ooit ontmoet in het vliegtuig terug uit Parijs, achttien jaar geleden.'

Hij staart naar het plaveisel voor zijn schoenpunten.

'Achttien jaar,' zegt hij. 'Is het echt al zo lang geleden?'

'Tja, dat moet je mij niet vragen,' zeg ik sarcastisch.

Zijn stem is opeens toonloos. Net zo dof als die van mijn vader meestal is. Zou Henry teleurgesteld zijn in zijn leven? Ik herinner me wat mijn vader een paar dagen voor mijn vertrek zei, 's avonds laat, toen mijn moeder en zussen al naar bed waren.

Hij zat voorover in zijn stoel, knipte opeens de tv uit en stond op. Hij keek op me neer en zei: 'Toen ik drieëndertig werd, de leeftijd waarop ze Jezus aan het kruis spijkerden, raakte ik in paniek omdat ik lang niet alles gedaan had wat ik had willen doen.'

Hij liep naar de kamerdeur, duwde hem open en draaide zich om voor hij de gang in stapte. Ik zag dat hij tranen in zijn ogen had. Hij zei: 'Zorg ervoor dat je je tijd niet verknoeit.'

8

We zijn alweer twee dagen thuis. Het is zaterdagavond en Henry en Margaret komen laat thuis van een etentje bij familie, met tanden die zwart zien van de rode wijn. Ze zien er eigenaardig uit, verwilderd, maar ook mooier, en op een vreemde manier echter. Ze komen nog even de woonkamer in voor een praatje.

'Leuke avond gehad?' vraagt Bridget.

James die op de vloer zit, vlak voor de tv, zet het geluid harder en weigert om op te kijken en zijn ouders te begroeten, misschien omdat hij mij dan ook zou moeten aankijken, wat hij sinds onze terugkeer niet meer gedaan heeft.

'Nou en of,' zegt Henry met een brede glimlach. 'Hartstikke leuk. Maar ik moet jullie melden dat oom Pete niet helemaal in orde is.'

'Wat is er dan met hem?' vraagt Bridget.

'Tja, ik vrees dat hij een beetje krankzinnig is geworden.'

'Krankzinnig*er*,' zegt James zonder zich om te draaien.

Henry schiet in de lach en ik kijk hem verbaasd aan. Hij heeft kleur op zijn wangen en ziet er knap uit. Zijn ogen zijn niet waterig meer en lijken helderder. Hij zit op de armleuning van de bank en zwaait lichtjes heen en weer, alsof hij op het dek van een wiegend cruiseschip zit, voldaan na een smakelijke maaltijd, op de uitkijk naar een walvis of een vlucht meeuwen.

'Wat we nu weer met hem hebben meegemaakt,' zegt Margaret, en Henry neemt het over.

'We zaten net aan een wijntje toen hij opeens om een glas

melk vroeg, en toen hij het op had, zei hij: "Wat een rare melk was dat. Volgens mij hebben die koeien iets abnormaals gegeten. Ik denk dat ik de rest maar door de gootsteen giet."'

'En, deed hij dat?' vraag ik.

'Tot de laatste druppel,' zegt Margaret. 'Er was zelfs niets meer voor in de koffie na het eten.'

Bridget en ik lachen.

'Wat een ónzin,' zegt James, met zijn ogen op mij gericht.

Henry en Margaret zijn geweldig nu ze nogal aangeschoten zijn. Henry is niet meer zo vormelijk. Als hij zijn evenwicht verliest op de leuning, laat hij zich vallen en komt met een plof naast mij neer.

'Krijg nou wat,' zegt hij. 'Die bank heeft de hik. Sorry hoor, Lou.'

Ik schuif een beetje op om hem de ruimte te geven, maar we zitten nog dicht genoeg bij elkaar om zijn knie tegen de mijne te voelen als hij zich beweegt.

Margaret ligt languit op de andere bank, met haar benen op Bridgets schoot. Ze heeft haar haar los en het reikt zowat tot aan haar broekriem. Als Henry een arm uitstrekt en haar over haar bol aait, begint ze zomaar te lachen – alsof ze iets geheims en ondeugends met elkaar vieren. Het feit dat wij geen idee hebben wat er zo leuk is aan die aai, lijkt hen nog vrolijker te stemmen, en daardoor gaan ze er nog ondeugender en aantrekkelijker uitzien.

Zonder te zeggen wat hij van plan is, loopt Henry de kamer uit en komt weer terug met een fles port. Hij schenkt voor iedereen een glas halfvol.

'Voor deze ene keer,' zegt hij, en hij krijgt meteen weer een lachbui.

'Maar dan ook nóóit meer,' lacht Margaret. Haar tanden zijn zo zwart dat ze ze verloren lijkt te hebben bij een knokpartij.

James zet de tv harder.

'James, doe dat ding uit!'

'Ik probeer iets te volgen,' zegt hij als een verongelijkt kind.

'Doe uit, anders kom ik boven op je kop zitten!' schreeuwt Margaret.

Daarna zegt ze iets in het Frans, waarop Henry zo hard begint te schateren dat het aanstekelijk wordt en we allemaal in de lach schieten. In de uren die volgen vertellen we elkaar om de beurt over alle rare mensen die we hebben gekend. Margaret en Henry hebben allerlei verhalen over oom Pete en andere familieleden aan wie een steekje los is, zoals de tante die een vliegeniersbril en een rode sjaal draagt als ze autorijdt, en Margarets overgrootmoeder die zulke nauwe korsetten droeg dat ze elk jaar naar Zwitserland reisde om haar longen te laten uitklappen.

Tijdens de zoveelste collectieve lachbui sta ik op en knip de enige lamp uit die in de kamer brandt. Niemand vraagt me om hem weer aan te knippen. Ik wou dat gesprekken altijd met het licht uit konden plaatsvinden, dat het altijd nacht was en niemand kon zien hoe rood mijn gezicht wordt. Nu het donker is in de kamer, voel ik me helemaal vrij. Ik zit vlak naast Henry op de bank. Margaret zit met Bridget op de andere, en James zit op de vloer aan haar voeten. Ik voel de weldadige warmte van de port door mijn hartstreek trekken.

Henry vult mijn glas bij en knipoogt naar me. Ik knipoog terug. James masseert de voeten van zijn moeder en ik kan mijn ogen niet van zijn handen af houden – zoals hij elke teen met evenveel aandacht kneedt, ervoor zorgt dat ze geen van alle tekortkomen.

Ik voel me eindelijk volledig thuis, in deze donkere kamer met de dronken Hardings.

Als de vogels beginnen te zingen, zegt Margaret: 'Goed, jongens, ik geloof dat we nu toch echt onder de wol moeten.'

Wat heerlijk om nu eens niet alleen te zijn, klaarwakker in mijn bed, als de vogels zich beginnen te roeren.

'Ja, lui, de hoogste tijd,' zegt Henry, en Margaret en hij barsten opnieuw in lachen uit. Misschien omdat het tot hen doordringt hoezeer ze hun vaste patroon hebben doorbroken, maar misschien ook omdat Margaret de telefoonstekker uit het contact trekt en hem vast blijft houden terwijl ze naar de deur loopt, waardoor het toestel over de vloer sleept, of om James die al in slaap is gevallen en luid ligt te snurken.

De volgende dag staan we laat op en lijkt het alsof we een gezamenlijke eed hebben gezworen om niets meer over de vorige nacht te zeggen. Onder het ontbijt wordt er nauwelijks gesproken, alsof de Hardings schuw zijn geworden door al het gelach en de alcohol van de voorbije nacht. Maar ik heb voor het eerst in maanden goed geslapen en ik voel me prima. Ik zou willen dat elke nacht zo was als de vorige, en dat ik 's ochtends uitgerust wakker kon worden en niet op uren van slapeloosheid terug hoefde te kijken.

Na het ontbijt, als we ons opmaken om de rest van de dag ieder onze eigen weg te gaan, zeg ik: 'Wat was het leuk vannacht! Dat zouden we nog eens moeten doen.'

Henry's gezicht maakt me meteen duidelijk dat ik iets verkeerds heb gezegd.

'Nee, Lou,' zegt Margaret met een boos vertrokken mond, 'van wat er vannacht is gebeurd willen we zeker geen gewoonte maken. Henry en ik waren dronken en we hebben ons zeer onverantwoordelijk gedragen. Het zal beslist niet opnieuw gebeuren.'

James en Bridget staren in hun ruimteschipvormige ontbijtgraankommen en zeggen niets. Helemaal niets. De kamer lijkt uit zijn voegen te barsten van het schuldbesef en ik ben blijkbaar de enige die zo idioot is om met plezier op de vorige nacht terug te kijken, de enige die vindt dat het samen drinken ons vrolijk en vrij maakte.

Ik ga naar mijn kamer, pak mijn tas en loop naar het parkeerterrein van de supermarkt om een sigaret te kunnen roken. Ik vraag me af of er werkelijk mensen zijn die een vreugdeloos leven willen leiden, die dat nodig hebben. Van de rest van mijn zakgeld koop ik een flesje gin en ga weer naar huis om de eerste film te kijken die ik voor mezelf heb gehuurd. De rest van de dag komt niemand zich met me bemoeien. Ik lig op de bank en houd mezelf voor dat ik hier veel beter af ben dan thuis, waar mijn slettige zusters me zonder aanleiding in elkaar kunnen slaan en nooit gestraft worden.

Ik eet drie rollen chocoladekoekjes en herlees het boek van een beroemde forensisch psycholoog die zich gespecialiseerd heeft in seriemoordenaars. Volgens hem hebben de meeste seriemoordenaars als kind een 'inconsistente opvoeding' gehad – of ze nu braaf waren of ondeugend, ze wisten nooit wat de reactie van hun ouders zou zijn. De ene dag konden ze beloond worden voor iets waar ze een dag tevoren voor waren bestraft. Ze groeiden op tot psychopaat omdat ze als kind nooit wisten hoe hun ouders op hun gedrag zouden reageren. Maar de grote geleerde zegt niets over een opvoeding door ouders die maar al te voorspelbaar zijn.

Als mijn vader op een feestje te diep in het bierglas heeft gekeken, brengt hij me altijd in verlegenheid met hetzelfde stompzinnige verhaaltje: 'Ik heb ooit de knieën van een collega gebroken door er alleen maar naar te wijzen. Ik wees ernaar en de volgende dag flikkerde hij uit zijn shovel en brak allebei zijn knieën op het wegdek.'

Er is dan altijd wel iemand die tegenwerpt dat je mensen niet kunt verwonden zonder ze aan te raken. Waarop mijn vader een keuze maakt uit de drie dijenkletsers die hij hiervoor paraat heeft, waarvan de ergste is: 'O, nee? En de vrouwen dan die spontaan uit bed vallen als ik mijn broek uittrek?'

De dagen die volgen zijn rustig maar onheilspellend. De Hardings lijken allemaal veranderd, en als mensen zich niet meer gedragen zoals je verwacht, niet meer degene zijn die je gewend bent, wordt de hele wereld minder betrouwbaar – zelfs als je om te beginnen al weinig vertrouwen in de wereld had.

Henry en Margaret komen later dan normaal van hun werk, koken en eten hun voedzame maaltijd en trekken zich dan beiden terug in hun werkkamer. Bridget komt elke avond pas een paar minuten voor het avondeten binnen (alsof ze buiten achter een struik op de etensgeur heeft zitten wachten), na een dag van zonnebaden, zwemmen, roeien of waterskiën. James brengt de dag in het winkelcentrum door, of in de kelder, waar hij dan keiharde muziek draait of tafeltennist met zijn drie besnorde vrienden.

Ik lig de meeste tijd op bed en lees boeken om me op school voor te bereiden. Ik ken nu de namen van alle Amerikaanse presidenten uit mijn hoofd, plus die van alle staten, rivieren en meren. Ik heb vijf romans gelezen en twee toneelstukken. Ik heb negenenzeventig nieuwe woorden geleerd. Margaret vraagt of ik al weer eens naar huis heb gebeld (wat ik pas één keer heb gedaan sinds ik hier ben) en als ik zeg van niet, moet ik het 'nu meteen' van haar doen.

Ik krijg mijn moeder aan de lijn en houd het zo kort mogelijk. Als ze verteld heeft wat ze zoal heeft meegemaakt bij haar vrijwilligerswerk voor Tafeltje-dek-je, en me op de hoogte heeft gebracht van alle nieuwe zwangerschappen, zeg ik dat Margaret nodig iemand bellen moet en hang op.

Mijn vader en moeder rijden drie dagen per week met een smoezelig bestelbusje door onze buurt en leveren kleffe, lauwe maaltijden af bij zieken en bejaarden.

Voor zijn carrière bij Tafeltje-dek-je heeft mijn vader twee echte banen gehad. Hij heeft als seiner bij de hondenrennen gewerkt, moest met witte handschoenen aan langs de baan staan en met handsignalen de resultaten kenbaar maken. En daarvoor was hij wegwerker en moest hij de hele dag met een drilboor het wegdek openbreken. Aan die baan hield hij 'witte vibratievingers' over, een vaatafwijking, veroorzaakt door het werken met trillend gereedschap, waarbij de bloedtoevoer naar je handen gestremd wordt en je witte vingers krijgt.

Op een dag zei mijn moeder tegen hem: 'Waarom eis je geen schadevergoeding van je oude baas en kom je voortaan met mij mee, eten brengen naar de oudjes?' Het is een zin die hij met graagte citeert, om zijn vreugde te uiten over wat hij nog steeds als een geniale ingeving ziet.

En nu brengen ze dus maaltijden rond en komen regelmatig thuis met afgedankte spullen die de oudjes hen bij wijze van dankbetuiging meegeven – vingerdoekjes met eigeelvlekken, porseleinen hondjes zonder kop en warmwaterkruiken met tandafdrukken. Maar ik denk eerlijk gezegd ook dat mijn ouders af en toe dingen jatten, zoals fluitketels of broodroosters. Telkens als er bij ons thuis iets sneuvelt of ontploft, komen ze namelijk met een vervanging terug van hun ronde door de buurt.

Mijn moeder heeft ooit als schoonheidsspecialiste gewerkt, en ze vertelt ieder die het horen wil dat ze ook fotomodel is geweest, al heeft ze geen foto's om dat te bewijzen (allemaal gestolen, zegt ze). Maar ik moet toegeven dat ze een redelijk gevoel voor humor heeft, afgezien van haar smakeloze toespelingen op de 'witte vibratievingers' van mijn vader, die ik hier niet zal herhalen.

Soms, als ik me eenzaam voel, ga ik naar buiten en loop om het huis heen naar het raam van Henry's werkkamer. Daar hurk ik neer en tuur door de spleet van het rolgordijn naar binnen om hem zijn pijp te zien roken. Zijn ogen tranen erger dan ooit, en hij houdt er voortdurend een zakdoek tegenaan om het vocht te absorberen. In rust, als hij zich door niemand gezien waant, oogt hij veel ouder. Oud en zonder Margaret zit hij daar gelaten te wachten op de dingen die komen gaan.

9

Het is weer zaterdag, het begin van het laatste weekeind van de schoolvakantie. Margaret maakt me om acht uur wakker door zonder te kloppen mijn kamer binnen te stormen.

'Opstaan, luilak!' zegt ze bars. 'We gaan over tien minuten naar de wedstrijd.'

Ik trek het laken over mijn hoofd en vraag me af hoe ik me hier uit red. Ik heb een nacht vol angst achter de rug, schrok om drie uur wakker uit een gruwelijke droom en kon daarna niet meer in slaap komen. Vijf uur lang heb ik in een inktzwarte stemming verkeerd, alsof ik in een onderaardse spelonk voor een afgrond stond, met een wind in mijn rug die me voor- en achteruit deed schommelen.

Als Margaret de gordijnen opentrekt en bij het bed komt staan, herinner ik me de droom die me uit mijn slaap haalde.

Een man ligt ruggelings op een tafel en een andere man heeft hem van onder tot boven opengeknipt met een schaar – een diepe maar bloedeloze wond van zijn kruis naar zijn keel. De andere man klimt op de tafel, trekt zijn rits open en begint in die wond te plassen. Beide mannen zijn versies van mijn vader.

Margaret rukt aan mijn laken en ik trek het met gelijke kracht terug.

'Ik ben ziek,' zeg ik.

'Weet je zeker dat het geen luiheid is?' Waarom is haar stem zo scherp? Het lijkt wel alsof ze dwars door me heen kijkt.

'Nee,' zeg ik, 'ik zou juist graag naar die wedstrijd willen. Ik heb altijd al een echte honkbalwedstrijd willen zien.'

Ze gelooft me niet.

'Kom, laat me je eens bekijken,' zegt ze.

Ik laat het laken zakken en knijp mijn ogen dicht tegen het harde witte licht.

'Ik ga de thermometer halen,' zegt Margaret.

Haar stem, de ruwheid waarmee ze mijn laken wilde wegtrekken, het doet me denken aan een verpleegster die haar knokkels tegen mijn hoofd drukte omdat ik om een pil vroeg.

Een jaar of twee geleden was dat. Mijn zussen hadden me met een taxi naar het ziekenhuis gebracht omdat ik weer een van mijn mysterieuze hoofdpijnaanvallen had. Ik had al twee keer de verpleegster aan mijn bed laten komen, maar ze wilde me niets tegen de pijn geven. De derde keer gilde ik om haar in plaats van het rode drukknopje te gebruiken.

'Wat mankeert jou?' snauwde ze. 'Het lijkt wel of je gekeeld wordt.'

'Alstublieft,' zei ik. 'Ik heb zo'n hoofdpijn.'

Ze balde haar hand tot een vuist en dreef haar knokkels in de zijkant van mijn hoofd, een soort vertraagde rechtse hoek, een manier om me te slaan zonder er gelazer mee te krijgen. Ze liep de kamer uit en kwam terug met een paar pijnstillers.

Het was een openbaar ziekenhuis, vol onverzekerde arme sloebers en tienerjunkies op zoek naar pillen in plaats van heroïne.

Mijn zussen zaten ondertussen aan het voeteneinde van mijn bed tv te kijken, beiden even sletterig als scharminkelig, in jeans die zo strak zaten dat je hun schaamlippen kon zien.

Margaret neemt mijn temperatuur en ik blijk zowaar verhoging te hebben. Niet veel, maar genoeg om haar een andere toon te laten aanslaan.

'Kan ik iets voor je halen?' vraagt ze terwijl ze de rug van haar hand op mijn voorhoofd legt.

'Wat pijnstillers misschien,' zeg ik. 'Hebben jullie pethidine?'

Ze haalt haar hand weg, kijkt me fronsend aan en loopt de kamer uit, die nog altijd in een hels licht baadt.

Even later komt ze terug met Henry. Hij draagt een dienblad met eieren, geroosterd brood, een kom met ontbijtgraan en een kop koffie. En als hij het op mijn nachtkastje heeft neergezet, draait hij het licht uit en trekt de gordijnen dicht. Ik moet me bedwingen om niet in mijn handen te klappen van opluchting. De naweeën van mijn nachtmerrie zijn weggetrokken en ik voel me kalm. Met Henry en Margaret aan mijn bed in de donkere kamer voel ik het tegendeel van mijn gebruikelijke nervositeit, mijn gebruikelijke kwetsbaarheid. Sterker nog, ik voel me geweldig, zeker nu Margaret me instopt, het beddengoed met haar stevige handen om mijn heupen en dijen plooit.

'Het lijkt ons goed als je wat probeert te eten,' zegt Henry.

'Wil je dat een van ons thuisblijft?' vraagt Margaret. Haar stem klinkt opeens zo teder dat ik bijna van gedachten verander en zeg dat ik gewoon meega.

'Ach, nee,' zeg ik. 'Jullie hebben je al tijden op die wedstrijd verheugd.'

Henry kijkt op zijn horloge.

'Tja,' zegt hij, naar Margaret kijkend, 'we kunnen wel zoveel willen. Als jij ziek bent en verzorging nodig hebt, dan gaat dat voor.'

'Nee,' zeg ik. 'Ga nu maar.'

Ik kan zelfs niet wachten tot ze weggaan, zodat ik de koffie kan drinken uit dat volmaakt witte kopje op het volmaakt gelakte dienblad.

Henry duwt de deur dicht en Margaret komt op de rand van mijn bed zitten.

'Lou,' zegt ze, 'ik weet dat je je niet lekker voelt, maar we willen al een poosje met je praten, en het was eigenlijk onze bedoeling om dat vandaag te doen.'

'O ja?' zeg ik, en mijn goede gevoel verdampt.

'We willen weten of je ergens mee zit. Je doet een beetje vreemd de laatste tijd.'

'Je lijkt zo gespannen,' zegt Henry. 'Wil je soms ergens over praten?'

Het enige wat ik wil is dat Margaret weer doet wat ze zojuist nog deed, mijn dekens rechttrekken, haar handen langs en onder me, een glimlach op haar gezicht, een aai over het dons op mijn wang, een koel glas water aan mijn lippen. Ik loop rood aan van de herinnering en het verlangen, deels genot en deels verwarring, een smaak in mijn mond alsof ik een hap bedorven ham heb genomen. Ik hunker naar de onvoorwaardelijke liefde waarmee wijze en warmhartige ouders een eerste kind bejegenen.

'Nee,' zeg ik. 'Hoezo?'

Henry gaat als een bewaker tegen de deur staan leunen, en mijn luchtige witte kamer verandert als bij toverslag in een bedompt hok.

'We vinden dat je nogal teruggetrokken bent sinds we weer thuis zijn.'

'O,' zeg ik, opgelucht dat dit alles is. Ik was bang dat ze iets wisten van mijn sigaretten en gin. Ik heb trek in die koffie, maar wil er ook graag uitzien alsof ik er te ziek voor ben.

'Het is gewoon vermoeidheid, denk ik. Als het straks niet meer zo heet is, knap ik wel weer op.'

Margaret legt een hand op mijn knie en als ze me ineen ziet krimpen, brengt ze hem naar de knot op haar achterhoofd, als om te voorkomen dat hij eraf springt.

'James zegt dat je erg hatelijk doet sinds we terug zijn. Hij zegt dat je alleen nog maar rotopmerkingen tegen hem maakt.'

'Ach, werkelijk?' zeg ik.

Henry draagt een stoel naar het bed en komt erbij zitten. Hij trekt een gezicht alsof hij iets moet zeggen wat hij liever niet zou zeggen, kijkt naar Margaret, als een acteur die op het teken van de souffleur wacht.

Mijn eten wordt koud.

'Lou, het zou een groot probleem zijn als je niet met onze kinderen overweg kon. Met name met James. Je moet weten dat het zíjn idee was...'

'Ja, en het ónze natuurlijk,' voegt Margaret er haastig aan toe. 'Maar James heeft zich enorm op jouw verblijf bij ons verheugd. Hij wilde al heel lang dat we een gastleerling in huis namen.'

Ik ben niet in staat om na te denken bij wat ik nu doe. Het is alsof mijn lichaam zo gepijnigd is door de woorden van Henry en Margaret dat het zich aan mijn geest ontworstelt.

'Dat zal vast,' zeg ik. 'O ja, wat zal hij zich verkneukeld hebben, die vuile gluiperd.'

Ik pak het koffiekopje en smijt het tegen de muur achter Henry's hoofd. Ik realiseer me pas wat ik gedaan heb als ik de bruine vloeistof over de muur zie lopen. Het idee van James met die valse grijns op zijn glimmende smoel, het idee dat hij zijn nood heeft geklaagd over mij, dat hij verontwaardigd is, problemen maakt, het doet mijn armen tintelen van woede.

Margaret staat van het bed op en schuifelt achterwaarts naar de deur. Henry staat ook op, langzaam, en blijft staan zonder een woord te zeggen. Ik weet dat ik mijn excuses zou moeten aanbieden, mijn woorden terug zou moeten nemen, maar als ik Margaret en Henry naar mij en elkaar zie staren alsof ik een gevaarlijke krankzinnige ben, kan ik me niet bedwingen en maak het alleen nog maar erger.

'Doe nou maar niet alsof jullie zo verbluft zijn,' zeg ik. 'Jullie weten precies wat ik bedoel.'

Margaret begint opeens te huilen en het enige wat ik voel is nieuwsgierigheid. Ik heb huilende mensen altijd een curieuze aanblik gevonden, net zo curieus als de gewaarwording wanneer er iets ergs gebeurt, dat het allemaal niet echt is.

Henry wil onmiddellijk een eind aan deze scène. Hij hoeft verder niets meer te horen, zelfs geen bekentenissen of verontschuldigingen, laat staan dat hij over een oplossing wil praten. Hij legt een hand op Margarets onderrug en voert haar met zich mee de deur uit en de overloop op. Ze fluisteren een poosje met elkaar en Margaret houdt op met huilen. Ik hoor niet wat ze zeggen. Ik wacht tot ze weer binnenkomen, maar dat doen ze niet.

Een minuut of tien later rijdt de Mercedes over de oprit en zijn de Hardings weg. Ik heb de hele dag het huis voor mezelf.

Ik neem een douche in de badkamer van Henry en Margaret, probeer wat make-up uit en ga naakt voor de grote ovalen spiegel staan. Ik jaag mezelf de stuipen op het lijf door me voor te stellen dat ze toch maar van die honkbalwedstrijd hebben afgezien en plotseling de slaapkamer binnenkomen. Dan zouden ze mijn blote achterkant zien en mijn voorkant in de spiegel en ik zou me niet durven omdraaien, noch zou ik ze via de spiegel durven aankijken en doen wat sommige vrouwen met achteloos gemak doen als ze met elkaar in een badkamer staan – zomaar een praatje over niets houden.

Ik trek Henry's badjas aan, laat hem loshangen en ga op hun bed liggen. Ik slaap er een poosje zoals ik alleen maar kan slapen in het bed van een ander. Ik bekijk de boeken op hun nachtkastjes, lees in elk boek een paar bladzijden, maar kan me niet concentreren. Ik loop naar mijn kamer en lees een paar korte verhalen van Gogol. Ik ga bij het open raam staan, speel met het idee om met mijn blote borsten naar buiten te leunen, maar doe het niet, omdat het geen idee van mezelf is. Het is iets wat Erin en Leona zouden doen. Ik sluit de badjas, bind er de ceintuur omheen en ga naar de wolken staan kijken – driedimensionaal en toch plat, massief en toch leeg, in staat om elk moment zomaar te vervliegen.

Ik loop naar de kamer van James, ga op zijn bed liggen en ruik zijn schaamteloze geur. Op dit bed kom ik niet in slaap en de blauwe muren maken me onrustig. Ik doorzoek zijn laden en vind een verjaardagskaart met de tekst: 'Lieve James, je bent me dierbaar en ik hoop dat we altijd bevriend zullen blijven. Kusjes, Isabella.' Er staat geen datum bij, maar ik vermoed dat het een kaart van een paar jaar terug is. Weerzinwekkend.

Bridgets kamer is roze en de muren zijn volgehangen met foto's – keurig ingelijste foto's. Op de meeste staat ze zelf, omringd door perfect ogende jongens en meisjes, en op al die groepsfoto's is zij het enige meisje zonder jongensarm om haar middel of over haar schouders. Ik ga aan haar toilettafel zitten en draai een tube met roze lipgloss open.

De toiletspiegel heeft drie panelen, 'dag', 'avond' en 'kantoor' genaamd, die onderling verstelbaar zijn zodat je elk van de drie naar voren kunt halen. Elk paneel heeft zijn eigen verlichting – fel en wit voor 'dag', gedempt en roze voor 'avond' en dof fluorescerend voor 'kantoor'. Waar maakt ze zich in vredesnaam druk om?

Na een paar uur alleen door het huis te hebben gezworven, weet ik er niks meer te doen. Ik ben niet in de stemming om te drinken, dus giet ik wat gin uit een fles in de drankkast over in een heupflacon, voor later.

Ik koop een pakje sigaretten in de supermarkt en ga in de tuin zitten roken tot ik een branderig gevoel in mijn borst krijg en duizelig wordt. Binnen val ik op de bank in slaap en wordt wakker met een dubbelgeklapt oor. Het doet zo'n pijn dat ik me eventjes afvraag of iemand me te pakken heeft genomen terwijl ik sliep.

Ik maak twee sandwiches met kaas en mayonaise, ga naar mijn kamer en lees nog wat boeken voor school.

Als ik om zeven uur een auto op de oprit hoor, sluit ik mijn gordijnen, trek mijn pyjama aan en ga in bed liggen. In de uren die volgen luister ik naar de geluiden van een gezin in een schitterend groot huis – de geluiden van het gezin dat ze geweest moeten zijn voor ik erbij kwam, het onbekommerde en vredige open en dichtgaan van deuren, stoelpoten die over de gepolijste vloer schuren, het piepen van de magnetron, namen die geroepen worden, en de reacties daarop, een tv die te hard wordt gezet en weer zachter wordt gedraaid, de koelkast die geopend en gesloten wordt, kranen die lopen en wc's die worden doorgetrokken. Ik beluister het allemaal met aandacht en een vage weemoed, alsof ik een hoorspel volg.

Ik verlaat mijn kamer alleen om naar de wc te gaan.

Het is zondagochtend en tijd voor het Harding-ontbijt. Ik heb beroerd geslapen en ben bezorgd over Margaret en Henry. Mijn hoofd is vol naargeestige gedachten.

Gisteravond heb ik een brief van Erin gelezen. Ze schrijft onder meer:

Lieve Louisville (ha ha!)

Je moet de groeten hebben van pa en ma. Ze hebben een nieuwe auto gekocht en zijn er niet uit te slaan

Et cetera...

Raad eens wat? Ik ga een verpleegstersopleiding doen. Ken je Michelle nog van school? Die heeft maar één jaar hoeven leren en nou heeft ze een wereldbaan, op één ding na dan. Weet je wat ze moet doen? Ze moet troost geven aan ouwe mannetjes die op sterven liggen. Mij benieuwen hoe ze dat doet, ha ha

Et cetera...

Pa en ma zeggen dat ze je wel weer schrijven als ze uitgesjeesd zijn met hun nieuwe kar. Vorige week ben ik naar de bios geweest met...

Et cetera...

Nou dag lieffie,

Erin

Ik schrijf niet terug op Erins brieven, noch op die van Leona en mijn ouders. Alles wat ze gestuurd hebben, heb ik versnipperd. Ik heb nog maar één brief geschreven, een hele speciale, (vol leugens) aan mijn lerares Engels, mevrouw Walsh.

Op een dag, een winterse zondag was het, zat mevrouw Walsh in dezelfde coupé als ik. Het verbaasde me dat zij ook met het openbaar vervoer reisde en ik wilde niet dat ze me zag. Ik was met Leona en Erin en drie van hun vriendjes, die alle drie onder de tatoeages zaten en bier dronken.

We maakten kabaal, schreeuwden schuttingwoorden tegen elkaar, en mevrouw Walsh kwam door de hele coupé naar me toe om gedag te zeggen.

Ik zat apart van de anderen, met een onaangestoken sigaret in mijn mond, die ik tussen mijn tanden op en neer liet wippen. Ze vroeg hoe het met me ging en feliciteerde me met mijn laatste werkstuk, waar ik een negenenhalf voor had gekregen. En toen keek ze naar Erin en zei zachtjes: 'Jij daarentegen hebt niets aan je hersens. Jij zult de rest van je leven tweedeklas blijven reizen.'

De trein stopte en ze stapte uit.

Ik heb haar een geweldige brief geschreven, mijn enige tot dusver, geënt op de kleurige foto's in de brochure van het uitwisselingsprogramma – jongens en meisjes in kano's op bruisende rivieren, jongens en meisjes in vol ornaat tijdens de generale repetitie voor een stuk van Tsjechov, gezinnen met hotdogs op de zonnige tribune bij een honkbalwedstrijd, een doldwaas zang- en dansfeest in een park, met uitwisselingsleerlingen gehuld in de vlag van hun eigen land.

Bridget komt mijn kamer binnen en gaat op het voeteneinde van mijn bed zitten. Ze heeft een handdoek om haar natte haar gewikkeld. De huid van haar gezicht is droog en strak door haar overmatige zeepgebruik. 'Hoe is het met je?' vraagt ze.

'Gaat wel,' zeg ik.

Het valt me voor het eerst op dat ze een wrat heeft op haar rechterknie. Het is maar een kleintje, maar een wrat is een wrat. Hij doet me denken aan een vraag op het aanvraagformulier voor mijn paspoort, of ik opvallende lichaamskenmerken had. Die heb ik niet, maar ik kreeg sterk de neiging om in te vullen dat ik een blauwe wrat in mijn rechter knieholte had.

'Luister,' zegt Bridget. 'Je moet je niet zo druk maken om James. Neem hem toch niet zo serieus. Hij leeft in een stripverhaal, die jongen.'

Ze is zichtbaar ingenomen met de volwassenheid van wat ze zegt. Veertien jaar oud pas, en ze geeft een zestienjarige advies over de omgang met haar oudere broer.

Mijn borstbeen doet pijn. 'Hebben Margaret en Henry je verteld wat ik tegen ze gezegd heb?'

Ze trekt het uiteinde van de handdoek over haar schouder, alsof het een omslagdoek is.

'Ze zeiden dat je van streek was omdat je vond dat James het op je gemunt had.'

'Waren ze boos?' vraag ik.

'Ze willen alleen maar dat jullie een beetje met elkaar leren opschieten, meer niet.'

'Dat wil ik zelf ook graag,' zeg ik, alsof het allemaal zo eenvoudig is.

Ze knijpt in mijn voet zoals ik haar moeder in de hare heb zien knijpen, en zoals James in die van hun moeder knijpt. Ik wil verder praten, meer informatie uit haar krijgen, maar ze staat op om te gaan.

'Hap dan niet zo,' zegt ze. 'Je hápt ook altijd zo!'

'Dank je.'

Ze blijft op de drempel staan. 'Heb je soms gerookt hier?'

Ik ben vergeten mijn tanden te poetsen.

'Nee,' zeg ik zo verbaasd mogelijk.

'O, nou, zo ruikt het een beetje. Goed, ik zie je.'

Bij het ontbijt zitten Henry en Margaret tegenover elkaar aan tafel, zoals gebruikelijk, en ze maken een kalme, zelfs montere indruk. Het verschil is alleen dat ze niets tegen me zeggen. Meestal is het: 'Nog een eitje, Lou?' of: 'Wil je nog wat jus, Lou?' of: 'Wat een stralende dag, hè, Lou?'

Ik meen nog een ander verschil op te merken – Henry kijkt geen moment naar James. En dan vraag ik me af of ik hem eigenlijk ooit weleens naar James heb zien kijken. Maar dat zal best, want er is oogcontact bij de vleet in dit gezin. Zoveel zelfs, dat ik er wel nooit aan zal wennen.

James schrokt zoals gebruikelijk zijn bord leeg en gaat van tafel, maar bij de deur draait hij zich opeens naar mij om.

'Zeg, Lou, wil je misschien mee naar de film vanavond? Ze komen me om zes uur ophalen, dus als je zin hebt...'

In de bioscoop is het tenminste donker, en je hebt altijd kans dat de film goed zal zijn. Is-ie dat niet, dan kun je in ieder geval een poosje doen alsof je niet bestaat, zonder je daar al te beroerd bij te voelen, tenzij de film zo slecht is dat je de zaal uit moet vluchten.

'Dat heb ik zeker,' zeg ik.

James glimlacht naar me en ik glimlach terug.

Henry staat op.

'Alles in orde?' zegt hij. Het is niet echt een vraag, maar ook geen vaststelling.

'Alles in orde,' zeg ik. Maar Margaret zegt nog steeds niks en ik begrijp dat alles níet in orde is.

In de auto op weg naar de bioscoop vertelt James zijn vrienden (onder wie Isabella) dat ik beter kan schaken dan Todd (wie Todd dan ook mag zijn) en dat ik nog geen tien minuten over een cryptogram doe.

'Sjonge,' zegt bijna iedereen. 'Dan moet je behoorlijk slim zijn, Lou.'

James maakt het moment nog leuker door in mijn plaats te reageren.

'Reken maar,' zegt hij. 'Bij haar vergeleken is mijn zus een van de zeven dwergen.'

In de bioscoop zitten James en ik naast elkaar, en hoewel hij me doorgaans slechts afkeer inboezemt, is het in het donker net alsof ik naast een vriend zit. Niet dat ik zo goed weet hoe het is om naast een vriend te zitten, maar zo'n gevoel krijg ik, en ik vraag me zelfs af of we inderdaad aan elkaar zouden kunnen wennen.

De film is niet echt een tranentrekker, maar als de held en heldin tegen het eind een rooskleurige toekomst tegemoet lijken te gaan, beginnen mijn ogen te prikken en kan ik me voorstellen dat het wel lekker zou zijn om een potje te grienen. Ik pak James' hand en zo blijven we roerloos zitten tot de film is afgelopen. Dan laat ik hem los en lopen we samen de zaal uit, en durf ik zelfs in het helle licht van de foyer naar hem te kijken.

Deel twee

10

Vandaag voor het eerst naar de highschool. We rijden met Margaret mee, die ons bij de poort afzet. Ze ziet er vandaag uit als een stewardess, klaar om de eersteklasreizigers te bedienen – een maagdelijk witte sjaal om haar hals en een gouden broche op haar marineblauwe revers.

'Veel succes, Lou,' zegt ze. 'En vergeet jezelf niet voor te stellen aan de directeur.'

'Zal ik doen,' zeg ik. 'Bedankt voor de lift.'

James loopt voor ons uit en draait zich opeens naar me om. 'Zeg, je hoeft haar niet voor álles te bedanken, hoor. Ze heeft geen nier aan je afgestaan of zo.'

Bridget slaakt een zucht. 'Doe niet zo moeilijk, man,' zegt ze, en we lopend zwijgend de poort door.

Het is een immens, rechthoekig gebouw, vuilwit en omgeven door een hek met prikkeldraad, als een goelag uit de oude Sovjet-Unie, maar dan met een gladgeschoren gazon en een slaphangende Amerikaanse vlag aan een stok bij de reusachtige ingang.

We zijn vroeg en er hangt nog maar een handjevol leerlingen rond op de trappen. Iedereen heeft gloednieuwe kleren aan. Sommigen pronken met hun eerste autosleutels en turen demonstratief naar een van de nieuwe auto's die op het parkeerterrein achter het hek staan te glanzen.

De gangen zijn breed en lang, met talloze lockers en tientallen rode, blauwe of witte deuren, die allemaal opnieuw in de verf zijn gezet. Het gebouw is nog niet echt uit zijn zomerslaap ontwaakt.

Het is stil, muf en suffig, droomt nog na van wat er vorig jaar binnen zijn muren gebeurd is, is nog getekend door de slijtplekken, graffiti en geurtjes van hen die er niet meer zullen terugkeren.

James loopt steeds sneller voor ons uit en verdwijnt om een hoek.

'Nou, dit is de mijne,' zegt Bridget die opeens bij een locker blijft staan. Ze stopt er haar tas in en haalt er een schrijfblok en wat pennen uit. 'Ik zal je even naar de jouwe brengen, mam heeft er vorige week de sleutel van opgehaald, en dan laat ik je daarna zien waar je eerste les is.'

Ik pak de sleutel van haar aan. 'Dank je.'

Aan de binnenkant van haar locker is met plakband een in hartvorm geknipte foto opgehangen, van een rossige, slanke jongen – net een vos. 'Wie is dat?' vraag ik.

'Niemand,' zegt ze, en ze slaat met een klap de metalen deur dicht.

Mijn locker staat in het souterrain, een holle, donkere ruimte zonder vensters, ver van de klaslokalen. Des te beter. Het is hier koel en er zijn toiletten in de buurt. Maar het stinkt er vreselijk, een mengsel van eieren en donuts, afkomstig uit de kantine die zich hier ook bevindt – een spelonkachtige, veel te hel verlichte ruimte.

'Laat je rooster eens zien,' zegt Bridget. Ik haal het verfrommelde papier uit mijn tas en ze trekt het uit mijn hand.

'Amerikaanse geschiedenis,' zegt ze. 'Kom op.'

Ik ben nog niet klaar met uitpakken, maar ze holt al met twee treden tegelijk de trap op. Ik gooi mijn locker dicht en hol haar achterna.

Ik kijk naar de pezen die als miniatuurzuilen in haar gebronsde knieholten staan, en naar de smetteloos witte rand van haar korte rok. Ze kijk niet achterom om te zien of ik wel volg.

De gangen stromen nu vol leerlingen. Bridget groet tientallen vriendinnen en vrienden en maakt met sommige een kort praatje over wie er een nieuwe auto heeft gekocht en wie het met wie heeft uitgemaakt. Iedereen met wie ze praat is mooi of knap. Ze stelt me aan niemand voor en niemand vraagt wie ik ben.

Ik was vastbesloten om niet zenuwachtig te zijn, had zelfs al een paar gevatheden bedacht in de veronderstelling dat ik in het middelpunt van de belangstelling zou staan en de nodige vragen op me afgevuurd zou krijgen, maar Bridgets vrienden keuren me nauwelijks een blik waardig. Ik vraag me af hoe het is om zo te zijn als zij – gebruind, gezond en geheel op je gemak.

Ze voert me mee naar een klein lokaal vol bekladderde en bekraste banken en zegt dat ik er zelf een moet uitzoeken. 'Kies een goede plek,' zeg ze, 'want je zit er de rest van het jaar aan vast.' Ze klinkt vitterig, alsof ze het moe is om me voor blunders te behoeden.

'Bedankt, chef,' zeg ik laconiek. 'Ik red me wel.'

Er is niemand anders in het lokaal en het stinkt er naar verf.

'Goed, dan laat ik je nu maar alleen,' zegt ze alsof ze me daarmee een dienst bewijst.

'Dank je,' zeg ik.

Ik ga bij de verre muur onder een portret van Abraham Lincoln zitten. Hij heeft een vale huid, donkere wallen onder zijn ogen en bakkebaarden die aan zijn gezicht vastgeplakt lijken, als een figurant uit *Planet of the Apes*.

De bel gaat, maar er komt niemand binnen, zelfs geen leraar. Het is tien over negen. Ik pak mijn nieuwe schoolschrift en een rode pen.

In Sydney had ik altijd ongelinieerde schoolschriften waarin ik zelf lijnen trok. Eerst schreef ik netjes mijn naam en klasnummer op het etiket, waarna ik het schutblad omsloeg en gladstreek, mijn liniaal en een rode pen pakte en alle bladzijden van lijnen begon te voorzien.

Dit werkje verschafte me altijd een intens plezier. Wat een heerlijk gevoel om aan zo'n schoon en veelbelovend nieuw schrift te beginnen. Een onberispelijke liniëring betekende dat ik voor de rest ook geen fouten meer zou maken. Maar trok ik een haperende of bibberende lijn, dan werd ik razend en verfoeide mezelf. Dan scheurde ik die bladzij uit het schrift, en vervolgens moest de tegenoverliggende bladzij er natuurlijk ook uit, want er mochten geen scheurranden zichtbaar zijn, geen bewijzen van mijn onkunde.

Nog een paar kromme lijnen en ik had geen schrift meer over, moest het papierafval in mijn kastje verbergen en opnieuw beginnen. Maar dat weerhield me er niet van om het ritueel elk jaar opnieuw te voltrekken. Ik onderhield de verslaving door tientallen rode en witte schriften te pikken bij de kantoorboekhandel in onze buurt.

Het lokaal is nog steeds leeg. Het is nu wel duidelijk dat er iets niet klopt, maar ik blijf zitten wachten, besluiteloos en koppig, en ik voel me eenzaam. Ik knijp in mijn dij tot het pijn doet. Ik praat zachtjes in mezelf. Dit is een nieuw begin en ditmaal doe je niets verkeerd. Geen gebloos meer. Zelfvertrouwen uitstralen. Grappige dingen zeggen. Mensen aankijken als je met ze praat. Reageren als de leraar een vraag stelt. Contact maken met de slimste mensen in je klas.

Ik hoor gezang. Het Amerikaanse volkslied. Ik loop het lokaal uit en ga op zoek, maar als ik eindelijk de aula heb gevonden, ben ik vuurrood en kriebelt mijn nek van het zweet. Het zingen houdt op en een rij leerlingen loopt het podium op, waar ze kennelijk een of andere prijs in ontvangst gaan nemen.

Iemand zegt: 'God zegene onze nieuwe laatstejaars.' En dan is er een toespraak door de koningin van het laatste schoolbal, over hoe belangrijk je laatste jaar wel niet is. Ik vermoed dat ze hier een vrije dag voor heeft moeten nemen bij de tandheelkundige groepspraktijk waar ze nu als receptioniste werkt. Achter haar wordt haar jaarboekfoto geprojecteerd, met vervaagde randen, alsof ze een filmster is.

Ik ga naar de toiletten bij mijn locker, ga op de koude tegelvloer zitten en sla mijn armen om mijn benen. Wordt het toch weer als vanouds? Eén verkeerd lijntje en de hele bladzij eruit? Nee, zeg ik in mezelf, nu wordt het anders. Ik sta op en ga weer naar buiten, hunkerend naar vriendschap en een nieuw begin.

Mijn souterraingenoten staan bij hun locker met elkaar te kletsen en te lachen. Ik kijk om me heen. Bij een locker naast de mijne staat een knap meisje met lang zwart haar en een afgebroken en zwartgeworden voortand. Aangenaam, zo'n foutje in dat mooie poppengezicht. Ik kijk naar haar en ze zegt 'Hai' en ik zeg ook 'Hai' en dan loopt ze haastig weg, naar haar eerste les, die toevallig ook de mijne is – Amerikaanse geschiedenis.

Alle banken in het lokaal zijn nu bezet, op één na. In de bank waar ik eerst zat zie ik nu een lange knappe jongen met blond haar, en ik realiseer me met een scheut in mijn maag dat ik daar mijn schrift en pen heb laten liggen. Hij zit erdoorheen te bladeren alsof hij probeert uit te vinden hoeveel geld hij ervoor krijgen kan bij een pandjeshuis.

Ik haal diep adem en loop naar hem toe. Mijn hart bonkt. Ik hoop dat hij mijn accent opmerkt. Ik hoop dat hij een praatje met me wil maken.

'Hallo,' zeg ik. 'Ik geloof dat ik hier mijn schrift heb laten liggen.'

Hij kijkt langzaam en bedaard naar me op. Hoe zou het zijn om jezelf zo beheerst te kunnen bewegen, en niet als een geschrokken veldmuis?

'Ach werkelijk?' zegt hij, terwijl hij heel goed weet dat het waar is. 'Staat je naam er dan in?'

'Weet ik niet,' zeg ik.

Hij schuift mijn schrift onder zijn geschiedenisboek. Ik merk dat we worden gadegeslagen door drie meisjes in de hoek, met lang geföhnd haar dat stijf staat van de hairspray. Arrogante kwal, denk ik. Vast een footballer.

Ik begin te blozen terwijl hij tegen me praat. 'Maar hoe weet je dan dat het van jou is?'

'Goed,' zeg ik, 'laat maar.'

Hij lacht. 'Zoals je wilt, Aussie.' De stijfharige meisjes lachen met hem mee.

Ik ga in de bank bij de deur zitten en bekijk de andere leerlingen. Ze zijn bijna hysterisch in hun geestdrift voor deze eerste schooldag, vallen elkaar om de hals en vertellen honderduit over hun vakantie. Achterin houden een jongen en een meisje elkaars hand vast, zeggen niets en kijken uitdrukkingsloos voor zich uit.

Zij is dik en hij ook, twee jonge mensen die zijn voorbestemd om elkaars spiegelbeeld te worden. Ze gaan helemaal op in de geheime wereld van hun zomerse romance, voldaan en angstig tegelijk. Er lijkt een boodschap te schuilen in de starheid waarmee hun handen in elkaar grijpen – niet loslaten, want je krijgt geen tweede kans!

Aan de andere kant van het lokaal zit de arrogante kwal naar me te kijken en door zijn perfecte haardos te woelen. Haar met de gouden graankleur van ontbijtreclames. De drie meisjes staren naar hem als heksen met een verstandelijke handicap.

De leraar (driekwart kaal en mager) komt de klas binnen, loopt naar voren en blijft daar even roerloos staan, waarna hij zijn bril afzet, zijn colbert uittrekt en beide behoedzaam voor zich op de tafel legt.

'Met deze handelingen pleeg ik te kennen te geven dat de les begonnen is,' zegt hij. 'Het zou handig zijn als jullie dit onthielden.' De hele klas valt stil.

Mijn keel verkrampt. Ik heb geen pen en geen schrift, mijn bank is leeg.

'Voor diegenen onder jullie die het nog niet wisten... wat overigens niet zou getuigen van een grote vertrouwdheid met deze school...' zegt de leraar terwijl hij heen en weer loopt met de vermoeide, wrokkige tred van een dierentuinbeest, 'mijn naam is meneer Caldwell en ik geef hier al zeven jaar les.'

Hij grinnikt alsof hem een grapje te binnen schiet en krabt afwezig aan zijn linkerdijbeen.

Nadat hij wat dingen op het schoolbord heeft geschreven, laat meneer Caldwell met een glimlachje merken dat hij mij heeft ontdekt. En alsof die ontdekking hem een geweldig idee voor een nieuwe vorm van wreedheid heeft opgeleverd, zegt hij: 'Zal ik jullie eens zeggen waar ik voor in de stemming ben? Voor een leuke quiz. We hebben wat nieuwe mensen in ons midden en ik ben benieuwd wat dit voor het gemiddelde niveau betekent.'

Ik mag hem niet. De grilligheid van zijn wijkende haargrens doet zijn hoofd op een ei lijken waar zojuist een akelig broedsel uit is gekropen.

Het onderwerp van zijn quiz is de Amerikaanse burgeroorlog. De vragen gaan over Ulysses S. Grant en Robert E. Lee en het verlies van de Geconfedereerden bij Petersburg en de val van Richmond en John Wilkes Booth, en ik weet op alles het antwoord.

Ik repeteer de antwoorden in mijn hoofd, schraap mijn keel om ze te geven, maar zodra ik mijn vinger wil opsteken, gaan mijn wangen gloeien en raakt mijn maag in de knoop. Mijn bonkende hart vult mijn hele borstholte en laat me geen ruimte om te ademen.

En zo blijf ik dus net zo stil als de geestelijk onvolwaardige meisjes met hun plakhaar en roze lipstick. De betere leerlingen, onder wie de arrogante kwal, geven niet alleen de juiste antwoorden maar ook uitvoerige uitweidingen, zoals het precieze aantal manschappen dat de legers van de Unie en de Confederatie nog telden bij de overgave van Lee.

Tegen het eind van de schooldag heeft mijn schaamte me uitgeput en wil ik alleen nog maar naar huis, op bed liggen, een paar bladzijden vullen met nieuwe beloftes en voornemens, een bad nemen en dan tien uur slapen.

Margaret is eerder van haar werk gekomen om een speciale eersteschooldagmaaltijd te koken. De eettafel is gedekt met linnen servetten, kristallen glazen en zilveren bestek dat niet zou misstaan in een museum. James is laat en de jongen die hem naar huis heeft gereden komt mee naar binnen om dag te zeggen.

'Wat ben je laat,' zegt Margaret.

'Ja, sorry,' zegt James, 'maar we zijn nog even een coke gaan drinken met zijn allen...'

Coke, dat woord kan ik niet meer horen.

Henry staat op. 'Eet je vriend met ons mee?'

'O, maar u heeft helemaal niet op me gerekend,' zegt de jongen. Hij komt bij de tafel staan en kijkt naar mij. Hij heeft de groenste ogen die ik ooit heb gezien. Ze kunnen onmogelijk echt zijn. Hij is lang en draagt een wijdvallende wollen trui, hoewel het een warme middag is geweest.

'Geeft niets, hoor. Ga zitten,' zegt Margaret. Ze is niet langer boos op James, maar nieuwsgierig – ze vraagt zich net als wij allemaal af hoe James zo snel een nieuwe vriend heeft kunnen maken, een jongen die bovendien ouder is dan hij en die dus niet bij hem in de klas kan zitten.

'Zou je je vriend niet eens voorstellen?' zegt Henry, die nog steeds rechtop staat en niet goed weet of hij naar de keuken moet lopen om een extra bord te halen. Zo bedremmeld heb ik hem nog nooit gezien.

Ik ben duidelijk niet als enige onder de indruk van de buitensporige aantrekkelijkheid van deze jongen. Het is onmogelijk om naar hem te kijken en geen siddering door je heen te voelen trekken.

'O,' zegt James, 'dit is Tom. Hij is hier net komen wonen, maar hij was Schots van geboorte.'

'Sterker nog,' zegt Tom, terwijl hij weer naar mij kijkt, 'ik ben nog steeds Schots van geboorte.'

Hij staat daar met zijn armen losjes langs zijn zijden. Net als Margaret hoeft hij nergens op te leunen om zich een houding te geven. Hij heeft het niet nodig om de ruimte rondom hem te vullen door zijn armen over elkaar te slaan, met zijn vingers te wriemelen of loze gebaartjes te maken.

'Aangenaam,' zegt Margaret, en als ze opstaat om hem een hand te geven, zie ik dat ze zo van hem gecharmeerd is dat zij opeens géén raad weet met haar houding. Ze wrijft met haar hand langs haar hals, en als ze weer zit, slaat ze de helft van haar glas water achterover en vergeet haar lippen te drogen.

Tom is een laatstejaars, net als ik.

Henry heeft ondertussen een extra bord gehaald en schept een portie op terwijl Tom vertelt dat hij het vorige schooljaar voor het grootste gedeelte in Europa heeft doorgebracht, op reis met zijn moeder nadat er een ongeneselijke vorm van kanker bij haar was vastgesteld.

'Het begon in haar borst,' zegt hij met de afstandelijkheid van een arts, niet verlegen om het woord 'borst' te gebruiken, maar ervan doordrongen dat het anderen wel verlegen kan maken. Hij houdt zijn ogen op mij gericht. 'Maar het zaaide zich al snel uit naar een aantal inwendige organen.'

Ik kan niet verder eten.

'O, wat vreselijk,' zegt Margaret. Ze zit erbij alsof we gefilmd worden – stram en ongemakkelijk, haar kin stijf omhoog. Maar misschien reageren mensen wel altijd zo op de aanwezigheid van iemand die zo mooi is.

Tom heeft nog geen hap genomen. Bridget, die naast me zit, prikt doelloos met haar lange zilveren vork in haar eten. James zit stilletjes te schransen alsof er niets aan de hand is.

'Ja, het was verschrikkelijk,' zegt Tom, en hij kijkt even naar Henry, alsof hij hem wil tonen dat hij er ook nog bij hoort. 'Maar toen trad er opeens een volledige remissie op, en ze is nu weer helemaal de oude.'

Ieder ander zou dit gebracht hebben als een wonder. Mijn moeder zou van 'Gods wil' hebben gesproken en mijn vader had gezegd dat het zo was 'voorbestemd'. Maar Tom laat de feiten voor zichzelf spreken.

Ik weet een hapje puree weg te slikken en kijk hem aan.

'Wat zul je opgelucht zijn,' zeg ik, en hij glimlacht naar me alsof ik hem al die tijd heb bijgestaan.

'Jazeker,' zegt hij, en hij kijkt me nog dieper in mijn ogen.

'Maar zoals met alles raak je ook aan zoiets gewend en is alles weer vanzelfsprekend. Mijn vader en ik weten wel hoe het leven er voor ons uit had kunnen zien, maar inmiddels gaat alles weer zijn gangetje alsof er niks gebeurd is.'

Tom en ik kijken naar elkaar alsof we slechts met zijn tweeën in de kamer zijn. Zijn handen liggen ontspannen op tafel. Een van zijn mouwen is opgestroopt. Zijn lange bleke vingers zijn net mensjes met glazen helmpjes.

Zijn aanblik maakt mijn hele dag goed.

Margaret schraapt haar keel en legt haar vork en mes op haar bord, ten teken dat ze klaar is met eten.

'Moet je niet wat eten, Tom?'

Tom maakt zijn blik van mij los en schuift zijn bord naar voren. 'O,' zegt hij, 'ik heb eigenlijk niet zo'n honger.'

Dit valt slecht bij Margaret. Dat zie ik aan de manier waarop ze aan haar trouwring friemelt.

'Tja,' zeg ik, 'ik kan me voorstellen dat je geen trek meer hebt als je zo'n verhaal over je moeder hebt verteld.'

James reikt over de tafel. 'Ik neem het wel,' zegt hij, en hij loopt met het bord naar de zitkamer, wat normaliter streng verboden zou zijn in huize Harding maar nu volkomen wordt genegeerd.

'Ik zie je,' zegt hij tegen Tom terwijl hij de eetkamer uitloopt. 'En nog bedankt voor de lift.'

Tom blijft nog een uur zitten en vertelt over zijn Europese reis. Margaret ruimt ondertussen af en Tom biedt niet aan om te helpen, wat me aan mijn eerste weken hier doet denken, toen ik dat ook nooit deed, zelfs te zenuwachtig was om alsjeblieft of dankjewel te zeggen.

Margaret blijft kwaad omdat hij zijn eten niet heeft aangeraakt. Henry wil alles van Spanje weten en vraagt Tom om nog eens langs te komen en hun foto's te laten zien.

Margaret komt bij de tafel staan. 'Kijk toch eens hoe laat het al is,' zegt ze zonder het te menen. 'Ik neem aan dat Tom zo langzamerhand weleens naar huis wil.'

Als ze Tom uitlaat, zegt ze: 'Het was leuk je te ontmoeten.'

Bridget loopt naar de zitkamer zonder gedag te zeggen.

Ik loop niet mee naar de deur, maar blijf bij de boekenplank in de hal staan.

'Tot ziens,' zeg ik. Wat lijkt het huis opeens sfeerloos nu Tom vertrekt.

Hij kijkt naar me. 'Ik zie je wel weer op school,' zegt hij met een knipoog.

Als we hem in zijn blitse rode auto zien stappen, staat Margaret bij het raam en grijpt de vitrage beet.

'Wat een interessante jongen,' zeg ik.

'Wat een onbeschofte jongen, zou ik zeggen.' Haar kwaadheid zwelt op rond haar kin en geeft haar een lelijk gezicht. 'Onvoorstelbaar, om te zeggen dat je mee-eet en dan geen vinger naar je maaltijd uit te steken.'

Henry knikt instemmend, hoewel ik er zeker van ben dat hij Tom ook interessant vond.

'Ja,' zegt hij, 'ik heb ook weleens betere manieren gezien.'

Ik volg ze naar de keuken. Ik wil horen wat ze over hem zegt. Henry begint met de afwas en zwijgt terwijl Margaret doorgaat met zeuren.

'Vond je hem niet reuze arrogant?' vraagt ze.

'Ja, het joch had geen gebrek aan zelfvertrouwen,' zegt hij met een lollig Schots accent. 'Maar dat kan een cultuurkwestie zijn.'

Margaret trekt nijdig het natte bord uit zijn hand.

'Waarom zie jij de afkomst van mensen altijd als excuus voor hun onbeschoftheid?'

Ik zie aan Henry's houding dat hij me de keuken uit wenst, maar ik blijf waar ik ben.

Ik pak een bord van de tafel en laat het vallen. Het breekt in twee gelijke delen. Margaret staat met haar rug naar me toe en kan niet weten of ik het per ongeluk of met opzet heb laten vallen. Maar Henry weet het wel en hij kijkt me fronsend aan.

Margaret draait zich naar me om. 'Ga jij James maar zeggen dat ik die jongen hier nooit meer wil zien.'

Henry stopt met wat hij doet en volgt zijn vrouw de trap op. Ik weet (zonder te weten hoe ik het weet) dat hij zich naar haar zal voegen en dat Tom hier nooit meer een voet over de drempel zal mogen zetten.

11

Het is de laatste dag van mijn tweede week op school. Toen ik vannacht na een eeuwigheid in slaap viel, droomde ik van Leona en haar verloofde Greg.

Greg zat rechtop in bed, op een laken van hoerig-rode satijn. Hij was naakt en krabde met zijn oliebesmeurde eczeemvingers aan zijn opgetrokken benen. Je zag zijn testikels tussen zijn dijen, donkerbruin en overdekt met dikke zwarte haren. Leona zat op een stoel in de hoek van de kamer geluidloos te snikken en naar hem te staren. En naast hem in bed zat ik, tegen zijn arm aangeschurkt. 'Hou ze verdrietig, zo hou je ze gewillig,' fluisterde hij.

Ik krijg altijd een rood hoofd als ik aan hem denk. Hij is als een woord dat ik me laat ontvallen zonder er de precieze betekenis van te kennen, wetende dat ik mezelf ermee voor schut zet en toch niet in staat het voor me te houden.

In de middagpauze ga ik naar de kantine en hoop dat er nu eens iemand bij me aan tafel komt zitten. Maar als ik de helverlichte ruimte binnenkom (met zijn walgelijke geuren, zijn helse kabaal van rammelende borden en rinkelende flesjes, het overdreven gelach en gekrijs van al die leerlingen die hun eten door hun strot proppen alsof ze geen tanden hebben om mee te kauwen) zie ik een jongen met één arm vlak naast de ingang zitten, die met een lepel ketchup uitsmeert over een witte boterham, en maak ik rechtsomkeert.

Ik laat het middageten schieten en loop een uur lang over het immense schoolterrein, met het air van iemand die te laat dreigt te komen voor een afspraak.

Ik heb nu alle hoeken en gaten verkend – het binnenbad, de twee gymzalen, de vier tennisbanen, de gehoorzaal en de drie basketbalvelden met hun mobiele tribunes.

Overal lopen leerlingen met sporttassen en tennisrackets te zeulen, met natte haren en vochtplekken onder de mouwtjes van hun T-shirt. Er is hier zo'n overmaat aan kerngezonde en beeldschone tieners, dat de enkeling met een onregelmatig gebit of dikke worstvingers meteen deerniswekkend misvormd lijkt. Overal blote armen en benen, welgevormd, haarloos, perfect. De laatste restjes sportieve zomerpret. Ik kan niet wachten tot het winter is.

De uitwisselingsorganisatie heeft in de voorbije weken diverse feestjes georganiseerd. Ik ben op het eerste geweest en verveelde me er kapot. Flo Bapes, mijn zogenaamde mentor, was er uiteraard ook en wilde weten waarom ik op mijn eerste schooldag verstek had laten gaan bij de samenkomst in de aula. 'Hadden de Hardings je niet gewaarschuwd?' Nee, dat hadden ze niet. Henry had het Bridget verteld, maar die was vergeten het mij te vertellen. Dat is althans haar lezing. Maar goed, dat feestje was dus niks. De andere gastleerlingen zeurden alleen maar over hun studieproblemen en Flo Bapes ontloop ik liever met haar bemoeizucht en haar ongezonde belangstelling voor mijn armoedige achtergrond.

Soms zit ik op de entresol van de bibliotheek naar de tennisbanen te kijken en me af te vragen hoe het is om zo'n tennisbroekje aan te hebben en met je benen uit elkaar tegenover iemand te zitten die ook zo'n broekje aanheeft.

Ik heb talloze medeleerlingen zo zien zitten en de drang is onweerstaanbaar om naar het weke witte vlees aan de binnenkant van hun dijen te kijken – een stukje van de anatomie dat niets met de rest te maken lijkt te hebben en verrast lijkt te worden door de buitenwereld.

Het is tijd om naar huis te gaan en ik sta bij mijn locker. De gang is bijna verlaten en het enige geluid is de herrie die uit de kantine komt, waar het witgejaste personeel de oranje plastic stoeltjes met een rotklap op de blauwe plastic tafelbladen zet. Het klinkt als oorlog in Lego-land. Ik kokhals van de geur van frituurvet dat door trechters in plastic afvalvaten wordt gegoten.

Tom komt uit de toilet- en doucheruimte. Zijn haar is nat.

'Lou, ben jij dat?' zegt hij.

'Hai,' zeg ik.

'Wat leuk je weer eens te zien,' zegt hij. 'Is dit jouw locker?'

'Ja.'

'Hoor mij nou weer. Alsof je in de spullen van een ander zou staan graaien.'

'Nou, dat zou toch kunnen?' zeg ik. 'Als ik vond dat er wat te graaien viel?'

'Ja, dat is ook weer waar,' zegt hij, en hij biedt aan mijn spullen vast te houden zodat ik met twee handen verder kan zoeken.

Hij haalt een fototoestel uit zijn tas.

'Zeg, je zult wel denken dat ik vreselijk ijdel ben,' zegt hij, 'maar ik heb een goeie foto van mezelf nodig, voor een auditie. Zou jij buiten wat plaatjes van me willen schieten?'

Hij leunt tegen zijn eigen locker en glimlacht naar me, is zich welbewust van zijn aantrekkelijkheid. Ik hou niet van poseurs, maar ik voel me te blij om me er echt aan te storen. Hoe komt het toch dat ik wisselende versies van mezelf kan zijn, afhankelijk van wie ik tegenover me heb? Ik snap niet waarom, maar bij Tom bloos ik niet. Mijn huid mag hem al sinds ik hem voor het eerst zag.

'Tuurlijk,' zeg ik.

'Mooi!' zegt hij. 'Wist je trouwens dat degene die deze locker voor jou had bij een auto-ongeluk is omgekomen? Ze hebben een gedenksteen voor haar geplaatst bij de brug over de rivier. 'Dartele ziel' staat erop. Ik word altijd een beetje bedroefd als ik dat lees.'

Ik weet niet precies hoe ik dat 'dartele' moet opvatten. Dartel is typisch zo'n woord dat me nooit kan overtuigen. De betekenis lijkt niet bij de klank te passen, dus ben ik geneigd te denken dat het eigenlijk iets heel anders betekent. In dit geval vind ik dat het voor ontaarding staat, slechtheid, of valsheid.

'Was je met haar bevriend?' vraag ik.

'Nee. Ik kende haar helemaal niet, eigenlijk. Ze was een cheerleader, en die zijn me te springerig,' zegt hij, terwijl hij zijn blik door mijn locker laat dwalen.

Ik probeer uit alle macht iets grappigs te bedenken.

'Nee, ik heb ook weinig met ze op,' zeg ik. 'Altijd maar op elkaars rug klimmen en menselijke piramides bouwen...'

'Precies!' zegt hij opgetogen. Hij vindt het geweldig om met me te praten, getuige de halve glimlach die hij permanent op zijn gezicht heeft.

We lopen samen de trap op.

Ik herinner me opeens dat ik Bridget moet opwachten na haar basketbaltraining. Als ik haar mis, kan ik niet meerijden en moet ik het hele eind door de hete zon naar huis lopen. Toms stalen hakbeschermers tikken op de treden.

'Ik ben hier in een uitwisselingsprogramma,' zeg ik, alsof dat alles verklaart.

'Weet ik,' zegt hij, terwijl hij in zijn borstzak naar zijn pakje sigaretten tast. 'Heeft James me verteld, en bovendien werden alle gastleerlingen voorgesteld op de samenkomst toen de school weer begon. Jij was daar wel niet bij, maar er waren dia's van jullie allemaal, en dus ook van jou. Compleet met een verhaaltje over je achtergrond en zo.'

Hij neemt me van opzij op, dus kijk ik op mijn beurt naar hem. Hij is op een andere manier knap dan anderen. In plaats van de volmaakt symmetrische blauwogige blondheid die altijd als teken van superioriteit wordt opgevat, is het bij hem meer de heldere groenheid van zijn ogen die telkens als je hem aankijkt een stroomstootje door je heen jaagt. Ik zag dat bij Margaret ook gebeuren, en bij Bridget, en het gebeurde waarschijnlijk zelfs bij Henry.

'Je ziet er in het echt nog veel leuker uit,' zegt hij, en de woorden raken me direct in mijn onderbuik. 'Maar goed, er zijn hier dus zeven gastleerlingen in totaal, mocht je dat nog niet weten. Die andere zes mochten ook zelf nog iets vertellen. Gastleerlingen worden als vorsten behandeld op deze school. Ze aanbidden jullie zowat.'

'Wat werd er over mij gezegd?' vraag ik, terwijl mijn maag zich omdraait bij de gedachte dat ik dus op dat podium had kunnen staan, voor honderden medeleerlingen, stotterend en hakkelend en zwetend als een idioot.

Mijn wangen gloeien alsof ik iets verschrikkelijks herbeleef. Ik zie mezelf naakt en kletsnat van het zweet van dat podium gehaald worden door de arrogante footballkwal. Mijn huid voelt alsof er zoutkorrels onder zitten. Ik verberg mijn gezicht voor Tom door naar de grond te kijken.

Hij stopt een sigaret achter zijn oor.

'Ik weet niet precies meer wat ze vertelden. Maar het was heel lovend, dat wel.'

Ik weet dat hij zich er niets van herinnert en het kan me niet schelen.

We lopen het schoolgebouw uit en het grasveld op. Hij gaat op het gras zitten en ik neem een paar foto's van hem.

Hij zit in kleermakershouding met een sigaret tussen zijn vingers en kijkt naar de lucht, niet naar de camera. Ik vraag me af of ik hem aanwijzingen moet geven, dat hij zijn hoofd moet draaien, op zijn buik moet gaan liggen met zijn handen onder zijn kin. Maar we zeggen niets terwijl ik om hem heen loop, neerhurk en weer overeind kom, en al die tijd kijkt hij naar me alsof hij bezig is verliefd te worden of zo.

'Ik moet gaan nu,' zeg ik. 'Anders mis ik mijn ritje naar huis.'

We lopen over het grasveld en als we bij de poort staan en afscheid willen nemen, begint de wind door ons haar en over ons gezicht te spelen. We staren elkaar aan. We zeggen niets en verroeren geen vin. En dan glimlacht hij. Een snelle, moeiteloze glimlach die vooral op de linkerkant van zijn gezicht doorbreekt als hij ergens schik in heeft.

'Welke richting moet je op?' vraagt hij.

'Daarheen,' zeg ik.

'O, dan ga ik de verkeerde kant op voor jou,' zegt hij. 'Maar leid daar vooral niet uit af dat ik van de verkeerde kant bén.'

Het is een ongelofelijk flauwe opmerking, maar hij lacht erbij zoals iemand hoort te lachen, met ongespeelde vrolijkheid. Zijn ogen worden vochtig en zijn wangen rood.

'Nee hoor,' zeg ik. 'O, en hier is je camera.'

Hij legt een hand op mijn arm en zegt: 'Ik heb een idee. Waarom neem jij hem niet mee om de rest van het rolletje vol te schieten? Als ik het dan laat afdrukken, krijg ik een paar verrassende dingen te zien en jij komt gratis aan wat zelfgemaakte foto's.'

'Wat een leuk idee,' zeg ik. Het kan me niet schelen dat hij die auditie maar verzonnen heeft. Het kan me niet schelen dat hij zo ijdel is als ik weet niet wat. Ik wil nog niet naar huis. Ik wil me lekker blijven voelen. Dus geef ik hem een speels duwtje tegen zijn borst en loop weg. Als ik me na een pas of tien omdraai, staat hij daar nog en kijkt me na.

12

We zijn twee weken verder. Het is zaterdag en ik sta met James in de keuken. Ik geef hem een schone theedoek aan, die ruikt naar het herfstzonnetje in de achtertuin.

'Dank je,' zegt hij. 'Ik heb de pest aan afwassen.'

'Mooi,' zeg ik. 'Ik heb de pest aan afdrogen.'

'Hoe gaat het op school?' vraagt hij.

Hij heeft zijn dunne pubersnorretje afgeschoren, zijn gezicht is vrijwel puistjesvrij en op een bloedkorst op zijn kin na ziet hij er behoorlijk goed uit. We zijn alleen thuis, voor het eerst sinds de vakantie.

'Gaat wel,' zeg ik.

Hij komt dicht bij me staan en laat de theedoek door zijn handen glijden. 'Je hebt meneer Caldwell voor geschiedenis, hè?' zegt hij. 'Die zal wel gek op jou zijn. Klopt het, is hij niet helemaal verrukt van je?'

Ik strijk met mijn tong langs mijn tanden en zie hoe hij de theedoek tot een touw draait.

'Hou op met die onzin, man,' zeg ik.

'Oké,' zegt hij.

We zeggen niets meer, maar hij kijkt aandachtig naar mijn gezicht.

'En met jou?' vraag ik. 'Hoe gaat het met onze linkspoot in dit nieuwe schooljaar?'

Hij slaat de theedoek om mijn nek.

'Argg,' zegt hij, terwijl hij doet alsof hij me wurgt.

Zijn lachende gezicht is vlak bij het mijne. Ik doe niets, laat mijn armen slap langs mijn zijden hangen.

'Argg,' zegt hij nogmaals – het geluid dat ik zou moeten maken, een gesmoorde gil.

Ik leg mijn handen op de zijne, maar geef geen kik en kijk hem niet aan.

Hij trekt de theedoek vaster aan om mijn gezicht rood te zien worden. Ik begin bang te worden. Hij trekt te hard, wil me hoe dan ook een geluidje ontlokken, wil me een kreet horen slaken, wil dat ik hem aanraak.

Ik duw mijn vingers tussen mijn hals en de theedoek.

'Hou op,' zeg ik.

Ik ruk me los en ren om de keukentafel heen. Hij komt me achterna en grijpt me bij mijn middel, draait me om en drukt me tegen zich aan. Ik voel zijn hart bonken. Ik leg mijn wang tegen de zijne om hem niet in zijn ogen te hoeven kijken.

'Argg,' zegt hij opnieuw. Hij begint met zijn onderlichaam tegen me aan te rijen.

Ik ben sterker dan hij. Veel sterker. Ik weersta elke ruk en duw, ben onwrikbaar. Hij staakt zijn pogingen en houdt me alleen nog maar vast. Mijn armen hangen weer slap omlaag, maar ze willen hem aanraken. Ik tel tot tien. Ik wil hem aanraken omdat hij een jongen is en ik een meisje ben, maar hij is de verkeerde om aan te raken.

En toch wil ik dat dit doorgaat. Ik tel opnieuw tot tien en hoor hem in mijn oor hijgen. Ik staar naar de koelkast en vraag me af waar hij naar staart. Hij heeft een erectie. Zijn ogen zullen nu wel gesloten zijn, en ik ben ergens daarbinnen. Ik wil zien wat er gebeuren zou als ik het liet gebeuren. Ik tel nog een keer tot tien. Hij heeft een hand in zijn broek gestoken. Ik wacht tot hij klaar is met wat hij doet. Ik maak hier geen deel meer van uit.

Als hij klaar is, blijft hij me vasthouden alsof ik door een gat in de vloer zou kunnen wegglippen. Hij maakt een onderdrukt geluidje, iets tussen een snik en een kreun. Ik kreun ook zachtjes, en dan maak ik me van hem los.

De voordeur slaat dicht. Er is iemand thuisgekomen.

'Ik zie je,' zegt James.

'Ja,' zeg ik, 'ik zie je.'

Hij is langer geworden sinds ik hier ben komen wonen.

Ik leen de fiets van Bridget en rijd de stad in om een oude katholieke kerk te zoeken, zo een als er in Sydney om de hoek van mijn highschool stond – een echte kerk met een altaar, een schip en zijbeuken, een kerk van minstens honderdvijftig jaar oud.

Ik wil een kerk waar mensen op hun knieën gaan om hun gebeden te prevelen. Een kerk met alle veertien staties op zijn muren. Ik zoek een kerk waar ik al die staties weer eens kan bekijken, want ik ben er sommige vergeten. Ik wil dit keer beter op de details letten.

Ik wil een gladde witte kaars branden, zo groot als een vinger, met een pit op de plek van de nagel. Ik wil hem in een houder drukken, keurig rechtop en in het gelid met alle andere kaarsen, die elk voor een gebed staan.

Ik wil muntjes in een bus gooien. Niet alleen voor deze kaars, maar voor alle andere die ik gebrand heb zonder te betalen.

Hoeveel zou ik God ondertussen schuldig zijn? Zo'n dertig dollar, denk ik, als ik vijf cent per kaars reken. Niet veel, eigenlijk. Misschien moet ik er maar wat rente bij doen.

Als ik ten slotte een kerk vind, loop ik meteen naar de kaarsen en steek er vier aan. Echt bidden of een novene zeggen doe ik niet. Ik ga alleen maar tegenover het Mariabeeld zitten en kijk naar een vrouw die de biechtstoel betreedt en er even later weer uitkomt.

Dat mag ik graag zien – mensen die de biechtstoel betreden en de deur achter zich dichttrekken, alsof ze een provisiekast binnengaan om potten jam en dozen ontbijtvlokken te pakken. De wetenschap dat de priester nu achter zijn rode gordijntje zit te fluisteren doet me deugd. Het kan me niet schelen dat de katholieke kerk in de vernieling ligt na alle corruptie- en seksschandalen. Zodra ik een kerk binnenga, voel ik me rustig.

Ik was vooral dol op die kerk bij mijn school in Sydney. Die had allerlei galerijen en alkoven – plekken die je niet kon zien vanuit het midden.

Ik zit me af te vragen of ik misschien voor iets of iemand moet bidden. Misschien voor de vrouw van de oversteekplaats bij mijn oude school.

Ze was er een van mijn favoriete mensen – een 'klaar-over' in een witte lakjas met een brede oranje diagonaal, en een bijpassend wit regenhoedje met een oranje streep aan de rand.

We maakten vaak een praatje en dan vroeg ze me waarom ik niet op school zat, zonder ooit bemoeiziek te worden.

Ze nam regelmatig pauzes van haar oversteekwerk en verborg zich dan achter een vijgenboom om zich vol te proppen met de patat en hotdogs die ze bij de 7-Eleven haalde.

Als ik dan overstak, kon ik haar lakjas achter die boom zien uitsteken – gelijke delen wit aan weerszijden van de donkergrijze stam, en zag ik haar witte arm op en neer gaan als een grijpkraan.

Ik had haar eigenlijk eens moeten zeggen dat het niemand zou storen als ze gewoon op het bankje voor de kerk ging zitten eten. Dat ze het open en bloot kon doen, ongehaast. Ik wou dat ik het haar nu kon zeggen, dus sluit ik mijn ogen en praat tegen haar alsof ze dood is en ik me tot haar graf richt.

Na het avondeten ga ik naar mijn kamer, maar ik kan mijn gedachten niet bij het lezen houden en ik snak naar een sigaret. Ik heb de gewoonte opgevat om tegen acht uur even te stoppen met mijn huiswerk en een eindje te gaan lopen – naar het parkeerterrein van de supermarkt, waar ik achter de winkelwagentjes neerhurk en een paar sigaretten rook.

Als ik een vriendje had, zou ik in zo'n karretje gaan zitten en liet ik me urenlang over dat parkeerterrein rijden. Als ik Toms nummer had, zou ik hem bellen.

Ik ga naar Henry's werkkamer om te vragen of ik wat geld kan lenen. De deur staat open en hij zit over zijn bureau gebogen.

'Hai,' zeg ik.

Ik kijk naar Henry's gezicht en wou dat ik met een ander doel was gekomen. Eigenlijk wil ik alleen maar aardig tegen hem doen. Ik moet misschien maar zeggen dat ik gewoon even kom kletsen, vragen of hij zin heeft in een kop thee of een potje schaak.

'Hai,' zegt hij, en hij glimlacht er zo breed bij dat hij een cadeautje lijkt te verwachten.

Ik weet niet wat ik met mijn handen aan moet, dus zet ik ze op mijn heupen.

'Margaret is deze week mijn zakgeld vergeten,' zeg ik.

Henry gebaart naar een stoel, alsof hij een dokter is en ik zijn patiënt.

'Ik ging ervan uit dat ze dat al met je besproken had.'

'Nee,' zeg ik. 'Is er iets dan?'

'Tja, het zou misschien beter zijn als we het hier samen met Margaret over hadden.'

Ik probeer mijn paniek te verhullen.

'Kun jij het niet alleen zeggen?'

Hij schroeft de dop op zijn pen en kijkt peinzend voor zich uit.

De telefoon gaat, maar hij doet niets, wacht tot iemand het andere toestel opneemt. Het zal de mysterieuze persoon wel weer zijn, met wie Bridget elke avond precies veertien minuten telefoneert. Op doordeweekse avonden geldt er in huize Harding een maximale beltijd van vijftien minuten.

'Kijk, Margaret had dit ongetwijfeld zelf met je willen bespreken, maar waar het op neerkomt is dit – aangezien je nu genoeg kleren hebt, en er altijd ruim voldoende te eten in huis is, ook voor lunchpakketjes, en aangezien jij zelden uitgaat, is het misschien beter als je gewoon om geld vraagt zodra je het nodig hebt. Zodra er een echte aanleiding voor is.'

Ik heb sinds mijn dertiende maar één keer gehuild. En nu begin ik tot mijn stomme verbazing voor de tweede keer te huilen. Die laatste keer had Steve me verteld dat mijn jonge poesje verkracht was door een grote zwerfkat. Ik wist dat het niet waar was.

Waar ik om huilde was dat hij me zo'n leugen wilde vertellen en speciaal gewacht had tot we met zijn tweeën alleen waren in de wasmachinekelder.

Ditmaal huil ik omdat ik niet krijg wat ik hebben wil. De reden voor mijn komst naar dit land was juist dat ik alles zou krijgen wat mijn hartje begeerde. Zeker hier in dit grote huis hoor ik niet alleen te krijgen wat ik maar wil, ik hoor het met het grootste gemak te krijgen.

'O,' zeg ik, en ik wend me van hem af.

'Wat is er, Lou?'

Mijn keel is afgesnoerd en ik weet dat ik geen antwoord kan geven zonder te snikken. Ook voel ik het treurige genot dat gepaard gaat met de hete onverbiddelijkheid van tranen. Ik loop naar de deur, en terwijl ik dat doe, komt Margaret binnen.

'Dat was je vader aan de telefoon,' zegt ze tegen Henry. 'Je moeder is gevallen en we moeten onmiddellijk naar het ziekenhuis.'

Er is iets eigenaardigs aan haar stem. Het lijkt wel alsof ze geniet van de dramatiek, alsof het haar een kick geeft dat er om deze reden een dringend beroep op haar wordt gedaan.

Henry zegt niets. Zijn ogen worden dik en rood en zijn mond zakt open. Hij pakt zijn vest van de stoelleuning.

Margaret keurt me geen blik waardig, lijkt me niet eens te hebben opgemerkt.

'Ga Bridget en James roepen,' zegt ze tegen Henry. 'We gaan met het busje, voor het geval dat je vader met ons mee terug wil rijden.'

Ik doe een stap in haar richting. 'Zal ik ook meegaan?' vraag ik.

De vraag lijkt haar te verbazen.

'Nee,' zegt ze. 'Het lijkt me beter dat jij hier op het huis blijft passen.'

Ze frunnikt aan de ringen aan haar linkerhand. Er biggelen nog steeds tranen over mijn wangen en ik wil dat ze dat ziet. Sommige mensen zien er goed uit als ze huilen.

Bridget en James komen aangedenderd, klaar voor vertrek.

'Wat is er met oma?' vraagt Bridget, nu al in tranen.

'Ze heeft een zware val gemaakt en ligt nu op de eerste hulp,' zegt Margaret met alle gewichtigheid die ze kan opbrengen, verlekkerd door haar eigen stemgeluid, terwijl ze net zo makkelijk had kunnen zeggen dat het vast wel weer goed kwam met oma.

Henry's moeder zal gewoon haar heup hebben gebroken toen ze uit de douche kwam of de telefoon wilde aannemen, net als mijn tante Sally. Over een paar weken is ze weer helemaal op de been, met een nieuwe heup.

James is boos en grijpt zijn vader bij een arm. 'Kom op nou! Laten we gaan!'

Ik loop met ze mee naar de voordeur en ga bij Margaret staan die in het sleutelmandje naar de juiste autosleutels zoekt.

Ik wil dat ze mijn nog altijd betraande gezicht ziet, de ene traan die zo dik is dat hij helemaal tot in mijn hals is gelopen, alsof hij een eigen leven leidt.

'Is het waar dat ik geen zakgeld meer krijg?' vraag ik.

Ze houdt op met zoeken. 'Pardon?'

'Ja, ik weet dat dit geen goed moment is...' Mijn tranenvloed stokt en mijn stem is te kalm, niet langer snotterig en verstikt door die lekkere verkramping in mijn keel. 'Maar ik heb vanavond wat geld nodig,' zeg ik. 'Ik ga met iemand naar de bioscoop.'

Ze wordt rood tot in haar hals. Zo heb ik haar nog nooit gezien.

'Ik begrijp jou niet,' zegt ze. 'Ik begríjp jou gewoon niet.'

Ze buigt zich weer over het mandje en vindt de juiste sleutels terwijl ik bijkom van de schok. Ik vraag me af wat ze nu precies bedoelt, en of ik nog wat zeggen moet.

'Jij gaat vanavond nergens heen,' zegt ze. 'Als we om tien uur nog niet thuis zijn, ga dan naar bed. En als je met alle geweld wilt roken, kan ik je niet tegenhouden. Maar doe het nooit, echt nóóit meer in mijn huis.'

Ze oogt opeens zeer tevreden, gelukzalig bijna. Bridget staat achter haar en ziet er ook voldaan uit.

'En Henry dan?' zeg ik. 'Die rookt toch ook?'

Het is nooit bij me opgekomen dat ze het konden ontdekken, en dat ik dan zo aan de kaak kon worden gesteld. Ik verdom het om me te verontschuldigen.

Margaret laat in een geschokte grimas haar ondertanden zien. 'Henry is volwassen en jij niet. Einde verhaal.'

'Best,' zeg ik in plaats van sorry.

Als ze weg zijn, ga ik naar mijn kamer en plof op mijn bed neer. Ik voel me miserabel en schuldig. Hoewel het licht aan is, val ik in slaap en word pas wakker als James in de deuropening staat en zachtjes mijn naam roept.

'Lou?'

'Hai,' zeg ik door mijn slaperigheid heen.

'Zal ik het licht voor je uitdoen?'

'Hoe laat is het?' Ik hoef niet te weten hoe laat het is. Ik wil alleen maar met hem praten. Hij is beter dan niets.

'Bijna twaalf uur.'

Het licht gaat uit en ik draai me op mijn zij om hem te kunnen zien, maar hij is weg.

Ik ben ondanks het licht en het wachten op de Hardings in slaap gevallen (zoals ik ook makkelijk kan wegdoezelen als ik beneden op de bank tv lig te kijken, vooral als Henry in de kamer zit), maar nu het tijd is om te slapen, doe ik geen oog meer dicht.

Een uur of twee later sta ik voor de slaapkamer van Henry en Margaret. De deur staat op een kier en als mijn ogen aan het duister gewend zijn, zie ik hun gestalten in het bed. Ook zie ik Margarets slippers en de waterkan van Henry.

Ik wil naar binnen gaan en voor het voeteneinde of bij de cv-radiator in slaap vallen. Ik stel me voor hoe het zou zijn als ze me zo vonden, zonder deken of kussen op het tapijt liggend.

In mijn fantasie tillen ze me van de vloer. 'Ik kon niet alleen in slaap komen,' zeg ik. En Margaret zegt: 'Ach, lieverd toch. Hier, ga maar in ons bed liggen en slaap nog wat. Je mag best eens wat later naar school.' En dan lig ik in hun bed terwijl zij douchen in het zijvertrek, en later drink ik koffie uit een volmaakt wit kopje dat Henry voor me op het nachtkastje heeft gezet.

Henry roert zich, dus loop ik stilletjes weg en ga naar de kamer van James. Zijn deur staat wijdopen. Ik ben niet van plan om naar binnen te gaan, maar dan zie ik hem bewegen en vraag ik me af of hij wakker is.

'James?' zeg ik. Hij reageert meteen met een kreun en was dus wakker.

'Hai.' Zou hij mijn stem van die van Bridget kunnen onderscheiden?

'Goeiemorgen, Lou.' Hij doet zo zijn best om slaperig te klinken dat ik zin krijg om hem aan te raken. Hij is verliefd op me, denk ik.

Hij schuift naar de rand van zijn bed en slaat zijn dek terug, zodat er een grote witte driehoek zichtbaar wordt, leeg en uitnodigend. Maar als ik zijn grijnzende gezicht zie, weet ik weer wie hij is en bedenk ik me. Ik kruip niet bij hem in bed, maar ga er op mijn hurken naast zitten. Zodat hij mijn gezicht kan zien, zodat hij weer weet wie ík ben.

'Ik vroeg me af of je misschien over je oma wilt praten,' zeg ik. 'Toen jullie thuiskwamen was ik te slaperig om iets te zeggen, maar nu ben ik klaarwakker.'

Hij haalt zijn hand onder het dek vandaan, strekt hem naar me uit en raakt mijn arm aan.

Hij kreunt.

'Ze komt er wel doorheen,' zegt hij. 'Heb je het niet koud?'

'Nee,' zeg ik.

Hij drukt zich nog meer tegen de muur aan en klopt op de vrije plek naast hem.

'Ik zal braaf zijn,' zegt hij.

Ik stap erin en ga op mijn rug liggen.

We liggen schouder aan schouder. De ruggen van onze handen raken elkaar, maar daar blijft het bij, en we liggen tot de dageraad te praten. Tot de vogels op gang komen en het te licht begint te worden – ik wil zijn gezicht niet zien, en ik wil niet dat hij het mijne ziet. Het licht zal de betovering verbreken.

'Ik kan maar beter teruggaan,' zeg ik.

Hij rolt op zijn zij, met zijn rug naar me toe.

'Welterusten, Lou,' zegt hij, en die gespeelde slaperigheid is weer terug in zijn stem.

Ik kijk naar zijn wekker en zie dat het nog voor zessen is.

'Slaap nog maar een uurtje,' zeg ik. 'Dan zie ik je bij het ontbijt.'

Het is maandag – Amerikaanse geschiedenis. Het dikke meisje zit nu alleen. De dikke jongen met wie ze tot nu toe elke dag hand in hand zat, heeft met iemand van bank geruild en zit nu een eind verderop. Ik kijk naar haar en probeer telepathisch over te brengen dat ik met haar te doen heb en hoop dat het weer goedkomt tussen hen.

Ik heb iemand nodig met wie ik kan praten.

Als de les voorbij is, besluit ik haar te volgen. Ze gaat naar de kantine en neemt roerei met spek. Ik zit bij de ingang, waar de eenarmige jongen zijn witte boterhammen met ketchup eet. Ik bekijk haar terwijl ze zit te eten. Alles gaat schoon op, waarna ze naar de bibliotheek loopt. En ook nu volg ik haar.

Ze gaat naar de afdeling geïllustreerde werken, pakt een album over Jim Henson en de Muppets en loopt ermee naar een studeerkamertje – klein en helverlicht, met drie glazen wanden. Ze gaat zitten en bekijkt de plaatjes.

Ik wou dat ik Jim Henson ooit ontmoet had. Als ik íemand uit het dodenrijk terug zou mogen halen, was hij het. En dan zou ik vragen of ik mee mocht naar zijn muppet-atelier, zodat ik hem aan het werk kon zien. Als we het met elkaar konden vinden, maakte hij misschien wel een muppet waar ik de stem voor kon zijn. En dan leerde hij me het vak en nam me aan voor 'The New

Muppet Show', om een paar poppen onder mijn hoede te nemen en sketches en liedjes te bedenken.

Probleem is wel dat ik niet zo goed ben in stemmetjes. Maar scenarioschrijven kan ik vast. Enig lijkt me dat. Ik zou eigenlijk Brian Henson eens moeten schrijven. Die is misschien wel geïnteresseerd in wat ik zoal bedenk.

Ik open de deur van het kamertje en stap naar binnen.

'Hai,' zeg ik.

Ze is niet verrast.

'Hai.'

'Ben jij een Muppet-fan?'

'Is de paus vrijgezel?' zegt ze.

We lachen hardop en de bibliothecaresse tikt op het glas.

We praten fluisterend verder, en na een poosje vraagt ze: 'Heb je zin om ergens koffie te gaan drinken?'

'Ja, in een vrijgezellentent,' zeg ik. 'Kunnen we de paus ontmoeten.'

De bibliothecaresse komt weer naar ons toe. Ze opent de deur en leunt naar binnen. Een van haar borsten zit tegen het glas geplet, als een met water gevulde ballon die elk moment kan knappen. 'Hebben jullie geen les?'

'We doen een project,' zegt het meisje. Ze heet Yvonne.

Als de bibliothecaresse wegloopt, zeg ik: 'Heb je haar tiet tegen het glas zien drukken? Net een ballon die op knappen stond.'

'Ja,' zegt Yvonne. 'Dat viel mij ook op.'

Misschien kan ik met haar praten over mijn obsessie voor borsten, en mijn zorg dat die van mij op puntbroodjes lijken.

We gaan naar buiten en lopen naar een schemerige en niet zo propere koffiebar aan het eind van Main Street, waar je ongestoord kunt roken. Als ik een sigaret tevoorschijn haal, kijkt Yvonne me aan alsof ik zojuist een mes of pistool heb gepakt, maar ze zegt: 'O god, geef mij er ook een, alsjeblieft!'

We roken en praten en lachen.

'Ik ben een mormoon,' zegt ze.

'Je ziet er niet uit als een mormoon,' zeg ik.

'Nee, en ik smaak er ook niet naar.'

Ik moet weer om haar lachen. Een uitzinnige, gorgelende lach is het, een vrijwel exacte kopie van de hare, en ik vraag me af wat me mankeert – je manier van lachen zou iets van jezelf moeten zijn, je persoonlijke handelsmerk, niet iets wat je van anderen overneemt als een verkoudheid. Maar ik blijf lachen, onbedaarlijk.

Yvonne legt een hand op mijn mond om me te laten ophouden.

'Nee, serieus,' zegt ze. 'Als mijn ouders ons hier zouden betrappen, hielpen ze ons voorgoed van het roken af, en dan zwijg ik nog maar over onze priester.'

Yvonne oogt ontspannen, ziet er niet uit als iemand die zich stoer of flink voor wil doen. Ze lijkt me niet het gezeglijke, inschikkelijke type, noch maakt ze de indruk dat ze om een vriendin verlegen zit. Ik mag haar wel.

'Moet je ook naar de kerk en zo?' vraag ik.

'Jazeker. Tot ik het huis uit ga. En op zondag geen sport of wat dan ook. En verder geen koffie, geen alcohol en geen seks voor het huwelijk. Je kunt het zo gek niet bedenken of ik mag het niet.'

'Geen masturbatie?'

'Wat is dat?' zegt ze grijnzend, en we lachen weer.

De volgende keer dat we elkaar spreken, zal ik haar vragen of ze weleens gemasturbeerd heeft. Zelf heb ik het een keer of dertig gedaan en ik zou weleens willen weten wanneer andere meisjes ermee beginnen. Of zou ik tot een minderheid behoren, of zelfs de enige zijn?

We bestellen wat te eten en Yvonne vertelt me alles over de mormoonse kerk.

'Wij dopen de doden, wist je dat?'

'Waarom?'

'Om hun ziel te redden, zodat ze naar de hemel kunnen. We hebben tot nu toe tweehonderd miljoen dode mensen gedoopt, onder wie Boeddha, Shakespeare, Einstein en Elvis Presley.'

'Hoe ziet de hemel er volgens jullie uit?'

'Dat kan ik je laten zien.'

Ze pakt haar rugzak en haalt er een kartonnen kaart uit met een afbeelding van de mormoonse hemel. Een en al lieflijkheid, snoezige konijntjes, zachte schapenwolkjes, groene weiden en velden vol margrietjes met honderden verzaligde zielen die eruitzien als blonde zesjarige kindertjes, hand in hand.

We gieren het uit en ik wil niet dat Yvonne naar huis gaat, en dat zou ik ook kenbaar willen maken, maar in plaats daarvan kijk ik op mijn horloge.

'Moet je weg?' vraagt ze.

'Nee, nog niet.'

We vallen stil en ik denk na over wat ik nu wil zeggen, weeg zorgvuldig de plussen en minnen tegen elkaar af. En dan leun ik over de tafel en fluister: 'Heb je zin in een slokje? Ik heb wat bij me.' Ik klop op mijn tas. 'Gin. We kunnen jus bestellen en stiekem een mixje maken.'

'God wat lekker,' zegt ze, en ik voel me intens opgelucht omdat ik haar niet heb hoeven overhalen. Ik heb haar niet tot iets verlokt waar ze eigenlijk niet aan toe is. Wat zou dat stuitend zijn geweest, een mormoon tot drinken aanzetten. Wat een rotstreek.

Om zes uur kijkt Yvonne op haar horloge, en ik zie haar schrikken.

'Ik moet rennen,' zegt ze.

Ik wil nog niet weg, ben bang dat ik mijn goede humeur aan dit tafeltje achterlaat.

'Ik blijf nog even zitten,' zeg ik. 'Zie ik je donderdag weer?'

Ze prutst aan de bandjes van haar rugzak.

'Ik ben er donderdag niet. Dan heb ik thuis iets te doen. Maar we spreken elkaar wel weer.'

'O, zeker,' zeg ik. Ik wil haar zeggen hoe grappig ze is. Ik wil zeggen dat ze een leuk gezicht heeft.

'Zeker,' zeg ik nogmaals, en ik kijk haar na.

Als ik thuiskom, staat Margaret in de hal.

'We hebben de hele tijd op je gewacht,' zegt ze.

'O, sorry,' zeg ik, maar ik kan me niet herinneren waarom ik vroeg thuis had moeten komen.

'Je bent het vergeten, hè?'

'Ja,' zeg ik. Er loopt een rilling over mijn rug en ik moet knijpen om niet ter plekke in mijn broek te piesen. Alles lijkt in te storten – alsof mijn lichaam iets beseft wat mijn geest nog niet doorheeft.

'James heeft vanavond zijn eerste ronde in het nationale debating-kampioenschap. De anderen zijn er al naartoe.'

Dit heeft niemand me verteld.

'O, maar dít wist ik niet,' zeg ik.

Margaret is nijdiger dan ik haar ooit gezien heb. Haar mond is vertrokken, haar boezem zwoegt en ze moet haar armen over elkaar slaan om het beven van haar handen te verbergen.

'Bridget heeft het je gezegd. Dat heb ik nog nagevraagd toen ze vertrokken. Ze heeft het je gisteren na het avondeten verteld. Als je dat nu al niet meer weet, is er toch echt iets met je aan de hand.'

'O,' zeg ik, verlamd, machteloos. Ik sta op het punt om voor de tweede keer in één week in tranen uit te barsten.

'Het is me misschien ontschoten omdat Henry's moeder in het ziekenhuis is opgenomen.'

'Dat lijkt me sterk,' zegt ze.

Ze doet geen mond open als we naar de gehoorzaal rijden, maar Henry is nog veel bozer op me. Als ik me tijdens de laatste ronde naar hem toe buig om te zeggen dat ik naar de wc ga en te vragen of ik iets te drinken mee moet nemen, sist hij: 'In godsnaam, blijf nou eindelijk eens een keer zitten.'

Zijn ogen tranen zo erg dat hij ze met zijn mouw moet betten.

Na de wedstrijd, die door het team van James wordt gewonnen, gaan we naar een pizzatent. James is opgetogen over zijn overwinning, maar teleurgesteld over wat hij een typische bankiersbeslissing van Margaret noemt – we gaan niet naar het dure restaurant waar de rest van zijn team naartoe gaat.

'Je was geweldig,' zeg ik tegen hem, en dat was hij ook.

Zoals hij op het podium stond, zijn armen gebruikte en door het middenpad paradeerde, leek hij veel ouder. Het is net of er twee versies van hem bestaan.

'Dank je.' Hij blaast op zijn nagels en wrijft ermee over zijn revers.

Aan tafel is de stemming bedrukt. Margaret toont net zo weinig eetlust als ik. Ze wordt door het minste geringste afgeleid, kijkt naar iedereen die binnenkomt of vertrekt, en draait zich bij elke schurende stoel om alsof ze een politie-inval verwacht.

Henry lijkt haar zwijgzaamheid te willen compenseren door voortdurend het woord te nemen, zeer ongebruikelijk voor hem. Hij wijdt een grondige analyse aan de zwakheden van het andere debatingteam.

'Ze speelden veel te veel op de lach,' zegt hij. 'En ze waren te veel op persoonlijk succes uit. Het was geen team.'

'Het was gewoon een stel debielen,' zegt James, met een bungelende sliert mozzarella aan zijn gulzige mond. Het beeld van de andere James, de James die ik op het podium zag en de vorige nacht heb meegemaakt, is in één klap weggevaagd.

Ik zit de hele maaltijd lang te denken hoe ik het weer goed kan maken met de Hardings, hoe ik een nieuwe start met ze kan maken en hoe ik om hulp kan vragen.

Als we thuiskomen, zeg ik: 'Zou ik jullie mogen vragen om over een minuut of vijf allemaal naar de zitkamer te komen?'

Ik wil niet alleen een nieuw hoofdstuk met ze beginnen, ik wil dat ze me helpen een aardiger mens te worden. Ik glimlach ze stuk voor stuk toe, zo ingespannen dat mijn gezicht ervan trilt.

'Waarvoor?' vraagt Bridget.

'Dat zeg ik zo wel, als we bij elkaar zitten.'

Margaret gooit de autosleutels in het mandje en slaat haar armen over elkaar.

'We zijn allemaal behoorlijk moe, Lou,' zegt ze. 'Kun je het nu niet even zeggen?'

Alle genegenheid die Margaret voor me voelde is opgedroogd, uit haar weggezogen alsof ze aan een afzuigpomp heeft gelegen.

James maakt zich ongerust om iets dat hij aan mijn gezicht afleest en hij houdt zijn tas als een schild voor zijn borst.

Henry koestert zo te zien ook de nodige argwaan, niet om iets wat hij bespeurt maar om iets wat iemand hem verteld heeft. Misschien heeft Margaret hem er eindelijk van doordrongen dat ik niet deug.

Bridget reageert alleen maar ongedurig – voor haar doe ik er überhaupt niet toe. Het zou me niet verbazen als James straks de enige is die zich iets van mijn verhaal aantrekt.

'Tja,' zeg ik even later in de zitkamer, 'het is niet zo makkelijk uit te leggen.'

Ik sta op het punt om mijn verontschuldigingen aan te bieden, en te zeggen dat ik nog steeds niet kan slapen en naar een dokter wil. Ik wil ze mijn spijt betuigen en om hulp vragen. Maar in plaats daarvan krijg ik een bloedneus.

James pakt een doos tissues en reikt me die aan. Margaret, die anders één en al bekommernis is als iemand een kwaaltje of klachtje heeft, zet een stoel achter me neer en doet verder niets. Ze loopt zonder een woord te zeggen de kamer uit, met de volgzame Henry achter zich aan.

'Ze weten dat je gisteravond gerookt hebt op je kamer,' zegt Bridget, en iets aan haar houding zegt me dat zij degene is die hen op de hoogte heeft gebracht. 'En daar zijn ze enorm pissig om.'

James wist niet dat ik rookte.

'Jezus,' stamelt hij.

Bridget krijgt een schichtig glimlachje op haar gezicht.

'Roken is voor sukkels,' zegt ze, en dan stormt ze de kamer uit alsof ze haar woede niet langer kan bedwingen.

Ik lig op mijn bed en pak een schrijfblok. Ik ga vier excuusbrieven schrijven. Om te beginnen een voor Henry.

Lieve Henry,

Het spijt me vreselijk dat ik dat koffiekopje tegen de muur heb gesmeten en in mijn kamer heb gerookt. Ik beloof je dat het nooit meer gebeurt en ik wou dat ik de moed had om je persoonlijk te zeggen hoe fantastisch ik je vind. Als jij mijn vader was, zou ik honderd keer beter in mijn vel steken dan ik nu doe. Ik mag je al vanaf onze ontmoeting op het vliegveld. Ik vond je geweldig toen we bij Flo Bapes waren en jij dat raam openschoof om het onweer binnen te laten.

Ik ben heel erg op je gesteld en ik heb ontzettende spijt.

Liefs,

Lou

Ik wacht tot het drie uur is, loop dan op mijn tenen naar Henry's kant van het bed en stop het briefje in zijn schoen. Ik weet zeker dat hij niets zegt als hij het vindt. Hij zal het in zijn eentje lezen, niks tegen Margaret zeggen en voor zichzelf uitmaken hoe hij met me verder wil.

Na het ontbijt roept Henry me de eetkamer binnen, waar hij zijn attachékoffertje aan het inpakken is.

Hij oogt nerveus. 'Dank je wel,' zegt hij. 'Zit er verder maar niet over in, hoor.'

'Goed,' zeg ik.

Hij schraapt zachtjes zijn keel, zoals mensen hun keel schrapen als ze niet willen dat anderen het horen.

'Er zit veel pure menselijkheid in jou,' zegt hij schuchter.

Terwijl deze woorden door mijn hoofd buitelen, legt hij een krant in zijn koffertje, kijkt nerveus naar de open keukendeur, slaat het deksel dicht en drukt de slotjes vast. Hij kijkt nogmaals naar de keukendeur, bang dat Margaret hem met me ziet.

Hij dwingt zichzelf tot een glimlach. 'Dat kwam er een beetje raar uit,' zegt hij.

‘Geeft niet,’ zeg ik.

Hij loopt naar de voordeur en ik probeer grip op die woorden te krijgen – ‘pure menselijkheid.’

Ik kan hem niet zonder een paar luchtige, ongedwongen woorden laten vertrekken, loop achter hem aan en trek de voordeur achter ons dicht.

‘Henry,’ zeg ik. ‘Weet jij wat desquamatie is?’

Hij neemt peinzend zijn koffertje in zijn armen.

‘Waar moet dat mee te maken hebben?’

Da’s een interessante reactie. Nu moet ik mijn best doen om niet te laten blijken dat ik het antwoord al ken.

‘Ik weet alleen dat het een kwaal is die vaak voorkwam bij poolreizigers uit het begin van de twintigste eeuw. Meestal kwamen ze dan ook om, en het een zal met het ander te maken hebben gehad.’

Henry is blij met deze ongevaarlijke vraag en wil er graag zijn tanden in zetten.

‘Ja, ik geloof dat ik daar weleens over gelezen heb. Kregen ze dat niet als ze de brandstof inademden waar ze hun potje mee kookten? Is het niet iets met vergiftiging door vluchtige stoffen in een afgesloten ruimte, zoals in tenten?’

Hij loopt ondertussen naar zijn auto, maar het onderwerp bevalt hem. Ik moet hem vaker van dit soort kennisvragen gaan stellen.

Hij opent zijn autoportier en gooit zijn koffertje op de passagiersplaats. ‘Enfin, ik zal het op mijn werk nog even voor je opzoeken. Op mijn computer daar heb ik een uitstekende encyclopedie.’

‘Nee, doe maar niet, dank je. Ik vind het leuker om er zelf achter te komen.’

‘Ook goed. Prettige dag nog, Lou, en maak je geen zorgen.’

‘Nee?’

‘Welnee, daar is helemaal geen reden voor.’

‘O, gelukkig maar.’

Als hij wil instappen, loop ik om de auto heen en kom bij hem staan. Hij omarmt me even en dat geeft me een goed gevoel. Ik ga een nieuwe start maken, alles uitwissen en opnieuw beginnen, dat is nu wel zeker.

13

We beginnen eindelijk koeler weer te krijgen. In de middagpauze lig ik op het grasveld van de school en werk aan mijn briefjes voor Bridget, Margaret en James.

Ik voel een hand op mijn achterhoofd.

'Hé, Lou,' zegt Tom. 'Ik dacht al dat jij het was.'

Ik kijk glimlachend naar hem op.

'Ja, ik ben ik,' zeg ik. 'En jij bent jij.'

Ik heb al die tijd zijn fototoestel bij me gedragen en het rolletje is inmiddels vol, maar ik heb mijn weinige geld niet aan afdrukken willen uitgeven, noch wist ik hoe ik met Tom in contact moest komen zonder James om zijn nummer te vragen. Ik moest maar gewoon hopen dat hij mij weer zou vinden.

'Heb je nog foto's genomen?' vraagt hij.

'Ja, je rolletje is vol.'

'Leuk! Wat kan ik zoal verwachten?'

'O, ze zijn niet zo interessant, hoor. Ik hoop niet dat je nu te laat bent.'

'Te laat? Waarvoor?'

'Die auditie,' zeg ik.

'O, dat,' zegt hij. Geen goede leugenaar. Hij wendt zo terloops mogelijk zijn blik af. 'Daar heb ik maar geen moeite meer voor gedaan. Het was toch niet zo'n geweldig stuk.'

Hij zit als een kikker op zijn hurken.

'Kom je ook even liggen?' vraag ik.

Hij gaat liggen en we praten een tijdje. Ik heb er geen aannemelijke verklaring voor, maar in Toms nabijheid ben ik een ander mens. Zo bloos ik bijvoorbeeld nog steeds niet.

'Wat is jouw lievelingsfilm?' vraag ik.

'Wat is de jouwe?' vraagt hij terug.

'Ik heb er een paar,' zeg ik. 'Maar *The Shawshank Redemption* is er één van.'

'Ah, ja, ik ben gek op die film.'

'Echt? Wie is je favoriete figuur? Wat is je favoriete regel?'

Daar heb ik hem mee klemgezet, maar dat deert hem niet.

'Tja, zou ik zo gauw niet weten. Ik vind álles gewoon geweldig aan die film.'

'Voor mij is het die regel van Morgan Freeman: "Schiet op en ga leven, of schiet op en ga dood."'

'Wat een geweldenaar, hè, Morgan Freeman,' zegt Tom als een steracteur die iets aardigs zegt over een collega.

'Ja, nou,' zeg ik. 'Maar wat vind je van die regel?'

'Schitterend, natuurlijk. Echt een geweldige regel.'

Er valt een stilte.

'Welke films vind je nog meer goed?' vraagt hij.

Het zou me niet verbazen als hij hierna vraagt wat mijn lievelingskleur is, zoals de jongen met wie ik hand in hand over de rolschaatsbaan ging.

'*Down by Law*,' zeg ik. 'En *Smoke*.'

'Nooit van gehoord,' zegt hij op een verbaasde toon, alsof dit de enige twee films zijn die hij niet kent, of alsof hij vindt dat ze slecht zijn of eigenlijk niet meetellen.

We zwijgen weer even.

'Ik vind je geweldig,' zegt hij. Hij pakt mijn hand en zijn ogen geven me weer zo'n stroomstoot. Maar ook nu bloos ik niet.

Ik leg mijn hoofd op zijn been en sluit mijn ogen.

'Zeg, luister eens,' zegt hij. 'Heb je zin om met me te ontsnappen vanmiddag? We zouden samen naar zo'n One-Hour Photo zaak kunnen gaan.'

'Waarom niet?' zeg ik, en ik probeer het net zo terloops te laten klinken als zijn voorstel. 'Kom, we gaan meteen.'

Ik kom snel overeind om mijn enthousiasme te tonen, en ik merk tot mijn verbazing dat ik zijn hand blijf vasthouden.

'En dan gaan we daarna ergens koffiedrinken,' zegt hij.

Als de foto's klaar zijn, gaan we ze bekijken in een koffiebar. Tom is blij met de foto's die ik van hem heb genomen.

'Je hebt talent,' zegt hij.

'Dank je,' zeg ik, maar ik ben weinig gerust op de foto's die ik van mezelf heb genomen, rechtop in bed, met de zelfontspanner.

'Het is een fotografisch essay met de titel "Slapeloosheid",' zeg ik. 'Ik heb ze midden in de nacht genomen toen ik weer eens niet slapen kon. Moet je zien, ik ben net een lijk. Behalve dan dat lijken geen moeite hebben met slapen.'

'Jij zou er nooit slecht uit kunnen zien,' zegt hij terwijl hij me diep in mijn ogen kijkt.

Ik wou dat mensen die ik leuk vind niet altijd van die stompzinnige dingen zeiden. En hoewel het Tom is die zich schamen moet voor zo'n banale miskleun, ben ik het die bloost – voor het eerst sinds we elkaar ontmoet hebben. Maar in tegenstelling tot James kijkt hij even de andere kant op om me tot mezelf te laten komen, en dat maakt hem dan wel weer dierbaar.

'Ik wilde eerst een essay met de titel "Een dag uit het leven van een theedoek" maken, maar daar had ik een hogesnelheidsfilm voor moeten hebben.'

'Geestig,' zegt hij waarderend.

'En toen dacht ik aan "Elegie voor een appel", maar steeds als ik een geschikte appel zag, was ik te laat met mijn camera en had Margaret hem alweer verslonden.'

Volgens mij heb ik het woord elegie hier verkeerd gebruikt. Ik bedoelde iets anders, maar ik weet niet precies wat ik bedoelde.

'Hoe erg is die slapeloosheid van jou?' vraagt hij.

'Heel erg,' zeg ik. 'Soms wil ik dood, alleen maar om niet wakker te hoeven zijn.'

'Dat herken ik maar al te goed,' zegt hij, en hij laat zijn vrije hand slap op de tafel liggen, als een neergeschoten vogel.

'Echt waar?' vraag ik. Ik hoop vurig dat hij ook aan slapeloosheid lijdt, maar ik ben bang dat dit opnieuw een leugen is, en dat ik daar zo achter zal komen.

'Hoe erg is het bij jou?' vraag ik. 'Hoeveel nachten in de week, gemiddeld?'

'Momenteel... vijf of zes nachten.'

'En die zevende?' vraag ik.

'Dan slaap ik ook niet echt, maar neem iets waardoor ik buiten westen raak.'

'Wat dan?'

'O,' zegt hij, 'laten we het daar maar niet over hebben. Spul dat mijn moeder altijd slikte toen ze zo ziek was.'

'Morfine?'

'Zoiets ja. Maar geloof me, daar wil je echt niet meer van weten.'

Hij kijkt erbij alsof hij er beslist niet op in wil gaan, maar ik zie ook een hunkering om erover uitgevraagd te worden.

'Tja, goede vriend,' zeg ik op een wereldwijze toon, alsof we in een film over de zelfkant spelen, 'wat zullen we nu eens gaan doen?'

'Naar mijn huis?'

Ik zou het heerlijk vinden om een vreemd huis binnen te gaan.

'Zou ik daar dan een dutje mogen doen, in een logeerbed? Daarin kom ik nog het best in slaap, vooral in kamers die dienst doen als opslagruimte of zo.'

'Ja, dat heb ik ook. Slapen in het bed van een ander.'

'Werkelijk waar?' zeg ik. Het is nauwelijks te geloven dat hij ook dit met me deelt, een obsessie die me altijd puur persoonlijk leek.

'Jazeker. Vroeger liet ik mijn moeder altijd bedden opmaken in alle logeerkamers van ons huis, tot mijn veertiende of zo...'

'Maar die bedden verloren uiteindelijk hun magie?' vraag ik.

'Precies,' zegt hij. Hij buigt zich plotseling naar me toe en zoent me op mijn wang.

Ook dit brengt me niet in verlegenheid, maar om er niet te nadrukkelijk bij stil te staan staar ik naar de muis van zijn hand, die zacht is als de dij van een kleuter.

'Ik sliep vroeger het liefst op de slaapbank in de zitkamer,' zeg ik. 'Daar kwam ik altijd op in slaap.'

'Het is een raar verschijnsel, slapeloosheid,' zegt hij.

'Hoeveel slaapkamers hebben jullie?' vraag ik.

'Dat zie je straks wel.'

'Is er iemand thuis nu?'

'Nee, iedereen is weg.'

Mijn hart stampt als een zware laars in mijn borst.

Als we bij Toms huis aankomen, blijkt het zo groot dat het huis van de Hardings op een schuur lijkt. Hij blijft staan en grijpt me bij mijn bovenarm.

'Shit,' zegt hij. 'Het dagmeisje. Helemaal vergeten.'

'Het wát?'

'De dagdienstbode, bedoel ik. Het meisje dat bij ons komt schoonmaken.'

'Een dagdienstbode?' zeg ik ongelovig. Ik ken dat woord uit Austen of Dickens, geloof ik. 'Wat een luxe.'

'Tja, het is niet niks om zo'n groot huis schoon te houden.'

'Nee,' zeg ik, 'het is niet bepaald een hut, hè?'

'Het is het op één na grootste huis van de stad.'

'Wie heeft het grootste dan?'

'Nou, om eerlijk te zijn,' zegt hij. 'Dit is het grootste.'

Wat zouden Leona en Erin hier graag eens de beest komen uithangen, en wat zouden ze Tom graag in een donker steegje tegenkomen, om hem voor zijn schenen te schoppen en verrot te schelden omdat zijn ouders en hij het zo breed durfden te hebben.

Een paar jaar geleden namen ze me altijd mee als ze wilden inbreken in de gegoede buitenwijken van Sydney. Als een soort dekmantel. Twee tienermeisjes op stap met hun kleine zusje, dat wekte natuurlijk geen argwaan.

Ik hield er de behoefte aan over om alleen op onderzoek uit te gaan in die rijke huizen. Ik fantaseerde vaak dat ik dan ontdekte dat de bewoners een paar dagen op reis waren, zodat ik kon doen alsof ik er woonde. En dan wilde ik er een geheime kerker of schuilplaats vinden, alleen toegankelijk door een geheime deur die openzwaaide als je een boek uit de boekenkast pakte of in de badkamer een stuk zeep verschoof.

Het werd een droomwens om alleen te zijn in zo'n duur huis, zoals ik nu nog steeds alleen wil zijn in oude kerken.

Tom lacht. 'O, wacht eens, nou snap ik waar je op doelt met "hut"... de hut van Tom!'

'Juist,' zeg ik, 'de hut van oom Tom. Een doordenkertje was dat.'

'Tja, ik ben niet altijd vlot van begrip,' zegt hij. 'Maar dat dutje hou je dus nog even te goed, het spijt me.'

'O, geeft niet,' zeg ik. 'Ik denk dat ik nog even naar school ga. Moderne letterkunde. We doen nu *Death of a Salesman*.'

'Dat is mijn favoriete stuk van Miller,' zegt hij.

'Ik vind het ook schitterend,' zeg ik.

Ik wil over Willy Loman praten, over Biff en zijn diefstal van de vulpen, maar ik wil er niet met Tom over praten.

'Ik wil nog wel een eindje lopen,' zegt hij. 'Zal ik je terugbrengen?'

'Ja, leuk,' zeg ik.

We nemen afscheid bij de schoolpoort.

'Welnu, goede vriend, tot de volgende keer,' zeg ik.

'Wacht even,' zegt hij. 'Zullen we morgen afspreken? Zelfde tijd, zelfde plek?'

Ik weet eigenlijk niet of ik dat wel wil. Als hij niet zo'n volmaakt uiterlijk had, zou hij waarschijnlijk lucht voor me zijn. Ziedaar het effect dat mooie mensen hebben.

'Prima,' zeg ik. 'Afgesproken.'

Als hij zich naar me toebuigt voor een zoen, reageer ik te traag en schampen onze gezichten langs elkaar. Hij pakt mijn schouders beet en we proberen het opnieuw. Ditmaal vinden zijn lippen de mijne, niet lang, maar lang genoeg. We kijken elkaar in de ogen en mijn lichaam voelt alsof ik tegen een schrikdraadafrastering ben opgesprongen.

'Jezus,' zegt hij, en dat lijkt me een gepaste opmerking.

Ik draai me om en loop weg.

Na het avondeten schrijf ik een briefje aan Margaret.

Lieve Margaret,

Ik voel me ontzettend rot omdat ik je zoveel verdriet heb gedaan. Het spijt me heel erg. Ik weet dat ik het niet goed kan maken met een onbenullig briefje, maar het kan misschien geen kwaad als ik je langs deze weg de waarheid zeg. Ik vind het heerlijk om bij je te wonen en ik vind je een geweldige vrouw. Je straalt een grote innerlijke vrede uit, en je zou mij misschien beter begrijpen als je wist hoezeer ik die vrede ontbeer. Ik waardeer je oprechtheid, je intelligentie en je gevoel voor humor, en ik zou het vreselijk vinden als je een hekel aan me had.

Het spijt me dat ik op mijn kamer heb gerookt. Dat zal nooit meer gebeuren.

Je stille, veel te stille, maar grote bewonderaarster,

Lou

Als we de volgende ochtend in het busje stappen om naar school te worden gebracht, James en Bridget zitten al, geeft Margaret me een zoen op mijn wang. Ze heeft een van haar vijf identieke marineblauwe mantelpakjes aan, smetteloos, zonder één kreukeltje en geurend alsof het de hele nacht in een parfumbad heeft gelegen – een geur die mijn kleren nooit zouden kunnen hebben.

'Dank je wel,' zegt ze.

'Heel graag gedaan,' zeg ik.

'Maar je hoeft me geen briefjes te schrijven, hoor. Je kunt altijd met me praten,' zegt ze. 'Ik ben altijd aanspreekbaar, wanneer je maar wilt.'

Het punt is alleen dat ik geen zin meer heb om met haar te praten. Ik hoef haar troostende hand niet meer op mijn arm, en ik wil niet meer dat ze vlak naast me komt zitten om me doordringend aan te kijken, of me toe te spreken als een kleuterjuf terwijl ze met een uitgestreken gezicht haar brillenglazen poetst.

Bij Amerikaanse Geschiedenis hoor ik dat Yvonne verhuisd is naar een andere staat. Ik realiseer me dat ik nooit meer aan haar gedacht heb, en dat het me niets doet dat ze weg is. Ik heb nog nooit iemand gemist en het lijkt me niet dat ik dat ooit zal doen. Niet dat ik het gevoel niet zou willen kennen. Ik zou dolgraag iemand willen missen. Ik heb het alleen nog nooit gedaan.

In de middagpauze schrijf ik Bridget een briefje over een droom waarin zij een chirurg was en een prestigieuze prijs kreeg voor haar werk in een derdewereldland. Ik vertel dat ze in die droom zo'n geweldige toespraak hield dat die door alle tv-stations werd uitgezonden. Ik heb die droom wel nooit gehad, maar het klinkt goed.

Tom komt niet opdagen en ik heb spijt dat ik voor niets de hele dag bloednerveus ben geweest, spijt dat ik niet meer gegeten heb sinds we afscheid namen en dat het speeksel in mijn mond vlokkig is van de zenuwen en de angst.

Vijf minuten voor het eind van de pauze steek ik het briefje in een sleuf van haar locker, en als de schooldag erop zit komt ze naar me toe als ik bij mijn eigen locker sta.

'Bedankt voor je brief,' zegt ze. 'Heel erg lief.'

'Graag gedaan,' zeg ik. 'Het is misschien wel een voorspellende droom geweest.'

'Misschien wel, ja,' zegt ze vlak, 'maar misschien ook niet.'

Ze buigt zich opeens naar me toe om me op mijn wang te zoenen, maar ik reageer weer onbeholpen, bots tegen haar aan en steek haar zowat een oog uit met mijn neus. Ze slaat haar hand voor de linkerhelft van haar gezicht.

'Sorry,' zeg ik.

'Maakt niet uit,' zegt ze. 'Ik heb basketbaltraining nu. Zie je vanavond wel weer.'

'Ja, tot vanavond,' zeg ik.

Het is belachelijk, maar ik zeg bijna 'Ik hou van je', alsof dat zinnetje rondzoemt als een bij, op zoek naar iemand om op neer te strijken.

Na het avondeten schrijf ik een briefje aan James, geïnspireerd op het kaartje dat hij ooit van Isabella heeft gehad.

Lieve linkspoot,

Weet je nog, ons gesprek over sporttermen? Ik herinner me dat nog steeds, zoals ik me al onze gesprekken herinner, en ik hoop ooit nog eens te ontdekken waarom het niet 'linkerpoot' is.

Jij bent een van de interessante mensen die ik ooit heb leren kennen en ik hoop dat je ooit comedy gaat schrijven, of iets anders waarbij je je scherpe geest en je humor kunt benutten. Als ik soms niet om je grappen lach, dan komt dat omdat ik een beetje jaloers ben, of nerveus. Ik ben ontzettend blij dat jij mijn gastbroer bent. En ik hoop dat we altijd vrienden zullen blijven.

Liefs,

Lou

Meerdere weken gaan voorbij. In plaats van 's avonds tv te kijken lig ik op mijn bed en schrijf briefjes. Het geeft me een rustig gevoel om dat te doen, in mijn prachtige kamertje dat me weer zo gunstig gezind lijkt.

Soms maak ik tekeningetjes, of ik verzin grappige of spannende verhaaltjes waarin Margaret, Henry, James en Bridget figureren. Mijn briefjes zwerven door het hele huis, en hoewel ik nooit een geschreven reactie krijg, vermoed ik dat de Hardings nu ook onderling briefjes uitwisselen. Het huis is stiller geworden, er hangt een andere sfeer. We zitten 's avonds niet meer bij elkaar, kijken niet meer samen naar de tv, gaan niet meer naar restaurants en voeren geen gesprekken meer in de keuken.

Margaret en Henry zeggen dat ze weer boeken zijn gaan lezen. Margaret had al geen jaren een dikke roman meer gelezen en wil nu zelfs *Oorlog en vrede* gaan proberen. Zij en Henry trekken zich na het eten direct in hun werkkamer terug, en ook James en Bridget gaan naar hun kamer om te studeren.

In de weekeinden zijn de Hardings zelden thuis. Als ik de zitkamer binnenkom, is er nooit iemand. Ik ga niet mee naar hun concerten en liefdadigheidsfeesten en picknicks, niet omdat ik me ongewenst voel, maar omdat ik liever alleen thuis ben en hen wat tijd wil geven om weer met elkaar op te trekken zoals ze dat voor mijn komst gewend waren.

14

Het is maandag, middagpauze, en Tom komt zowaar weer eens zijn opwachting maken. Het is inmiddels te koud om buiten te zitten, dus zit ik in een studeerkamertje met een boek.

'Hallo,' zeg ik.

'Het spijt me dat je me een tijdje niet gezien hebt,' zegt hij. 'Mijn moeder moest opeens weer bloedonderzoek laten doen en ik was een beetje neerslachtig.'

'O, wat naar,' zeg ik. Zelden zo'n slechte leugenaar meegemaakt. 'Ja, soms wil je het liefst een poosje alleen zijn, om niet uit te hoeven leggen hoe je je voelt.'

'Precies,' zegt hij. Hij gaat zitten en slaat een arm om mijn schouders. 'Je hebt fantastische mensenkennis, jij.'

Ik heb hem twee dagen geleden gearmd met een meisje uit Journalistiek zien komen. Ze was zijn vrouwelijke evenbeeld – lang, buitengewoon mooi en met een luide, zelfverzekerde stem.

'Dank je,' zeg ik, en ik vraag me af hoe ik er zelf uitzie.

'Zeg, heb je zin om met me mee naar huis te gaan? Ik heb net een nieuwe gitaar en ik zou weleens een paar van mijn nummers voor je willen zingen.'

'Oké,' zeg ik.

Tom heeft me een rondleiding door de benedenverdieping van het landhuis gegeven en zijn gitaar uit de koffer gehaald. Maar nu zitten we te praten, in kleermakerszit tegenover elkaar op de bank in de immense woonkamer. De gitaar staat tegen de muur en ik vermoed dat hij geen noot kan spelen.

'Wil je iets eten?' vraagt hij.

'Nee, daar voel ik me te lekker voor.'

'Hoezo?'

Ik vertel hem hoe heerlijk ik het vind om in een vreemd huis te zijn. Ik vertel hem over de tijd toen mijn zussen en ik inbraken pleegden.

'Jezus, hoe oud was je toen?'

'Een jaar of dertien,' zeg ik.

'Wauw,' zegt hij. Hij doet zijn best om bewonderend te klinken en zijn afkeuring te verbergen.

Ik vertel verder. 'Een van die huizen had een tennisbaan en een zwembad. Het was zomervakantie en terwijl mijn zussen boven op juwelenroof waren, speelde ik in de woonkamer de meldtekst van het antwoordapparaat af. Zo kwam ik erachter dat de bewoners op reis waren en pas over twee weken terug zouden komen. Ik zei tegen mijn zussen dat ik een paar dagen in mijn eentje in dat huis wilde blijven, en dat zij maar tegen onze vader en moeder moesten zeggen dat ik bij een vriendinnetje logeerde. Hun kon het verder niet schelen, dus gaven ze me mijn zin.

'Ik bleef er drie nachten, sliep in alle bedden, keek films in de huisbioscoop, las een paar boeken en rende de wenteltrap op en af terwijl de stereo-installatie door het hele huis heen galmde. In elke kamer waren boxen opgehangen.

'Maar het mooiste was nog de dubbeldeurs koelkast met alle heerlijkheden die ik in de magnetron kon stoppen. Op een dag pikte ik een gezinsbeker chocolade-ijs uit de vriezer en at die helemaal op terwijl ik op het opblaasbed in het zwembad lag.'

Er is helemaal niets van waar, maar ik heb dit verhaal zo vaak en zo levendig gedagdroomd, dat ik elk detail ken alsof ik het niet één keer maar meerdere keren heb meegemaakt. Het is overigens wel waar dat mijn zussen menigmaal hebben ingebroken. Ik heb ze altijd gezegd hoe walgelijk ik dat vond, maar soms wens ik dat ik mee naar binnen had gekund om die huizen van binnen te zien.

Tom strekt zijn arm uit over de rugleuning van de bank.

'Zo'n gevoel heb ik ook weleens gehad als ik van mijn ouders in het driesterrenhotel mocht achterblijven, vooral op vakanties in Europa.'

Vakanties in Europa!

Mijn hart vouwt zichzelf op en bergt zichzelf weg als een tuinstoel in de winter. Hoe dúrft hij zo rijk te zijn! Waar halen mensen de moed vandaan om zo schofterig in de slappe was te zitten?

Ik kijk naar zijn glanzende, schone krullen. Ik kijk naar zijn trui van zuiver scheerwol en zijn onberispelijke jeans.

'Ik ga maar weer eens naar school,' zeg ik.

Hij pakt mijn hand en kijkt me doordringend aan, knijpt zijn ogen toe als een darter voor het bord. Ik laat hem begaan omdat ik niet zo goed ben in het kwetsen van jongens die een amoureus gebaar proberen te maken. Ik ben meestal te verbaasd dat ze me überhaupt willen aanraken.

'Hoor eens,' zegt hij, 'ik kan er ook niks aan doen dat mijn ouders geld hebben.'

Ik kijk zwijgend naar het home entertainment-systeem dat bijna de helft van een kolossale witte muur in beslag neemt. Mijn handen zweten – een kleverige, zwartgallige vochtigheid. Tom laat mijn hand los, buigt zijn hoofd en wrijft over zijn voorhoofd.

'Kom op, Lou,' zegt hij. 'Het heeft geen zin om je hele leven wrokkig te blijven omdat je niet rijk bent.'

Als hij niet zo knap was, had ik hem nu een mep gegeven.

Ik kijk naar de gitaar. Waarom moeten mensen ook altijd met elkaar praten? Ik wou dat het aardedonker was, zodat we een kaars konden aansteken en samen liedjes konden zingen.

Ik kijk hem aan en wil dat hij iets beters zegt, iets wat me een excuus geeft om hem leuk te vinden.

'Neem me niet kwalijk,' zegt hij. 'Wil je een knuffel?'

'Ik heb liever dat je gitaar speelt,' zeg ik. 'Dat was toch de bedoeling?'

'Ja,' zegt hij, en hij lacht zijn onweerstaanbare glimlach. 'Ik zou wat vaker mijn bek moeten houden.'

'Misschien wel,' zeg ik, 'maar misschien ook niet.' En dan, gewoon omdat hij zo'n prachtig gezicht heeft, en omdat ik de baas wil zijn, kus ik hem. Ik klauw in zijn haar en trek zijn hoofd ruw achterover.

'Au!' zegt hij, en dat doet me om de een of andere reden deugd.

Ik lach.

'Jij bent de beste kusser ooit,' zegt hij.

En omdat ik me beter voel, zeg ik: 'Dat zou ik de hele dag kunnen doen. De hele week. Het hele jaar.'

We staren elkaar aan, laten onze blikken met elkaar versmelten om te zien wat voor gevoelens dat oproept. Verrassend prettige gevoelens, zo blijkt.

'Gitaar,' zeg ik.

'Oké,' zegt hij.

Hij gaat staan en tilt me van de bank af, wat me vrolijk en treurig tegelijk maakt.

We lopen de trap op en Tom neemt zijn gitaar mee. Op de overloop blijft hij staan.

'Hier hebben we een logeerkamer,' zegt hij.

'Laat eens zien,' zeg ik.

Het is een volmaakte kamer. Enorme openslaande deuren naar een ruim balkon. Een hemelbed met blauwe gordijnen die in de hoeken zijn vastgemaakt. Een badkamer en suite en een garderobe.

'Dit is geen logeerkamer,' zeg ik. 'Logeerkamers zijn vensterloze opslagruimtes met een veldbed.'

'Hier slapen de ouders van mijn vader als we die te gast hebben,' zegt hij. 'Kom, dan zal ik je de slaapkamer van mijn ouders laten zien.'

Hij pakt mijn hand beet en trekt me voort.

De slaapkamer van zijn ouders is twee keer zo groot als die van daarnet, en veel te weelderig. De badruimte die eraan vastzit heeft een kuip waarin dwergen een olympisch zwemtoernooi kunnen afwikkelen. De kranen zijn van koper en de vloeren en het bad zijn van marmer en de muren bestaan vrijwel geheel uit spiegelglas. Het heeft iets pornografisch.

'Godallemachtig,' zeg ik. 'Hoe ziet jóuw kamer er wel niet uit?'

Tom grijnst, pakt me bij mijn armen en trekt me naar zich toe. We lachen, maar met afgewende blik, zenuwachtig en onvast op onze benen. En dan is onze schroom verdwenen en zoenen we elkaar.

Tom smaakt naar kauwgum en thee en zijn lippen zijn volumineus en zacht. We breken onze kus af en bekijken elkaars gezicht. Ik wou dat we in bed lagen, dat het avond was en dat de gordijnen gesloten waren.

Hij begint achteruit te lopen en trekt me mee.

Op de overloop is het donkerder. Hier wil ik blijven. Ik wil niet met hem naar zijn kamer, naar zijn domein, zijn hoogsteigen jongenswereld, met de geur van hem en alle dingen die hij er ooit gedaan heeft. Ik wou dat we op een neutrale plek konden zijn, die we allebei voor het eerst betraden.

Ik duw hem naar de balustrade tot hij daar ruggelings tegenaan leunt. Hij probeert zichzelf korter te maken, zodat ik beter bij zijn lippen kan – een houding waarin zijn rug geknakt lijkt onder zijn opwinding.

'Hai,' zeg ik, om de stilte te vertellen wie we zijn.

'Hai,' zegt hij terug, en we staan weer gelijk.

Ik glimlach omdat hij glimlacht.

De volgende zoen duurt een eeuwigheid. Ik leg mijn handen op zijn schouders en duw hem steeds verder omlaag tot we op de vloer liggen, ik boven op hem. Ik leun al zoenend op mijn ellebogen en laat me gaan, wring mezelf tussen zijn dijen en we rijen tegen elkaar op en dan stopt hij opeens.

'O, shit,' zegt hij, en ik denk dat ik wel weet wat er gebeurd is.

'Geeft niet,' zeg ik. Hij ritst zijn gulp open en ik zie, in een flits, hoe hij verslapt.

'Het geeft niet,' herhaal ik terwijl hij naar de dichtstbijzijnde badkamer holt.

Een paar minuten later komt Tom met een handdoek uit de badkamer. Hij staart naar me. Zijn gezicht is niet meer zo aantrekkelijk als eerst, maar ook niet onaantrekkelijk. Hij ziet er afgemat uit, alsof hij ziek is geweest, en een beetje wrokkig.

Hij trekt me aan mijn handen overeind, al wil ik eigenlijk blijven zitten, en geeft me een eindeloze zoen. Ik voel me rozig en wou dat ik bewusteloos was.

'Ik wil slapen,' zeg ik.

We lopen tegen elkaar aangeleund naar de logeerkamer met het hemelbed, waar hij het dek terugslaat. Ik ben te wazig om mijn gedachten te voltooien. Hij zal wel denken dat ik van de wereld ben, en in zekere zin ben ik dat ook.

'Kom maar, dan zal ik je instoppen,' zegt hij. 'Wil je thee of zo?'

Zijn stem is nerveus, onvast, kleiner.

'Heb je liever dat ik ga?'

'Nee, natuurlijk niet,' zegt hij. 'Blijf hier, dan stop ik je in.'

'Dank je,' zeg ik.

Hij loopt weg, maar draait zich in de deuropening om en komt weer terug, pakt mijn voet en zegt: 'Ik ben een maand of wat geleden mijn maagdelijkheid kwijtgeraakt, met een meisje dat ik al mijn hele leven ken.'

Hij legt zijn hand slap en geruststellend op mijn dij, alsof hij de fut niet heeft om te liegen.

'Een week daarna ben ik naar bed geweest met haar nichtje, nadat we dronken waren geworden op een feestje. En toen nog één keer met haar.'

Best hoor, denk ik terwijl ik wegdoezel.

Tom wekt me en zet een kop koffie voor me neer. Hij gaat op het voeteneinde zitten met zijn gitaar.

'Hoe voel je je?' vraagt hij.

'Goed,' zeg ik. 'Hoe laat is het?'

'Vijf uur.'

'Moet ik weg?'

'Welnee. Mijn ouders komen vanavond pas laat thuis, en al kwamen ze eerder, dan was er nog niks aan de hand. Ze zijn heel modern.'

'Bofkont,' zeg ik.

'Wil je wat nummers horen?'

Zijn accent klinkt opeens veel minder Schots, veel Amerikaanser.

'Graag,' zeg ik.

Wat muziek betreft is hij niet de oplichter waar ik hem voor versleet.

Hij speelt zowel klassiek als folk en zingt goed. Hij heeft een eigen stem, probeert niet op iemand te lijken, zoals zijn uiterlijk ook van hemzelf is. Hij speelt een paar nummers die ik maar al te goed ken – liedjes die uit me stromen als ik in Sydney alleen thuis ben en wat gedronken heb.

Maar meezingen lukt niet. Ik kan hooguit neuriën, en zelfs dat voelt alsof ik een klap op mijn strot heb gekregen.

'Nog verzoeknummers?'

'Niet echt, nee.'

Maar er zijn nummers die ik dolgraag zou willen horen, die ik dolgraag met hem zou willen zingen. Het duizelt me van de fantasieën waarin Tom en ik duetten zingen in de kroeg, eender gekleed zijn en er gelikt uitzien, en de blikken uitwisselen van mensen die bulken van het talent en nergens meer van opkijken.

'Dit nummer ken je vast,' zegt hij. 'Er is geen mens die het níet kent.'

Hij slaat de eerste akkoorden aan.

'Weet je het al?'

'Ja.'

'Kun je zingen? Ja, natuurlijk kun je dat.'

'Ja,' zeg ik, 'maar alleen als ik in de stemming ben.'

'Kom op, ik wil met je zingen. Dat wil ik al sinds ik je ken.'

Ik begin te zingen, eerst zachtjes en dan, als hij niet meer kijkt, een beetje harder.

Maar het klinkt nergens naar. En dat weten we allebei. Het verschil is verbijsterend – mijn mond is kurkdroog, mijn ademhaling oppervlakkig en jakkerend. Niet om aan te horen.

Ik zie plaatsvervangende schaamte bij Tom en als het nummer uit is, zet hij zijn gitaar tegen de bedrand en kijkt ernaar alsof hij hem de schuld geeft.

'Dat was leuk,' zegt hij toonloos.

'Dat was verschrikkelijk,' zeg ik. 'Ik kan niet zingen als ik net wakker ben.'

'Ach, weet geeft dat nou?' zegt hij, maar ik zie dat hij medelijden met me heeft, het medelijden van iemand die zelf wel goed kan zingen, en hij zal ook wel beteuterd zijn omdat ik hem niet voldoende gecomplimenteerd heb.

'Niet ophouden,' zeg ik terwijl ik van het bed stap. 'Toe, speel nou door. Ik wil even douchen om wakker te worden, en dan drink ik een glas water en proberen we het opnieuw.'

Hij staat ook op.

'Kijk, dát heb ik nou altijd al willen doen.'

Ik geef hem een zoentje op zijn neus. 'Ander keertje. Ik wil nu even alleen onder de douche.'

In het badkamertje staat een minibar. Ik pak er vier miniatuurflesjes gin uit, en twee whisky – van het soort dat je in vliegtuigen krijgt. Ik stap onder de douche. Verbazend, hoe snel je kunt drinken terwijl er warm water over je lichaam stroomt.

Maar het water is waarschijnlijk té warm, en als ik uit de douchecabine stap met mijn lege poppenkastflesjes, moet ik even op mijn hurken gaan zitten om mijn duizeligheid te overwinnen.

Ik poets mijn tanden, open de deur en Tom zit inderdaad nog

te spelen – een nummer dat ik toevallig goed ken. Ik ga op het bed zitten en begin te zingen.

'Hé,' zegt hij, en zijn mond, vooral de linkerhelft, buigt opwaarts naar zijn vochtig verheugde ogen. 'Je klinkt goed. Geweldig zelfs.'

Hij speelt nog een stuk of tien nummers en ik zing ze allemaal mee, soms met een perfecte tweede stem, wat ik nog nooit gedaan heb.

'Wauw,' zegt hij als we klaar zijn.

'Dank je,' zeg ik. 'Het spijt me van daarnet, maar zoals ik al zei, ik kan niet zingen als ik net wakker ben. Een van mijn eigenaardigheden.'

De gitaar ligt op de vloer en we liggen tegen elkaar aan gekropen op het enorme bed.

'Kunnen die gordijnen dicht?' vraag ik.

'Jazeker,' zegt hij. 'Ik wilde het net voorstellen.'

Hij sluit de gordijnen en we worden in een wazig blauw licht gedompeld, alsof we hoog in de lucht zweven. De wereld lijkt niet meer van belang. Wat we ook doen, het lijkt onmogelijk consequenties te kunnen hebben.

Ik trek mijn topje omhoog, heel langzaam, zodat ik een tijdlang niets kan zien. Ik voel dat Tom naar mijn borsten kijkt, en dat gevoel doet rimpelingen door mijn lichaam trekken.

Als ik mijn topje eindelijk uit heb en naar Tom kijk, zijn mijn tepels koud en hard.

'Jezus Christus,' zegt hij, 'wat ben je sexy.'

Dit moment kan niet meer stuk.

'Verder niets, alleen maar dit,' zeg ik. 'Laten we eens zien hoe lang we dit vol kunnen houden.'

Na het avondeten met de Hardings ga ik niet meteen naar mijn kamer. Ik ben nog losjes door de alcohol en heb zin om met ze te praten. Het is alweer een tijd geleden dat ik in dit huis met iemand gepraat heb.

Ik loop naar Margarets werkkamer, steek mijn hoofd om de rand van de deur. 'Ik ga vroeg naar bed,' zeg ik, 'maar ik wou eerst even vragen of je nog een klusje voor me had.'

'Hai,' zegt ze. Ze doet de klep van haar laptop omlaag en leunt voorover alsof ze zich opmaakt voor een lang gesprek. 'Hoe gaat het op school?'

Ze wijst naar een stoel, maar ik blijf in de deuropening staan.

'Prima. De leraren zijn geweldig en ik heb alleen maar leuke vakken gekozen.'

Margaret rolt met een pen over haar bureau. 'Met wie ga je zo-al om, Lou?'

Mijn hart slaat over. 'Gewoon, met mensen die ik op school te-genkom,' zeg ik.

'Tegenwoordig heb je naast vrienden ook andere contacten nodig, Lou,' zegt ze. 'Want de wereld is hard. Om er te komen, heb je meer nodig dan een goed stel hersens.'

'O ja,' zeg ik. 'Zeker.'

Ze glimlacht. 'Enfin, het zal nu wel snel een stuk kouder wor-den, dus we moeten binnenkort weer eens op klerenjacht voor jou.' Ze neemt me van top tot teen op.

'Dank je,' zeg ik. Hoe komt deze intelligente vrouw toch aan die obsessie voor kleren en winkelen? Ik vraag me af of Henry het er ooit met haar over gehad heeft om me door hun huisarts te la-ten onderzoeken. Hoewel ik het lastig vind om haar ernaar te vra-gen, besluit ik dat toch te doen, maar ze doet de klep van haar lap-top weer open en schraapt haar keel.

'En vergeet niet dat je ook met Bridget kunt optrekken als je zin hebt. Ze staat altijd voor je klaar en je hoeft niet tegen je zin met andere mensen om te gaan.'

'Dank je.'

'Ze zou het zelf ook enig vinden, hoor. Hou een beetje contact, Lou.'

Bridget mag me niet eens. En ik zou niet weten wat ik moet zeggen over de dingen die zij belangrijk vindt. En toch voel ik me gevleid.

'Zal ik doen,' zeg ik. 'Tot ziens.'

Ik steek mijn hoofd om de deur van Henry's werkkamer. Hij rookt zijn pijp en zit erbij alsof hij totaal geen aardigheid meer in zijn bestaan heeft, maar nog wel hoopt dat iemand hem ooit bij verrassing die aardigheid helpt hervinden.

Misschien oogt hij zo treurig omdat hij zo blond is en zijn wenkbrauwen nagenoeg onzichtbaar zijn, als bij een albino.

'Hai,' zeg ik. 'Mag ik hier een poosje komen lezen?'

Henry fronst. 'Dat komt vanavond niet zo goed uit, eerlijk gezegd. Ik heb het nogal druk.'

'Oké,' zeg ik, en ik draai me om.

'Alles in orde?' vraagt hij. Ik draai me weer terug. Hij neemt zijn pijp uit zijn mond.

'Kon niet beter,' zeg ik.

'Heb je het rooster bekeken?' vraagt hij.

'Ja,' zeg ik. 'Ik heb morgenavond kookdienst, dus ik moet eerder thuiskomen.'

'Zo gaan die dingen,' zegt hij, en daarmee is elke hoop op een gesprek vervlogen.

'Welterusten voor straks,' zeg ik.

'Welterusten, Lou.'

Ik loop naar Bridgets kamer en klop op de deur. Ze zit aan de telefoon.

'Ik zit te bellen,' zegt ze, en ik realiseer me dat ik nog nooit in haar kamer ben geweest terwijl zij er zelf ook was.

Ik ga naar mijn kamer, nog altijd een beetje tipsy, en zing er zowat elk liedje dat ik ken. Zo hard als ik kan. Mijn hart bonkt als ik geluiden buiten mijn kamerdeur hoor, maar ik houd niet op. Ik ben goed bij stem en ik wil dat de Hardings me horen.

Tegen tienen klopt James op mijn deur. 'Mag ik binnenkomen?'

'Tuurlijk.'

Hij gaat op mijn bureaustoel zitten. Ik zit in kleermakerszit op mijn bed.

'Je klinkt goed,' zegt hij.

'Dank je.'

Hij kijkt naar de boeken op mijn bureau, voornamelijk Russische en Noorse literatuur die niets met school te maken heeft.

Hij glimlacht naar me. 'Die briefjes van je zijn heel curieus...' Hij valt stil, maar ik voel dat hij meer wil zeggen.

'O,' zeg ik, meteen onzeker. 'Ik dacht dat iedereen ze leuk vond.'

'Nee nee, sorry,' zegt hij. 'Ik bedoel er niks negatiefs mee. Ze zijn ongewoon, maar wel heel goed. Alleen, eh, ik denk dat je er nu wel genoeg hebt geschreven.'

'O,' zeg ik, met stomheid geslagen.

'Maar goed,' zegt hij. 'Ik wou eigenlijk nog eens mijn excuses aanbieden voor wat er een hele tijd geleden is gebeurd... die nacht, weet je nog?'

'Welke nacht?' vraag ik heel wreed.

Hij staat met een ruk op en komt naar het bed. 'Dat weet je toch nog wel?'

'Toen we op vakantie waren, bedoel je?'

'Ja.' Hij staat bedremmeld voor me, zijn armen onbeholpen langs zijn lichaam. 'Mag ik je een knuffel geven?'

'Oké,' zeg ik, maar als hij zich te hard tegen me aan drukt en we achterover beginnen te leunen, duw ik hem weg.

'Laten we dat nou maar niet doen,' zeg ik. 'Slecht idee.'

'Wat ben je toch een plaaggeest,' zegt hij. 'Ik word gek van jou, weet je dat? Ik wou dat je hier nooit was komen wonen.'

Hij loopt naar de deur. 'En je rúikt ook vreemd,' zegt hij.

'Hoezo?'

'Nee, laat maar,' zegt hij, en ik zie tranen in zijn ogen blinken. 'Jij kunt er ook niks aan doen.'

Ik wend mijn blik af. Hij vermant zich snel, leunt met zijn rug tegen de deur en zegt met zachte stem: 'Ik kwam hier nota bene mijn excuses maken, maar nu wil ik bij je slapen...'

En opeens huilt hij, piepend en snotterend.

Ik sta op en steek mijn hand uit. 'Laten we elkaar gewoon een hand geven, heel Amerikaans, en dan vergeten we dat dit gebeurd is.'

Hij huilt nog steeds. 'Godverdomme,' zegt hij.

Ik omarm hem zo behoedzaam mogelijk, hou mijn onderlichaam angstvallig bij het zijne vandaan en aai hem over zijn arm.

'Ik weet precies wat je bedoelt,' zeg ik. 'Maar we moeten sterk zijn. We zouden er alleen maar ellende mee krijgen, en ik word misschien zelfs wel naar huis gestuurd. Echt, we moeten het proberen te vergeten.'

Hij houdt me stevig vast en wil niet loslaten. 'Dus jij bent ook verliefd op mij?' vraagt hij met zijn natte neus in mijn hals.

'Ja,' lieg ik. 'Maar we moeten het geestelijk houden. Er zit niets anders op.'

'Oké,' zegt hij, en hij legt een hand op de deurkruk. 'Ik ga naar bed. Maar als je weer eens niet slapen kan...'

Ik knik slechts.

Hij gaat weg en duwt meteen daarna de deur weer open. 'O, nog even,' zegt hij. 'Op vrijdagavond is er auditie voor de schoolmusical. Bridget vond dat jij ook moest meedoen.'

Slapen is nu uitgesloten. Ik denk onophoudelijk aan die auditie en sta doodsangsten uit. Ik hou niet eens van musicals. Maar als dit me lukt, krijg ik misschien ook andere dingen voor elkaar. Dan krijg ik misschien zelfvertrouwen. Misschien verander ik wel... als dit me lukt. Als dit me lukt, als dit me nou eens écht lukt, ben ik voorgoed een ander mens.

15

De musical is een eigen productie met de titel *Hippydrome: Hits of the Sixties and Seventies.* Het is niet zozeer een musical als wel een opvoering van oude hits binnen een script van de dramatologiedocent, David Babbitt, en zijn leerlingen.

De auditie wordt gehouden in het donkere souterrain van de school, in de immense gehoorzaal waar ook alle bijeenkomsten en presentaties plaatsvinden. Ik neem een paar slokjes gin en loop naar een tafeltje bij de ingang om me in te schrijven.

'Naam?' vraagt een jongen met worstvingers en flaporen.

'Louise Connor,' zeg ik.

'Je bent nummer achttien,' zegt hij. 'Als je wilt, kun je hier wachten, maar je mag ook ergens anders heen gaan. Het duurt nog zeker twintig minuten.'

Ik ga zitten en krijg een wee gevoel van de zenuwen. En dan stel ik me de première voor, met de Hardings in de zaal, en begin ik me ronduit misselijk te voelen, hoewel ik dit vooral doe om indruk op ze te maken. Ik ga naar de toiletten en neem nog wat gin.

Mijn nummer wordt afgeroepen en ik ga naar binnen. Aan de piano zit een vrouw met een rode poncho, die me wenkt te komen. Ik loop het podium op en houd mijn hand boven mijn ogen om ze tegen de felle belichting te beschermen. Ik zie alleen de eerste paar rijen in de zaal, maar het is er lawaaiig – er zitten minstens honderd mensen.

Het laat me koud. De alcohol begint te werken. Ik ben ongenaakbaar, licht, soepel en ijzersterk.

'En wat ga jij voor ons zingen?' vraagt een man op de eerste rij.

Ik heb mijn keuze laten vallen op een liedje uit *Annie Get Your Gun*. Stom idee, maar volgens mij houden ze wel van dit soort dingen. 'I Can Do Anything Better Than You Can,' zeg ik, en ik weet niet eens zeker of dat wel de juiste titel is.

'Dat had je gedacht!' roept een grappenmaker achter in de zaal. Ook dat deert me niet. Ik vind het zelfs wel geestig.

'Kop dicht!' roept iemand anders.

De vrouw met de rode poncho vraagt in welke toonaard ze moet spelen, en ik heb geen idee. 'Maakt niet uit,' zeg ik. 'Kiest u zelf maar.'

In de zaal begint iemand schamper te lachen. Het klinkt als James. Misschien is hij het ook wel. Kan me niet schelen. Ik ben onkwetsbaar. Ik bloos niet eens. Ik zwééf gewoon.

Ik zing beter dan ik ooit heb gedaan, alsof ik betoverd ben. Ik hoor een stem die ik amper herken en ik wil niet ophouden. Ik hoef ook niet op te houden. Ze laten me het nummer ongestoord uitzingen. Afgaand op de audities die ik weleens in films heb gezien, is dat een goed teken.

Ik tuur naar de eerste rij. De regisseur stelt zich voor. Paul heet hij, een iele man met een iel snorretje. Naast hem zit David Babbitt, kaal en snorloos.

David roept: 'Goed, jou zien we hier dus morgen terug. Om zes uur precies.'

'Prima,' zeg ik. 'Geweldig.'

De volgende ochtend haal ik Bridget in als ze de deur uitgaat voor een afspraak met haar vriendinnen bij de rivier. Ze draagt een strak topje onder haar jack, als een rekverband voor een paar gebroken ribben. Op school zien we elkaar nooit meer en in de weekeinden is ze overdag bijna de hele dag van huis. Ik wil met haar praten. Want ik ben er zeker van dat Henry en Margaret dankzij haar weten dat ik rook, en dat baart me zorgen. Als ik haar niet aan mijn kant krijg, wordt het moeilijk om mijn verblijf hier tot een succes te maken. Of misschien wil ik alleen maar aardig tegen haar zijn, misschien bevalt het me wel om aardig te zijn. Het valt niet altijd mee om te weten waarom ik iets doe.

'Bedankt voor je tip over die auditie,' zeg ik. 'Hartstikke aardig van je.'

'Welke auditie?'

Ze loopt gewoon door. Haar lichaam straalt zoals altijd een grote haast uit, een drang om ergens te zijn waar het leuker is, bij mensen die ze leuker vindt.

'James zei dat je me hoorde zingen en dat je vond dat ik die auditie moest doen.'

Ze kijkt me aan en trekt niet-begrijpend haar mondhoeken omlaag. 'Weet ik niks van.'

'O,' zeg ik. 'Nou, in ieder geval, ik heb auditie gedaan voor die nieuwe musical.'

'Gaaf, zeg,' zegt ze lusteloos. 'Ik hoop dat je een rol krijgt.'

Ik glimlach naar haar, maar ze glimlacht niet terug. Ze is zichtbaar bang dat ik met haar mee zal lopen.

'Ken jij Tom McGahern?' vraag ik.

'Ja,' zegt ze, zonder haar pas in te houden. 'De jongen die toen met James mee naar huis kwam.'

Ze is altijd onderweg. Haar lange benen voeren haar altijd ergens heen, brengen haar altijd naar een plaats waar ze liever is. Ik zal het maar niet persoonlijk opvatten, zal me niet laten ontmoedigen. Maar het zou kunnen dat ik te laat ben.

'Wat weet jij van hem?' vraag ik.

Ze vertraagt haar pas maar komt niet tot stilstand. 'Hij is een miljonairszoon die vorig jaar bij ons op school is gekomen. Een echte engerd is het.'

'Waarom vind je hem een engerd?'

Ze blijft stilstaan. 'Kijk maar eens goed naar hem,' zegt ze, terwijl ze zenuwachtig de straat afspeurt, alsof Tom elk moment zijn hoofd uit een dakraam kan steken om op haar te spugen. 'Hij ziet er gewoon uit als een engerd.'

'Maar heb je hem weleens gesproken dan?'

'Hoef ik niet,' zegt ze. Ze drukt haar tas tegen haar borst. 'Iedereen weet dat hij niet spoort. Hij niet en zijn ouders óók niet. Hij heeft ook helemaal geen vrienden.'

'Maar geef dan eens een voorbeeld. Waar blijkt dat dan uit, dat hij niet spoort?'

Ze slingert haar tas om haar schouder en steekt vinnig haar hoofd naar voren. 'Zeg, je hoeft niet zo te schreeuwen tegen me. Ik kan het ook niet helpen dat hij achterlijk is.'

'Hoe kan hij nu achterlijk zijn als hij een gespecialiseerd studieprogramma volgt?'

'Ha, dat zou je hem zelf eens moeten vragen. Dat programma is een overheidsregeling, weet je, en er is een hele simpele en weinig eervolle reden waarom hij daaronder valt.'

'Nou, vertel eens.'

'Heb je je weleens afgevraagd waarom hij minstens drie jaar ouder is dan wie ook op school? Hij is heel lang opgenomen geweest, lag zowat in coma door zijn drugsgebruik.'

Ik krijg geen lucht meer en kan dus geen antwoord geven. Ik kijk naar de grond.

'O, en nog wat,' zegt ze met een zwoegende borst, kortademig door haar ingehouden woede en haar knellende topje. 'Mam kan je vandaag nergens heen brengen. Het is weer in haar rug geschoten. Als je de stad ingaat, kun je mijn vader op kantoor opzoeken om met hem mee naar huis te rijden.'

'Ik loop wel,' zeg ik.

Als ik de trap oploop naar mijn kamer, krijg ik een bloedneus. Ik ga de badkamer binnen en laat het bloed in de wasbak druppen.

Ik probeer het bloeden niet te stelpen, kijk hoe het neerspettert op het witte porselein, 'zo rood als Poesjkins nagellak,' zoals mevrouw Walsh eens zei toen ik in haar bijzijn een bloedneus kreeg en ze me haar witte zakdoek aanbood.

Ik blijf naar het gedruppel kijken, ben benieuwd hoeveel bloed ik kan verliezen.

Ik hef mijn hoofd op, en terwijl het bloed over mijn kin druipt zeg ik tegen mijn spiegelbeeld: 'Ik hoop dat ze bij een ongeluk de punt van haar mooie neusje kwijtraakt, en dat een van die mooie bruine benen onder de knie moet worden afgezet.'

Maar in mijn kamer herroep ik de vervloeking en bid dat Bridget me aardig zal gaan vinden.

En dan komt het ineens bij me op, als een onverhoedse tik op mijn achterhoofd – een plotse maar o zo voor de hand liggende gedachte. Als het hier bij de Hardings niet lukt, en ik niet bij ze kan blijven wonen, kan ik altijd nog bij Tom gaan wonen in zijn landhuis. Als dit schooljaar voorbij is, trek ik bij hem en zijn ouders in en word ik Amerikaans staatsburger.

Ik moet hem zo snel mogelijk spreken.

Margaret roept me vanaf haar bed. Als ik bij haar binnenkom, zet ze haar bril af en wrijft de glazen op met de mouw van haar wollen vest. Ze lijkt wel een geestverschijning. Niet boosaardig, maar gewoon niet echt tastbaar, niet ten volle aanwezig, niet helemaal reëel.

'Je hebt nog niet verteld hoe die auditie is gegaan,' zegt ze met een verontwaardigde ondertoon. Ze voelt zich weer eens genegeerd. Ik doe haar weer te kort als gastmoeder.

'Goed,' zeg ik. Mijn slapen kloppen. 'Ze hebben me zelfs teruggevraagd. Vanavond om zes uur moet ik er zijn.'

Het ruikt muf in haar kamer, alsof de lucht er verzadigd is van haar lichaamsvocht.

Ze steekt een hand naar me uit. Ze wil een aanraking. Ik moet er niet aan denken. Ik vind het nog steeds onverdraaglijk om door haar aangeraakt te worden, zoals ik dat ook niet verdraag van mijn eigen moeder. De gedachte alleen al doet me het zweet in mijn handen lopen.

'Ik moet gaan,' zeg ik. 'Oefenen.'

Ze wil zich oprichten en ik zie haar neusvleugels omhoogschieten door een pijnscheut.

Ze laat zich weer terugzakken. 'Waarom zing je hier niet, voor mij? Ik zou graag piano voor je spelen, maar die rug, hè. Kom hier oefenen, Lou, dat zou ik enig vinden.'

Mijn blaas trekt samen alsof er met een naald in wordt geprikt. Ik staar naar de doos Kleenex naast haar bed om niet in huilen uit te barsten.

'Toe, kom hier zingen.'

Ik staar naar het helwitte stuk papier dat uit de doos omhoogsteekt. Het heeft de vorm van een kies. 'O, dat gaat echt niet,' zeg ik met gloeiende wangen. 'Dat kan ik niet.'

'Waarom niet?' vraagt ze, opnieuw beledigd. Of wil ze me alleen maar verlegen maken?

'Het zou je reuze tegenvallen. Zo goed ben ik niet, hoor.'

Ze begint haar brillenglazen weer op te wrijven. 'Dat is natuurlijk onzin,' zegt ze. 'Ze hanteren de hoogste criteria op die school.'

Nu klinkt ze weer als een schooljuffrouw. Ik wou dat ze een heel ander mens was, iemand die begreep hoe je je voelde door je alleen maar aan te kijken, iemand die je niet de hele tijd aanstaarde en altijd met een luide, zelfverzekerde stem sprak. Iemand die wist wanneer ze haar blik moest afwenden.

'Ik moet gaan,' zeg ik, en ik ga.

Er is een supermarkt om de hoek, maar ik besluit naar de volgende te rijden, op de fiets van Bridget. Het is er druk. Ik kijk goed om me heen en als ik zeker weet dat niemand me zal herkennen, loop ik naar de toonbank en koop een fles gin.

Ik rij weer naar huis. Ik heb nog één uur voor de herhalingsauditie. Ik ga naar mijn kamer, zet een stoel onder de deurkruk en drink zo langzaam mogelijk om het effect van de gin te kunnen peilen. Na twintig minuten sta ik op en loop een paar keer om mijn bed heen om te zien hoe het gaat. Ik voel me goed, maar ik had iets moeten eten. Het effect van de gin... resultaten uit het verleden bieden geen garantie voor de toekomst, denk ik, en op dat moment rinkelt de telefoon op de overloop. Margaret roept: 'Lou, neem jij even op?'

Ik pak de hoorn van de haak. Het is Tom.

'Hé,' zegt hij. 'Ik heb de hele nacht aan je liggen denken.'

'O, wat fijn,' zeg ik toonloos, en ik zin op een mogelijkheid om op te hangen en hem beneden terug te bellen.

'Het is één van de twee,' zegt hij. 'Of ik ben verliefd op je, of ik heb hondsdolheid opgelopen.'

Ik weet dat Margaret ligt te luisteren.

'Geweldig,' zeg ik. 'Hoe gaat het trouwens met je?'

'Eh, goed,' zegt hij verward. 'Doe ik er wel goed aan om je thuis te bellen? Ik weet eigenlijk niet wat je gastouders van me vinden.'

'Geweldig,' zeg ik.

Ik zie voor me hoe hij rechtop in zijn bed zit, met alleen zijn onderbroek aan, en geen glimlach meer op zijn gezicht.

'Alles goed met je?' vraagt hij.

'Ja, hoor. Prima,' zeg ik. 'Maar Margaret heeft pijn in haar rug, die arme ziel.'

'Aha,' zegt hij. 'Goed, moet je luisteren. Heb je zin in een picknick? In het park? Ik moet je hoognodig even zien, want ik wil nu weleens weten of ik hondsdolheid heb of niet.'

'Dat zou enig zijn,' zeg ik, 'maar ik heb het druk.'

'Waarmee dan?'

Mijn wanhoop stijgt. Als ik hem over die auditie vertel, wordt hij natuurlijk boos omdat ik hem niet over de eerste heb verteld. En dan wil hij misschien wel mee, wat me helemáál verschrikkelijk lijkt. Ik ben er nog lang niet aan toe om te zingen voor mensen die ik ken. Maar als ik hem er niet bij betrek en hij komt erachter, dan is alles misschien verpest.

Ik tik op de haak en zeg: 'Hallo? Hallo? Ben je daar nog?' Ik wacht nog even om het zo echt mogelijk te laten lijken en hang dan op.

'Verbinding verbroken,' roep ik in de richting van Margarets slaapkamer.

'Wie was het?'

Ik blijf op de overloop staan, anders ziet ze mijn rode gezicht.

'Een meisje van school.'

'Bel haar terug dan,' zegt Margaret.

'Ik heb haar nummer niet,' zeg ik.

'Ik zoek het wel even op voor je,' zegt ze met haar onverbeterlijke regelzucht. 'Hoe heet ze?'

'Ik ken haar achternaam niet.'

'O, nou, als ze straks nog terugbelt, zal ik haar nummer voor je vragen. Wat is haar voornaam?'

'Eh... Judy,' zeg ik. 'Judy heet ze.'

Als ik thuiskom van de herhalingsauditie, lichtelijk aangeschoten, hoor ik dat Margaret zo'n rugpijn heeft dat ze niet naar beneden kan komen voor het avondeten. Even later zitten Henry, James, Bridget en ik aan de eettafel en wisselen verhalen over onze dag uit.

'Hoe was je auditie?' vraagt Henry.

'Goed,' zeg ik. 'Ik krijg misschien wel een rol.'

James heeft zijn mond vol spaghetti, maar houdt er zijn hand voor en zegt: 'Schei uit, je krijgt gewoon de hoofdrol.'

'Hoe weet jíj dat nou?' vraagt Bridget.

James eet zijn mond gedeeltelijk leeg en zegt: 'Ik was er gisteren.' Hij lijkt opeens twaalf jaar oud.

'Echt waar?' zeg ik. 'Dat wist ik helemaal niet.'

'Je was heel anders op dat podium.' Hij glimlacht alsof hij mijn geheim heeft ontdekt en het boven in zijn smoezelige kamertje bewaart, als een insect in een jampot. 'Ik wist niet wat ik zag. Een heel ander mens was je.'

'Ben je niet bloednerveus als je daar zo staat?' vraagt Bridget. 'Ik bedoel, moet jij dan niet blozen als een gek?'

Ik ben te moe om me gegriefd te voelen door die jaloerse rotopmerking.

'Niet echt,' zeg ik.

Henry houdt zijn glas sinaasappelsap omhoog. 'Ik wil niet

voorbarig zijn, maar volgens mij roept dit om een toast.'

'Nee, dat brengt ongeluk,' zegt Bridget. 'Misschien krijgt ze wel helemáál geen rol.'

Om halftien gaat de telefoon. Ik heb een rol in de musical. Het enige dat me voor een angstaanval behoedt is de wetenschap dat ik genoeg gin op mijn kamer heb om straks vol zelfvertrouwen in slaap te kunnen vallen.

Het is zondagavond. Margaret is uit bed en we zitten met zijn allen in de woonkamer naar een video te kijken die Bridget heeft gehuurd.

'Zet hem eens even op pauze,' zegt Margaret. 'Ik ben aan een appeltje toe.'

'Ik haal er wel een,' zeg ik.

Ik pak de grootste, rondste en roodste appel uit de groentela.

'Dank je wel, lieverd,' zeg ze, en ze trekt me naar zich toe om me een zoen op mijn wang te geven. Als ik weer ga zitten, rollen er tranen van geluk over mijn wangen.

Halverwege de film is er plotseling een seksscène. De vrouw ligt in een zomerjurk op de keukentafel, trekt haar slipje eronderuit en spreidt haar benen, en de man rits zijn gulp open en kruipt boven op haar. Het beeld wisselt naar hun hoofden en je ziet de man een grimas maken en zich op zijn handen oprichten, terwijl zij onder zijn stoten op en neer schudt.

Het kan niet anders of de Hardings moeten zien wat er met mijn gezicht en hals gebeurt. Ik bloos niet, ik zit levend te verbranden. Mijn haar schroeit. Mijn ademhaling stokt. Ik ben verstard door wat ik zie. Ik kan de pijn tussen mijn eigen benen voelen, voel dat tafelblad tegen mijn eigen schouderbladen.

Er lijkt geen eind aan de scène te komen. Niemand van ons verroert een vin. De man en de vrouw worden nu van bovenaf in beeld genomen, zijn beukende lichaam op het hare.

De stilte in de woonkamer is voelbaar, als pijn. In de film

komt er een andere man de keuken binnen. Hij is een vriend van de eerste man en trekt ook zijn rits omlaag.

'Stoppen,' zeg ik zonder geluid te willen maken. 'Zet die film stil.'

Margaret heeft de afstandsbediening en drukt op de stopknop. De stilte houdt nog een ogenblik aan en dan schakelt ze over naar een tv-kanaal en schalt er een footballwedstrijd door de kamer.

Henry, geen druppeltje zweet op zijn gezicht, niet de minste trilling in zijn stem, zelfs geen slikbewegingen of andere tekenen van verlegenheid, zegt: 'Tja, dat was niet echt een boeiende film.'

James is de volgende. 'Totaal niet functioneel, zo'n scène.'

Bridget is het ergst van allemaal. 'Alsof je zoiets op een keukentafel zou doen!'

Niemand van hen toont zich geschokt. Niemand toont zich onthutst. Niemand toont gêne, schaamte of weerzin. Mijn ontreddering is hen te veel. Ze hebben zich ervoor afgesloten en trekken één lijn.

'Ik ga naar mijn kamer,' zeg ik, gepijnigd en verdrietig. 'Ik haat football.'

Op maandag zijn de uitslagen van de auditie in de hal van de school opgehangen. Ik zie Tom bij Moderne Letterkunde, maar in plaats van blikken naar me te werpen, of een van de handgebaren te maken die we samen hebben afgesproken, zit hij met gebogen hoofd te mokken.

'Waarom heb je me niks verteld?' vraagt hij als we het lokaal verlaten. 'Waarom heb je niet gezegd dat je auditie ging doen?'

'Was ik te verlegen voor,' zeg ik.

'Gelul,' zegt hij.

We lopend zwijgend naar onze lockers. Tom smijt zijn deur zo hard dicht dat binnen alles omvalt. 'Ik was ook van plan om auditie te doen, weet je. Maar ik zag ervan af omdat ik dacht dat jij een hekel had aan die onzin.'

'De Hardings wilden dat ik het deed,' zeg ik. 'James heeft me ingeschreven. Ze waren bang dat ik te veel een buitenbeentje zou blijven op school.'

'Gelul.'

'Vraag het ze maar,' zeg ik. 'Vraag het Margaret of Henry. Die wilden met alle geweld dat ik het deed, en ik heb ze maar gewoon hun zin gegeven. Ik dacht ook geen moment dat ik een rol zou krijgen.'

'Ja ja.'

Ik denk aan mijn toekomst in zijn landhuis. 'Het spijt me,' zeg ik. 'Je hebt gelijk, ik had het je moeten vertellen en het spijt me.'

'Ja, vast.'

'Kom anders naar de eerste repetitie en probeer nog een rol te krijgen. Misschien kunnen we samen meedoen.'

'Vergeet het maar,' zegt hij. 'Maandenlang elke avond naar die lullige repetities? Mij niet gezien.'

'Het is niet elke avond,' zeg ik.

Tom beent weg met zijn rugzak in zijn hand. De bandjes slepen over de vloer. Ik wou dat ik mezelf binnenstebuiten kon keren als een broekzak. Ik voel me smerig en zenuwachtig zoals ik hier in de gang sta, alleen, omgeven door het kabaal van al die blije leerlingen. Ik loop de school uit met een huid die prikkelt van het zweet. Hoe gaan al die normale mensen eigenlijk met elkaar om? Waar lachen ze om met elkaar?

Op dit moment valt het me zwaar om Tom nog te vertrouwen, of zelfs maar aardig te vinden, maar hij is de enige met wie ik praten kan zonder een onwezenlijk gevoel te krijgen. Ik ben door mijn gin heen en heb geen geld meer, en morgenavond is de eerste repetitie met de volle bezetting. Ik wou dat ik hem niet had laten weglopen.

Als ik thuiskom, zit Margaret aan de eettafel een appel in partjes te snijden.

'Ik zag al naar je uit,' zegt ze. 'Kijk eens wat Henry voor ons heeft meegenomen! Hij is het speciaal gaan kopen in zijn middagpauze.'

Ik kijk over haar schouder en zie tot mijn afschuw dat ze de muziek voor *Annie Get Your Gun* voor zich heeft liggen. 'O, wat geweldig,' zeg ik.

Ze pakt mijn arm. 'Mijn rug voelt alweer een stuk beter. Zal ik voor je spelen?'

'O, later misschien,' zeg ik. 'Ik heb een zware dag gehad op school en ik wou nog een stukje fietsen om mijn hoofd wat op te frissen.'

'Meisje toch! Wat is er met je.' Ze houdt nog steeds mijn arm vast en ik vraag me af of ze kan voelen hoe ik beef.

'Ben je ziek? Je ogen staan zo dof. Is er iets gebeurd?'

'Niet echt, nee. Maar ik liep een vriendin tegen het lijf die ook op die rol uit was. Dus je begrijpt, die is nu van streek en ik vraag me af of ze ooit nog met me wil praten.'

'Ik snap het,' zegt Margaret, en ze laat mijn arm los. 'Ze is jaloers en ze voelt zich verraden.'

'Precies,' zeg ik. 'Ze bleef maar huilen.'

'Is dat die Judy?'

'Ja,' lieg ik. 'Het is Judy.'

Ik fiets naar de dichtstbijzijnde telefooncel en toets het nummer van Tom.

'Hallo?' zeg ik. Er is opgenomen door een vrouw. Toms moeder, neem ik aan.

'Is Tom daar ook?'

'Is dit de lieftallige Lou?'

Ik schiet bijna in de lach. 'Ja,' zeg ik.

'We vroegen ons al af wanneer we nu eens kennis met je mochten maken,' zegt de vrolijke kakstem. 'Ik ben de moeder van Tom.'

'Hai,' zeg ik.

'Ik zal hem even voor je halen.'

Tom en ik treffen elkaar in het park, gaan op een bankje zitten en zoenen elkaar. Ik vind hem het leukst als hij niet praat. Zijn ogen doen nog steeds vuurwerk afgaan in mijn ziel. Ik vraag hem of ik wat geld kan lenen.

'Waarom vraag je je gastouders niet om geld?' vraagt hij.

'Die willen me niks geven.'

'Waar heb je het voor nodig?'

'Om drank te kopen,' zeg ik. 'Ik kan alleen maar zingen als ik een beetje tipsy ben.'

Hij oogt niet verbaasd. Het lijkt hem zelfs plezier te doen.

'Aha, je wilt je een beetje moed indrinken.'

'Zoiets ja.'

'Maar het gaat verder, hè? Het zit dieper, nietwaar?'

'Geen idee. Misschien wel,' zeg ik. 'Maar nu wil ik alleen maar wat geld om gin te kopen.'

Hij steekt zijn hand in de zak van zijn strakke jeans.

'Shit,' zegt hij.

'Wat is er?'

'Ik heb maar vijf dollar. Ik dacht dat ik meer bij me had.'

'O jee,' zeg ik. Ik geloof hem niet. 'Daar krijg ik maar een klein flesje voor.'

Hij glimlacht. 'Ik weet iets beters.'

'Wat dan?'

'Heb je weleens speed gesnoven? Dat werkt een stuk beter, vooral als je probleem wat dieper zit.'

Het kan me niet schelen wat ik neem, maar ik wou dat hij ophield met zijn gezeik over diepe problemen, vooral omdat het duidelijk is dat hij het over een probleem van zichzelf heeft.

'Geef maar wat dan,' zeg ik.

Hij haalt een hersluitbaar plastic zakje met een wit poeder tevoorschijn.

We kruipen in een speeltuintoestel, een felgroene bal waar je in kunt zitten terwijl een ander hem ronddraait. Hij stinkt naar kots. Tom doet me voor hoe ik de speed moet snuiven, maar als ik het probeer, blijft het meeste in mijn neus steken en krijg ik een vieze, bijtende grieppoedersmaak in mijn keel. Het zijn een paar donkere en onaangename minuten.

'Gadverdamme,' zeg ik terwijl ik uit de bal kruip. 'We hadden een paar blikjes bier moeten kopen om het weg te spoelen.'

'Dan gaan we die alsnog halen,' zegt hij.

We lopen naar de dichtstbijzijnde winkel. Ik merk helemaal niks van die speed, tot we binnen zijn. Onder de felle lampen en met de harde muziek om me heen laat het spul zich opeens gelden. Als de winkelbediende me wisselgeld geeft, begin ik te praten en kan niet meer ophouden. Ik sta zowat te dansen.

We gaan naar buiten en ik ratel aan één stuk door.

'Lekker, hè?' zegt Tom.

'Gaat wel, ja,' zeg ik, en ik zwam verder over niets, hoewel het voelt alsof ik alles opeens doorzie.

In de hoofdstraat zie ik Bridget in een geparkeerde auto zitten met haar vriendje, het rossige joch. Ze borstelt haar haar en ziet eruit alsof ze gehuild heeft. Op het dashboard staat een sixpack bier.

'Laten we Bridget even gedag zeggen!' jubel ik.

Tom pakt mijn hand. 'Nee, laten we dat nou maar niet doen. Ze ziet meteen dat je high bent.'

'Maar ze kunnen me een lift naar huis geven,' zeg ik.

'Niet doen,' zegt hij. 'Je bent veel te high.'

Maar ik voel me scherper dan ik ooit geweest ben en kan niet stil blijven staan. Ik loop op de geparkeerde auto af, maar als ik zo dicht genaderd ben dat ik Bridget haar roze lipstick kan zien bijwerken, wordt de motor opeens gestart en scheurt Rossigmans ervandoor.

Tom en ik lopen verder. Ter hoogte van het stadhuis zien we een straatmuzikant, een jongen met een fluit. Hij staat naast een speelgoedwinkel en in de etalage daarvan, buiten zijn zicht, staat een mechanische speelgoedeenhoorn met zijn hoofd te wiegen, precies op de maat van de muziek.

'Moet je kijken,' zeg ik. 'Dat speelgoedbeest beweegt precies op de maat.'

'Huh?' zegt Tom.

'Kijk nou wat prachtig.'

'Nou,' zegt Tom. 'Wat een toeval.'

Ik ga op de stoeprand zitten. Tom zakt naast me neer. Ik móet hem aan zijn verstand brengen dat dit echt niet zomaar toeval is. En in de uren die volgen leg ik omstandig uit dat deze dans van de fluitspeler en de speelgoedeenhoorn alles duidelijk maakt over het leven. Sterker nog, het wezen van ons bestaan wordt er door verhelderd.

Het is na tienen en Tom en ik liggen op zijn bed. Zijn ouders zijn uit. Ik heb dorst maar geen honger. Ik wil over de grote vragen praten. Ik heb alle antwoorden.

Ik voel me tot alles in staat. Alles behalve zingen, welteverstaan. Al zit ik dan tjokvol amfetamine, ik weet heel goed dat mijn tong een eigen leven leidt en dat ik gejaagd en mummelend praat. Ik weet dat de buitenkant niet klinkt zoals de binnenkant zich voelt. Voor anderen klink ik waarschijnlijk als een pratende sok.

We blijven tot na middernacht op zijn bed liggen.

'Ik moet maar eens opstappen,' zeg ik.

'Ja,' zegt hij temerig, 'je moet maar eens opstappen.'

We blijven praten.

Ik weet dat Henry of Margaret nu op me zit te wachten, en ik weet dat ze kwaad zullen zijn, maar het kan me niet schelen. Ik heb ze van alles te vertellen. Ik loop over van wijsheid en inzicht en zelfvertrouwen en ik weet dat dat niet zo blijft. Ik wil zielsgraag met iemand anders praten dan Tom. Ik realiseer me dat ik van Henry en Margaret hou en dat ik niet kan wachten tot ik ze weer zie.

Tom rijdt me naar huis in zijn gelikte rode auto.

Henry zit in de keuken met de radio aan. Hij staat op als ik binnenkom.

'Waar kom jij verdomme vandaan?'

Hij speurt mijn gezicht af om aan de weet te komen of hij kwaad kan blijven of op bezorgdheid en medelijden moet overgaan. Er kan me immers ook iets vreselijks zijn overkomen.

Het enige wat ik wil is een sigaret opsteken, koffie maken en tot zonsopgang met hem babbelen.

Mijn mond begint uit zichzelf te bewegen, alsof hij vol zit met automatisch werkende kauwgum.

Ik ga zitten. 'Vind jij ook niet dat de lucht 's nachts anders is dan overdag?'

Henry geeft geen antwoord.

'Ik vind de lucht dan heel anders,' zeg ik. 'En als je het mij vraagt is dat ook de reden waarom mensen heel anders zijn in die uren tussen middernacht en zonsopgang. Zelfs jij bent nu heel anders. Heb jij ook niet de ervaring dat de lucht heel anders is als je wekker om vijf uur 's ochtends afgaat? De lucht is dan zo luchthavenachtig, vind ik.'

Het gezicht aan de andere kant van de tafel is vijandig, maar dat weerhoudt me er niet van om door te praten.

'Om vijf uur 's ochtends is de lucht een gepakte koffer, of een telefoon die op het punt staat om voor het eerst in tien jaar over te gaan,' zeg ik. 'De lucht zit dan vol met kalme noodgevallen.'

Henry is woest. Maar hij probeert ook uit alle macht te bedenken wat er in vredesnaam met me aan de hand is. Ik wil doorpraten maar ik zou ook willen dat dit niet gebeurde en dat ik kon weggaan om te kettingroken met een interessant iemand. Ergens waar alcohol is, en muziek.

Ik denk aan Sydney en pubs met tapijt dat kletsnat is van het bier en aan mijn zussen die thuis ladderzat op de vloer van de kamer liggen, tussen hoopjes zout op wijn die gemorst is uit plastic vaatjes. En opeens verander ik van gedachten en wil ik fatsoenlijk zijn. Ik wou dat ik een totaal ander mens was, fatsoenlijk en rechtschapen en lang en netjes, zoals Bridget die licht bier drinkt met haar vrienden maar nooit dronken wordt en zich nooit misdraagt.

Henry's gezicht is plotseling vlak bij het mijne. 'Het is half-drie. Margaret heeft de hele nacht door de buurt gereden. Ze is net pas naar bed gegaan.'

'Ligt ze in bed? Ligt het busje in bed? Busje in bed?'

Wat klinken die twee woorden mooi, busje en bed.

'Heb ik je weleens verteld hoe ik het busje voor mezelf noem? Shitty shitty prang prang. Maar ik noem het ook weleens...'

Henry besnuffelt mijn gezicht. 'Je hebt gerookt!'

'Niet echt.'

'Lou, kijk me aan!'

Ik kijk naar zijn neus.

'Heb je drugs gebruikt?'

'Drugs?' zeg ik. 'Nee. Ik heb geen drugs gebruikt. Ik heb alleen maar slaap. Ik moe naar bed.'

'Louise!' schreeuwt Henry, en ik moet mijn lachen inhouden. Wat klinkt dat toch beroerd. Louise. *Louwiieeeze.*

'Ik heb één sigaretje geprobeerd, maar bah wat vies.'

Henry pakt me bij mijn ellebogen, om geen vuile handen te maken. 'Hoe kun je dat nou doen? Heb je enig idee hoe bezorgd we zijn geweest?'

Ik laat me slap vallen en zijn vingers verliezen hun woede. Hij vouwt zijn armen voor zijn borst. Het dringt opeens tot me door dat Henry nog niet zo oud is. Rond de veertig of zo, wat je niet echt oud kunt noemen. Hij heeft een knap gezicht en als hij niet bijna een albino was, zou het me waarschijnlijk moeite kosten om hem niet aantrekkelijk te vinden.

'Al die nachten waarin we in bed over je hebben zitten praten... alle moeite die ik gedaan heb om je te verdedigen... en dan flik je opeens dit.'

'Ik kan maar beter naar bed gaan,' zeg ik. 'Dan ben ik uit je radio, eh, je ogen.'

Hij heeft geen andere keuze dan me mijn roes te laten uitslapen, waar die roes ook door mag zijn opgewekt. Hij weet dat het geen zin heeft om me de les te lezen terwijl ik onder invloed ben.

Hij opent de deur. 'Ga naar bed. Margaret en ik komen morgenochtend vroeg met je praten.'

'Dank je,' zeg ik.

Ik ga naar mijn kamer en rook er alle sigaretten die ik nog had. Als ik daarna in slaap probeer te vallen, lukt het niet. Ik kan alleen maar rechtop in bed mezelf zitten wiegen en over mijn armen en benen wrijven die voelen alsof ze urenlang gezwommen hebben en nog even door willen zwemmen.

Om negen uur wordt er op mijn deur geklopt. Ik lig met al mijn kleren aan onder de dekens, was nog maar net in slaap gevallen.

'Binnen,' zeg ik, maar dat zijn ze al.

Margaret ziet er verschrikkelijk uit. Haar haar is slap en vettig en ze lijkt opeens veel ouder.

Ze zegt: 'Neem eerst maar een douche, dan wachten we op je in de keuken. James en Bridget zijn al naar school.'

Henry schuift het raam omhoog. 'Hou dit raam voorlopig open en je deur dicht.'

'Het spijt me,' zeg ik. Ik voel nog steeds de speed in mijn bloed, maar ik ben niet high meer. Ik wil alleen nog maar slapen.

'Het spijt ons ook,' zegt Margaret gewichtig. Ze is furieus. Ik kan het haar niet kwalijk nemen.

Ik loop op mijn tenen de trap af en ga bij de keukendeur staan luisteren. Geen van beiden zegt iets. Zij snuit haar neus. Ik ga naar binnen. De keuken is het kleinste vertrek in dit huis en ik heb me er nooit op mijn gemak gevoeld.

Met een deur aan elk uiteinde, een lange tafel die bijna alle ruimte in beslag neemt en je dwingt om vlak naast degene te staan die kookt, een raam dat alleen boomtakken toont en geen hemel, en het rooster op de koelkast dat iedereen vertelt wat hij of zij moet doen, is dit het meest benauwende vertrek in huize Harding.

'Moeten jullie niet naar je werk?' vraag ik.

Henry staat op en schuift een stoel voor me onder de tafel vandaan. De beide deuren zijn dicht en er is geen thee of koffie.

'Nee.'

Ik wil dat hij meer zegt.

'Je denkt toch zeker niet dat we naar ons werk kunnen na wat we vannacht hebben meegemaakt? Hoe zou je eigen moeder reageren?'

Ik ga zitten en denk bij mezelf dat het mijn moeder geen moer had kunnen schelen. Die blijft tijdens een aardbeving gewoon haar haar borstelen en het idee van discipline is haar vreemd. Als Erin en Leona me weer eens tot moes slaan, schreeuwt ze vanuit de keuken, of over het geluid van de tv heen dat we wat haar betreft elkaars botten mogen breken als we de salontafel maar heel laten. En als ik dan achteraf op mijn bed lig, komt ze me een kopje thee brengen, en geeft die thee op mijn gezwollen tong me een weldadig gevoel, en dan vraag ik of ze nog even blijft, wat ze altijd doet, en dan praten we tot ik in slaap val.

'Ik gebruik geen drugs,' zeg ik. 'Ik was gewoon in een rare bui door mijn slaapgebrek. Jullie weten toch dat ik aan slapeloosheid lijd?'

Ik ben niet high meer, maar het lijkt alsof ik een dikkere huid heb gekregen, onkwetsbaar ben geworden. Het lijkt wel alsof ik alles zou kunnen zeggen zonder me zelfs maar opgelaten te voelen. Wat zou het heerlijk zijn als ik me voortaan altijd onkwetsbaar kon voelen, onkwetsbaar voor dingen en mensen, onkwetsbaar voor wat ze denken en zeggen.

'Niet liegen, Lou,' zegt Margaret. 'Liegen is wel het laatste wat je nu moet doen.'

Henry is minder kwaad. 'We weten dat je het niet makkelijk hebt gehad, Lou, maar dat is geen excuus voor wat je hebt gedaan. Er wonen hier twee kinderen die er recht op hebben dat wij ze beschermen, en we kunnen je hier niet handhaven als je drugs gebruikt.'

Ze noemen opmerkelijk vaak mijn naam. Dat is geen goed teken. Het lijkt me verstandig om ze een deel van de waarheid te vertellen, een beetje mee te werken, ze het gevoel te geven dat ze tot me zijn doorgedrongen en me wakker hebben geschud. Des te sneller kunnen we weer tot de orde van de dag overgaan. En als alles weer marcheert, moet ik me met Tom gaan bezighouden, mijn slag slaan, hem zeggen dat ik bij hen wil komen wonen.

'Oké,' zeg ik, 'ik geef het toe. Ik heb vannacht iets verschrikkelijk stoms gedaan en ik kan het zelf nauwelijks geloven. Ik heb voor het eerst van mijn leven drugs geprobeerd. Maar jullie zien zelf wel dat het me slecht is bevallen.'

Henry buigt zich opzij en pakt zijn agenda uit zijn koffertje.

'Er zit niks anders op, Lou. We zullen Flo Bapes moeten bellen. De organisatie hoort hier vanaf te weten en je ouders moeten ook op de hoogte worden gesteld. We hebben geen keus, we moeten wel.'

De klank alleen al van die naam, Flo Bapes, doet me de rillingen over mijn rug lopen. Toen ik haar vorige week belde met de vraag of ik een consult kon krijgen bij een dokter, zei ze dat dat een zaak was voor Henry, die nu blij is dat hij me naar haar kan doorschuiven. Hij wil zijn handen in onschuld wassen. Dat staat hij zelfs letterlijk te doen, aan het aanrecht. Kijk hem daar eens staan. Hij voelt zich nu al verschoond, opgelucht dat de richtlijnen uitkomst bieden – hij hoeft ze alleen maar te volgen. En dat doet pijn. Het verbaast me hoe pijnlijk ik het vind.

Hij loopt naar de telefoon.

Ik begin te snikken. Woeste snikken, schokkende schouders. Ik had niet gedacht dat het zo ernstig was. Ik ga nog liever dood dan terug naar huis. Henry's hand hangt dramatisch boven de hoorn. Hij wacht tot ik hem een reden geef om het nummer niet in te toetsen.

Hij dreigt dus alleen maar. Het is allemaal poppenkast. Ik heb moeite om niet in lachen uit te barsten.

Ik zeg: 'Kan ik niets meer doen om jullie te weerhouden? Mijn moeder zou er nooit meer overheen komen. Mijn vader ook niet.

Kunnen jullie me niet gewoon huisarrest geven of zo?'

Margaret ziet bleek, met donkere wallen onder haar ogen.

'Wie heeft je die rommel gegeven? Er valt pas te praten als we weten wie hier achter zit.'

Ik pluk een naam uit de keukenlucht. 'Simone,' zeg ik.

Mijn eetlust keert terug. Ik krijg trek in pannenkoeken. Ik wil geknuffeld en in bed gestopt worden. Maar niet mijn eigen bed. Een nieuw bed. Het hemelbed van Henry en Margaret. Ik wou dat we een paar maanden terug in de tijd konden gaan en dat ik met Margaret en Henry op het vliegveld stond, terug naar de eerste ontmoeting.

Ik zeg: 'Ik had haar nooit eerder gezien. Ik kwam haar tegen op weg naar huis. Ze is heel knap en vriendelijk, en ze zei dat ze in de zaal had gezeten bij de auditie en of ik zin had om mee te gaan naar een pizzatent. Haar vrienden waren daar ook.'

Terwijl ik deze leugen vertel, kan ik Simone en haar vrienden voor me zien. Ze zien eruit als doodgewone highschool-leerlingen. Ze zitten op de toneelclub en ze hebben ruime voldoendes voor alle vakken.

'En toen?' vraagt Henry, met zijn handen om een leeg kopje, als om ze te warmen.

'We zaten pizza te eten en ik vertelde hoe eenzaam ik me de laatste tijd voelde, en toen vroegen ze of ik iets wilde proberen dat me zou opvrolijken. Een middel van natuurlijke kruiden, zeiden ze, zoals dat guarana-spul dat je gewoon in de winkel kunt kopen.'

Margaret heeft met haar vingertoppen onder haar brillenglazen in haar ogen zitten wrijven, alsof ze te afgemat is om haar bril af te zetten. Maar nu houdt ze daar abrupt mee op en slaat met haar vlakke hand op het tafelblad. 'En dat geloofde je zomaar? Wat ontzettend naïef!'

'Het klonk allemaal heel ongevaarlijk, ze waren heel open en echt heel vriendelijk. Simone is een slimme meid, hoor. Ze gaat naar Yale, rechten studeren.'

Ik weet pas wat ik zeg als het over mijn lippen komt.

Margaret is het niet met Henry eens. Zij vindt nog steeds dat ik naar huis terug moet. Van haar moet ik gestraft worden. 'Nou, je bent zelf lang zo slim niet als je dacht, hè?'

'Nee, ik denk het niet.'

Ze zet haar bril af, houdt hem voor zich omhoog en tuurt erdoor naar de wandkalender. Ze neemt een stoere houding aan, alsof het bestraffen van drugsgebruikers haar dagelijks werk is.

'Dus je neemt gewoon iets in, spul waarvan je geen idee hebt wat het is, omdat iemand een knap smoeltje heeft en zegt dat ze naar Yale gaat?'

'Ja, je hebt gelijk, het was oerstom van me,' zeg ik. 'Ze hadden een bruinpapieren zakje en strooiden wat poeder in mijn frisdrank en ik dronk het op. Ik werd meteen misselijk en zei dat ik naar huis ging, en zij boden aan me te rijden. Dat was ongeveer om halfnegen. Maar ze bleven maar rondrijden. Ik weet niet hoe vaak ik ze gevraagd heb te stoppen en me te laten uitstappen.'

Ik zie Simones auto voor me. Het is een Saab met schapenvachten op de stoelen. Ze heeft twee vrienden, een jongen en een meisje. De jongen heeft blond haar. Het meisje heeft kort rood haar. Ze lachen veel en ik lach met ze mee. We rijden keihard en er staat keiharde muziek op.

'Op een gegeven moment was ik de kluts kwijt. Ik wist niet waar we reden en ik wilde niet eens meer uitstappen omdat ik geen idee had hoe ik dan nog thuiskwam. Toen ze me hier eindelijk afzetten, was het vast al heel laat.'

'Het was halfdrie,' zegt Henry op vermoeide toon.

Margaret zegt dat ze samen met Henry mijn kamer wil doorzoeken. Ik stem toe en blijf beneden zitten, met mijn hoofd op de keukentafel. Ik heb een lege ginfles onder mijn matras verstopt, en de rest van de speed zit in mijn slipje.

Ze doen er een eeuwigheid over. Ik ga in de kamer op de bank tv liggen kijken en hoop dat ze me de rest van de dag alleen zullen laten. En dan schiet me te binnen dat we vanavond voor het eerst repeteren en dat ik mijn probleem nog steeds niet heb opgelost.

Henry komt als eerste de kamer binnen. 'Niks gevonden.'

Margaret is nog steeds kwaad. 'Laat je portemonnee eens zien.'

'Hier,' zeg ik, en ik reik hem aan over de rugleuning van de bank.

'Er zit geen cent meer in,' zegt ze. 'Hebben die lui je laten betalen voor die troep?'

Ik heb geen idee wat het beste antwoord is. 'Ja,' zeg ik. 'Toen we in de auto zaten. Simone en haar vriendje zeiden dat ik natuurlijk wel moest meebetalen en dat ze me anders niet naar huis brachten.'

Wat een stelletje etters, die Simone en haar vriendje. Ik hoop dat ik ze nooit meer tegenkom!

'Goeie genade,' zegt Henry. 'Hoeveel?'

'Twintig dollar en al mijn kleingeld,' zeg ik.

Margaret en Henry lopen de kamer uit om even te overleggen.

'Je moet beloven dat je die mensen nooit meer opzoekt,' zegt Henry als ze weer terug zijn. 'Voor hetzelfde geld hadden ze je vermoord en ergens in een greppel gegooid.'

Margaret is nog altijd kwaad. 'Als er weer zoiets gebeurt, bellen we Flo Bapes. Zonder pardon. We dulden niet dat je onze kinderen nadelig beïnvloedt. Geen alcohol en drugs meer, of we zetten je op het eerstvolgende vliegtuig naar huis.'

'Het spijt me,' zeg ik. 'Het spijt me ontzettend en het zal nooit meer gebeuren.'

Ik geloof niet dat ze me ooit naar huis zullen sturen.

'Blijf vandaag maar thuis,' zegt Henry. 'Je ziet eruit als een geest. Maar vanavond blijf je óók binnen. We hebben het later nog wel over je dagindeling voor de komende tijd. En je houdt je mond tegen James en Bridget. Zeg maar dat je ziek was, vandaag.'

Ik zou ze willen vertellen dat Bridget en haar vrienden ook drinken, vooral op vrijdagavond. Ik zou willen zeggen dat ik nog niet één Amerikaanse tiener ben tegengekomen die niet drinkt.

'Maar ik heb vanavond mijn eerste repetitie voor de schoolmusical,' zeg ik. 'Ik heb een grote rol.'

Dat waren ze helemaal vergeten. Ze lopen opnieuw de kamer uit en ik hoor ze fel maar met gedempte stem overleggen. Henry steekt ongetwijfeld weer zijn nek voor me uit.

Hij komt alleen terug, rood aangelopen. 'Die repetities mag je doen, maar je moet ons een kopie van je schema geven en we kunnen elk willekeurig moment komen kijken. Afgezien van die musical heb je tot nader order huisarrest.'

'Dank je,' zeg ik. 'Ik sta diep bij jullie in het krijt.'

Henry en Margaret gaan naar hun werk. Ik slaap een paar uur op de bank en word wakker als de zon de kamer binnenschijnt. Ik trek de gordijnen dicht en ga weer liggen, maar de golf van slaap is gebroken op het strand van mijn zieke geest. Ik word weer bang – zonder alcohol bak ik niets van die repetitie, en ik heb geen geld meer. Over twee uur komen Bridget en James thuis van school en maken ze sandwiches die ze volspuiten met mayonaise, en gaan ze op hun buit voor de tv liggen praten en lachen voor ze aan hun huiswerk beginnen. Er zit niets anders op dan de drankkast te plunderen.

Maar die kast zit op slot en de sleutel is onvindbaar. Ik doorzoek het huis op kleingeld, van de kelder tot aan de slaapkamers, en het levert me in totaal één dollar vijfendertig op. In een vlaag van achtervolgingswaan fantaseer ik dat mijn strooptocht met bewakingscamera's is vastgelegd en dat ze vanavond met zijn allen de video zullen bekijken.

Ik ga op mijn bed liggen en bid om slaap. Ik zeg een keer of twintig het onzevader, maar dat helpt niet. Ik ga aan mijn bureau zitten, schrijf een excuusbrief aan Margaret en stop hem onder haar kussen. Ik ga weer naar bed. Ik raak in paniek, sta op en haal de brief onder Margarets kussen vandaan – ze zou het niet echt waarderen als ik in hun slaapkamer was geweest. Ik leg de brief onder de klep van de piano, en haal hem ook daar weer onder vandaan. Ik leg hem nog op zeven andere plaatsen neer en uiteindelijk scheur ik hem in snippers. Ik ga weer op mijn bed liggen en probeer een plan te bedenken.

Zodra ze thuis is, komt Margaret op mijn deur kloppen. Ze heeft haar schoenen nog aan, terwijl ze anders altijd meteen haar pantoffels aantrekt. Er moet iets mis zijn, want ze heeft een hekel aan haar werkkleding.

'Hoe voel je je?' vraagt ze.

Ik ga rechtop zitten. 'Beroerd,' zeg ik. 'En ik schaam me dood voor wat ik gedaan heb. Het spijt me echt verschrikkelijk.'

'Excuses aanvaard,' zegt ze, 'maar wat ik vooral wil is een ingrijpende verbetering in je gedrag. En geen leugens meer.'

Wat bedoelt ze nou weer met 'gedrag'? Wat heb ik dan nog meer verkeerd gedaan? Ze zal wel op mijn uitbarsting over James doelen.

'We willen alleen maar dat je je een beetje aanpast, meer niet.'

'Waar is Henry?' vraag ik.

'Die moet overwerken.'

'Door mijn toedoen, hè?'

'Ja, door jouw toedoen.'

Ze zet haar speciale opvoedkundige stem op, streng en langzaam.

'Zijn Bridget en James al thuis?'

'Nee, James oefent met de debatingclub en Bridget heeft een bijeenkomst van de wetenschapsclub. Ze komen met Henry mee naar huis. Hij zal ze om zeven uur oppikken.'

Ze heeft geen haast om mijn kamer te verlaten, dus ze is nog steeds niet helemáál op me afgeknapt.

'Mijn repetitie begint om halfzeven,' zeg ik. 'Dus ik moet maar eens aan opstappen gaan denken.'

'Laat mij eerst nog even de grote badkamer gebruiken. Ik ben hard aan een warm bad toe, want dat koude weer is moordend voor mijn rug. Daarna kun jij je gang gaan.'

'Goed,' zeg ik. 'Ik hoop dat je ervan opknapt.'

Ik lig een poosje op mijn buik en realiseer me dan plotsklaps wat me te doen staat. Nu Margaret een bad neemt, moet ik wat geld van haar lenen. Dan stop ik het volgende week wel terug als ik mijn zakgeld heb gekregen. Het is alleen maar medicijn voor me. Meer niet. Gewoon medicijn. Ik heb het alleen maar nodig als ik moet zingen, en voor de rest is er niks zorgelijks aan de hand. Helemaal niks. Over een paar maanden heb ik die musical achter de rug en ben ik weer vrij. En trouwens, die repetities zijn niet zomaar een zinloze kwelling – op deze manier leer ik hoe ik mijn zenuwen in bedwang kan krijgen. In het ergste geval is dit voor mij een manier om te ontdekken hoe gewone mensen zich voelen.

Margarets handtas staat op de draaistoel in haar werkkamer. Ik open hem, pak er haar portemonnee uit en zie dat ze alleen maar briefjes van twintig heeft, plus twee dollar aan kleingeld. Ik neem een twintigje, loop naar de deur van de badkamer en hoor dat ze nog in bad zit. Ik besluit om nu alvast te vertrekken, op Bridgets fiets, al is het pas halfzes.

Als ik nu niet ga, zal Margaret me straks met de auto willen brengen, dus er zit niets anders op. Ik schrijf een briefje. Dat ik vroeg in de gehoorzaal wil zijn om mijn stem op te warmen. En dat ik het enig zou vinden als zij nog even kwam. Ik sluit af met 'Ik hou van je,' en terwijl ik het schrijf, voelt het alsof ik het meen, maar zeker weten doe ik het niet.

16

Het is bijna middernacht en ik lig voorover op bed een brief van mijn moeder te lezen. Ze schrijft over de hartoperatie die mijn vader net heeft ondergaan. Ik wist niet eens dat hij ziek was, laat staan dat hij geopereerd moest worden. Ze heeft er misschien al over geschreven in de brieven hiervoor, die ik slechts vluchtig bekeken heb. Of misschien stond er iets over zijn ziekte in de brieven van Erin, die ik niet eens heb opengemaakt. Ik schaam me dood. Ik zou eigenlijk eens terug moeten schrijven, of op zijn minst een keer moeten bellen.

Lieve Loulou,

Het zal daar bij jullie wel winter zijn, want hier is het zomer. Jij zal wel naar school schaatsen en sneeuwpoppen maken.

Je vaderlief wordt alweer de ouwe na zijn hartoperatie. Hij zit in zijn stoel het etiket van zijn bierfles te pulken en gezichten naar de tv te trekken. Hij doet je de groeten.

Verder is er weinig te melden, behalve dat Erin zwanger is en dat Steve op zoek is naar een flatje waar ze kunnen gaan samenwonen. Voorlopig hadden we gedacht dat ze zolang wel jouw kamer voor de baby kunnen gebruiken als dat mag van jouw.

Erin vond die studie voor verpleegster toch wel saai en ook erg veel examens, en ze heeft nou een goed baantje trouwens bij een hotel. Ze heeft ons bediend toen we daar gingen eten en ze zag er beeldschoon uit in dat zwarte jurkje met dat witte schort.

Je vader en ik gaan weer met maaltijden rond zodra hij weer beter is. Vorige week is meneer Smith doodgegaan en hij heeft ons een joekel van een klerenkast nagelaten. Van echt mahonie en hij past amper in de kamer. Met alle ouwe mensen die hier doodgaan zul je hier de mooiste spullen zien als je terugkomt. Ook voor jou. Scheelt ons weer een verjaarskado voor je!

We hopen dat het hartstikke goed met je gaat en dat je gelukkig bent daar.

We houden waanzinnig van je en we missen je als een gek.

Je moederlief

XXXX

ps: Als je weer thuiskomt zal ik mijn Pam Ayers imitatie voor je doen.

Als ik dit gelezen heb, wil ik medelijden hebben met mijn vader, en ik wil hem missen, maar ik krijg alleen maar het beeld voor ogen van hoe ze daar met zijn allen voor de tv zitten en de ene sigaret na de andere opsteken, ongezonde rommel eten en onzin uitkramen. Mijn zussen zijn veel te zwaar opgemaakt en ze dragen veel te strakke topjes en oorbellen met gekleurde veren. Mijn moeder heeft een douchekapje over haar krulspelden en ze doet haar nagels met een kartonnen vijltje. Mijn vader zit naast haar in het sportbroekje dat al in geen jaren is gewassen, want, zegt hij: 'Ik draag het alleen op zaterdagochtend als je moeder de was doet.'

Ik weet nog hoe zurig dat broekje altijd stonk als hij met ons wilde stoeien toen we nog klein waren. 'Hier komt de boeman!' schreeuwde hij dan terwijl hij ons door de hele flat achternazat. 'Hier komt de boze boeman!'

Ik schrijf iets in mijn dagboek wat de biologieleraar gisteren zei: de mens deelt achtennegentig procent van zijn DNA met de chimpansee. Hij vergat erbij te vertellen dat de mens vijftig procent van zijn DNA deelt met de bananenplant.

We zijn twee weken verder en mijn gedrag kan naar Hardingmaatstaven onberispelijk worden genoemd. Het is halfzeven in de ochtend en ik ga naar beneden om Margaret en Henry te verrassen met een pannenkoekenontbijt. James en Bridget komen pas om halfacht naar beneden, dus heb ik ze een uur lang voor mij alleen.

We hebben goed gescoord bij de landelijke halfjaarstoets voor highschool-leerlingen en Margaret en Henry nemen ons vanavond mee uit eten om het te vieren. De stemming in huis is uitstekend.

Margaret komt als eerste de keuken binnen.

'Dat ruikt heerlijk, Lou. Wat een verrassing.'

'Lekker, hè?' zeg ik.

Henry komt ook binnen, in zijn ochtendjas. Ik kan mijn ogen nauwelijks van zijn harige witte onderbenen afhouden.

'Da's nog eens een goed begin van de dag,' zegt hij.

Ik heb nog steeds huisarrest en ben weer door mijn geld heen. Over vijf dagen hebben we de generale repetitie en ik heb geen druppel alcohol meer om daar doorheen te komen. Tom heeft me wat geleend om de twintig dollar terug te kunnen stoppen in Margarets portemonnee, en ik heb er zelfs wat rente bijgedaan. Maar ik heb nu al twee dagen niets gedronken en mijn hele lichaam beeft van hunkering. Ik moet hoognodig weer wat lenen.

Ik drink nu ook op dagen dat er geen repetities zijn, omdat ik dan beter slaap. Dus mijn slaapproblemen lijken opgelost, maar het kost me grote moeite om op school mijn aandacht bij de les te houden, om me te concentreren. En mijn gezicht doet pijn. Mijn tanden lijken te groot voor mijn mond, en mijn mond lijkt niet bij mijn gezicht te horen, lijkt ernaar getransplanteerd te zijn zonder dat er genoeg ruimte voor was. Het voelt alsof mijn tanden en kaken veel te dicht bij mijn hersenen zitten. De gin heeft me geholpen om mijn zenuwen de baas te worden, maar mijn lichaam lijdt nog steeds.

Margaret en Henry zijn opgeruimder tegen me nu de uitslag

van die toets bekend is en ik bij de beste één procent van het land blijk te horen – voor hun een bewijs dat ik in staat ben om me 'een beetje aan te passen'.

Ik stapel de pannenkoeken op een bord, snijd een banaan in schijfjes, giet honing uit en snijd een citroen in tweeën.

Ik kijk toe terwijl Henry een pannenkoek met ahornsiroop overgiet. 'We zouden vaker pannenkoeken moeten eten,' zegt hij.

'Ik zou graag iets met jullie willen bespreken,' zeg ik.

Margaret legt haar vork en mes naast haar bord neer.

'Natuurlijk. Je weet toch dat je alles aan ons kwijt kunt?'

'Gooi het er maar uit,' zegt Henry.

Dat zegt mijn moeder altijd als ze Erin of Leona een puist ziet uitdrukken – goed zo, gooi het er maar uit.

Ik kijk naar de vloer en ik zeg het.

'Ik wil niet meer naar huis, en nu vroeg ik me af of jullie me kunnen helpen om hier in Amerika te blijven.'

Henry reageert veel te snel, alsof hij de vraag al heeft zien aankomen.

'Tja, Lou,' zegt hij, 'dat weet ik zo net nog niet. De immigratiewetgeving in dit land is heel ingewikkeld, en daarnaast is het beleid tegenwoordig...'

Ik kijk hem aan.

'Er móet een manier zijn,' zeg ik. 'Jullie zouden toch een garantverklaring kunnen ondertekenen voor een verblijfsvergunning? Ik zou voor een tijdje naar huis kunnen gaan en dan terugkomen zodra het rond is. Kijk, ik verwacht natuurlijk niet dat ik hier onderdak krijg. Dat begrijp ik óók wel. Ik vraag jullie heus niet om me voorgoed op te nemen. Ik wilde alleen maar weten of jullie bereid waren om te helpen, meer niet.'

Margaret wil iets zeggen om me tevreden te stellen, zodat ik verder mijn mond houd. Ze werpt een steelse blik naar Henry.

'Het valt natuurlijk niet bij voorbaat uit te sluiten,' zegt ze.

Ik weet dat ze zich hier heel ongemakkelijk bij voelt. Het is alleen maar haar bedoeling geweest om een poosje een exotische gast in huis te hebben. Ze voelt er niks voor om bij de verandering van iemands leven betrokken te raken.

'Margaret en ik hebben al heel vaak over jouw situatie gesproken,' zegt Henry. 'Wij vinden het ook onrechtvaardig dat iemand met jouw intelligentie in een land zou moeten studeren waar de voorzieningen zoveel minder zijn dan hier.'

Jezus, man, het lánd is het probleem niet! Ik zal het hem niet lastig maken door in te gaan op deze kleinzielige smoes, vooral niet omdat hij hem zo zorgvuldig lijkt te hebben ingestudeerd, maar ik kan hen allebei wel in hun gezicht spugen omdat ze zo nadrukkelijk voorbijgaan aan waar het eigenlijk om draait.

'Daar kunnen jullie ook niets aan doen,' zeg ik. 'Laten we er maar over ophouden.'

Margaret staat op.

'Ach, meid, je komt er heus wel. Als we om te beginnen nu eens je huisarrest ophieven?'

'Geweldig. Dank je,' zeg ik, en ik loop de keuken uit zodat ze mijn gezicht niet kunnen zien.

Het weer is nu winters en er ligt elke ochtend ijs op de auto's. Het is zaterdag. Ik zit bij Tom thuis tv te kijken terwijl zijn moeder en de kokkin het avondeten staan te maken. We zijn de hele dag samen geweest, hebben scrabble gespeeld en video's gekeken. Zijn moeder is nu een uurtje thuis, en zijn vader, met wie ik nog geen kennis heb gemaakt, komt over een halfuur thuis van een bijeenkomst.

'Wat is het eigenlijk voor bijeenkomst, waar je vader is?' vraag ik. Tom schudt zijn hoofd en kijkt me heel serieus aan. 'Dat wil je vast niet weten.'

Aha, dan zal het wel een Ku Klux Klan-bijeenkomst zijn, of iets van vergelijkbare stompzinnigheid. Maakt wat mij betreft niet uit. Ik zal ze evengoed vragen of ik bij ze kan intrekken. Als ik eenmaal een verblijfsvergunning heb en bij een goede universiteit ben ingeschreven, kan ik ze alsnog vertellen wat ik van kwezels en racisten vind.

En trouwens, ik moet Tom nog om een nieuwe lening vragen. Zou dit een goed moment zijn?

'Waarom kom je niet bij me op de bank zitten?' vraagt hij met een weerzinwekkende grijns op zijn gezicht. 'Vindt mijn moeder prima, hoor. Die is heel modern in die dingen.'

'O,' zeg ik. Ik blijf liever zitten waar ik zit. Boven die bank hangt een reusachtige kroonluchter die elke keer heen en weer zwaait als er iemand door de kamer loopt, en die helemáál vervaarlijk zwiept als Toms moeder zich met een plof in haar fauteuil laat vallen.

'Mam!' roept Tom, 'je vindt het toch niet erg als Lou bij me op de bank komt zitten?'

'Zolang ik maar zien kan waar het ene lichaam ophoudt en het andere begint,' roept ze lachend terug, hevig geamuseerd door haar eigen spitsvondigheid.

Ik ga bij Tom zitten en hij slaat zijn arm om me heen. Zijn hemd ruikt muf, alsof hij het al tijden niet meer gedragen heeft. Hijzelf ruikt naar een doos gebroken krijtjes.

Ik kan Tom vaak niet uitstaan. Zo ook nu niet. Ik verafschuw zijn 'gezellig bij mam thuis'-houding, vind het sowieso kinderachtig en ergerlijk zoals hij altijd zijn ouders aanprijst, vertelt hoe hard ze voor hun miljoenen hebben moeten werken, hoe zwaar ze het gehad hebben in hun nieuwe vaderland. Maar hij is ontzettend mooi en bij hem voel ik me meer op mijn gemak dan bij de Hardings, en ik bloos ook nog steeds niet. Mijn lichaam voelt zich prettig bij hem, ook al beschouw ik hem ondertussen als een idioot.

'Maar ze vindt het vast niet goed als ik rook,' zeg ik.

'Mam,' roept Tom, 'vind je het erg als Lou rookt?'

'Van mij mag ze erop los paffen, maar dan liever in de oude kinderkamer.'

'Kom,' zegt Tom, 'dan gaan we daarheen.'

De oude kinderkamer ligt achter de keuken. De werkster die hier voor vier dollar per uur het huis schijnt schoon te houden, bewaart er haar emmers en dweilen, en voor de rest wordt er kapotte huisraad neergezet.

De kamer is tot het plafond toe gevuld met dozen en meubelstukken. Tom pakt twee stoelen. 'Ik zit liever op de vloer,' zeg ik.

'Wacht,' zegt hij, 'dan pak ik een kleedje en een kussen voor je.'

De geur van bradend vlees trekt door het vertrek. We zitten schouder aan schouder tegen de muur, onze ademhaling simultaan, en Tom vertelt hoe heerlijk hij het vindt om mij om zich heen te hebben.

Hij grijpt mijn hand en zegt: 'Ik zou elke dag met je wakker willen worden, in je ogen kijken en iets liefs tegen je zeggen.'

'Ik ook,' zeg ik, en ik vraag me af of ik wel voldoende lieve dingen zou kunnen bedenken.

Het is niet van gevaar ontbloot, maar ik ben te nieuwsgierig om het niet te vragen.

'Tom, ben je hier vorig jaar uit een andere staat naartoe gekomen?'

Hij staart naar zijn schoot.

'Ik weet dat je het laatste jaar herhaalt. Het kan me verder geen ruk schelen, maar ik ben gewoon nieuwsgierig.'

Hij pakt plotseling mijn hoofd beet en geeft me een lange, vurige zoen. Hij drukt zijn mond veel te hard op de mijne. Mijn tanden dringen in de binnenkant van mijn lip.

'Hou op,' breng ik uit.

Hij laat me los.

'Over drie weken word ik twintig,' zegt hij.

'Wat ben je toch een leugenaar,' zeg ik.

Hij grijnst. 'Alsof jij je drukt maakt om leugens.'

'Nee,' zeg ik, terwijl ik me afvraag waarom hij nooit verlegen wordt, 'daar heb je gelijk in.'

Hij kijkt me verliefd aan en ik denk dat ik weet wat hij gaat zeggen.

'Lou, ik wil met me trouwen.'

'Sjonge, ik wist dat je dol was op jezelf,' zeg ik om hem te plagen met zijn verspreking.

'Je weet best wat ik bedoel. Ik wil met jóu trouwen. Dan kun je hier blijven.'

Hij voegt dat laatste zinnetje toe alsof het de enige reden voor zijn aanzoek is. Ik wend mijn blik af en pak nog een sigaret. Hij kust mijn gezicht, mijn hals en de rug van mijn handen, als een toneelspeler, en hij wordt opeens zo sentimenteel dat ik hem minder kan uitstaan dan ooit. Walgelijk.

'Daar moet ik wel even over nadenken,' zeg ik, hoewel ik weet dat ik ja zou moeten zeggen.

'Hoe lang dan?' Nu is hij opeens weer kwaad. Typisch Tom, veel te snel blij, en veel te snel kwaad als hij zijn zin niet krijgt.

'Weet ik niet,' zeg ik. 'Een tijdje.'

Maar Tom wil het over ons hebben, over ons huwelijk en hoe we het een tijdje konden aanzien, en dat ik met hem mee zou kunnen naar de oostkust.

Hij praat veel te lang en veel te dwingend, alsof ik achterlijk ben en hij me alles tot in de simpelste details moet uitleggen. Ik geloof niet dat hij ooit vergeefs om iets gezeurd heeft. Hij moest eens weten wat ik nu denk. Ik heb schoon genoeg van zijn monologen, die altijd alleen maar over hemzelf gaan, al doet hij net alsof hij het over ons heeft. Het plezier van mijn omgang met hem begint er razendsnel af te gaan, en het was om te beginnen al geen gezond plezier. Zijn ogen staan glazig, een mengsel van zelfmedelijden en kwaadheid, en ik wil hem zoenen zodat hij in godsnaam weer even zijn kop houdt. Dus kijk ik naar zijn mooie gezicht, verreweg het meest positieve aan hem, en ik dwing mezelf te denken dat hij een goed en verstandig mens is.

'Ik wil niets liever,' zeg ik. 'Ik wil dolgraag met je trouwen.'

Een paar minuten later komt zijn vader thuis en lopen we het kamertje uit om kennis te maken.

'Pap, dit is Lou, mijn vriendin.'

Toms vader trekt zijn colbert uit en zegt: 'Aangenaam, ik ben Gerald.'

Tom neemt het colbert van zijn vader aan en we volgen hem, als kleine kinderen, naar de eetkamer, waar we aan de tafel gaan zitten hoewel het eten nog niet klaar is.

'Zet de tv eens uit, Tom.'

Als Tom terug is uit de zitkamer, richt zijn vader een afstandsbediening op een apparaat achter hem, dat klassieke muziek begint te spelen.

Toms vader is groot en gezet. Zijn armen en benen zijn weliswaar dun, maar zijn nek en buik zijn dik. Hij heeft zulke diepbruine ogen dat ze bijna zwart zijn.

Toms moeder, Betty, komt binnen en vraagt of ik een glas wijn wil. 'Ja, graag,' zeg ik.

Ze begroet Toms vader niet. Ik vraag me af waar de kokkin zal eten. Er is maar gedekt voor vier.

'Wat heeft je voorkeur, rood of wit?'

Ik haal mijn schouders op ten teken dat het me niet uitmaakt en Tom tikt me onder de tafel aan met zijn voet. 'Rood, graag.'

De kokkin begint met opdienen en ik heb mijn glas leeg voor de soep op is. Tom lijkt totaal niet op zijn vader, die kalm en welgemanierd zit te eten. Tom zelf schrokt net zo erg als James. Hij inhaleert zijn eten zowat. Afschuwelijk.

'Wat zijn jullie twee van plan vanavond?' vraagt Toms vader als hij zijn mes en vork even naast zijn bord met lamsbout en groenten heeft neergelegd. Zijn handen liggen nu in zijn schoot, ten teken dat we aan een moment van conversatie toe zijn.

'We gaan naar een feestje,' zegt Tom. 'Hier vlakbij.'

'Heeft Lou haar gastouders wel verteld dat ze laat thuiskomt?'

'Ja,' zeg ik. 'Ze weten dat ik pas om tien uur terug ben.'

Toms moeder tilt het deksel van een schaal met peentjes op. 'Dan hou je weinig tijd over voor dat partijtje. Waarom vraag je ze niet of je vannacht hier mag slapen?'

Ik bloos. 'Daar zullen ze niet veel voor voelen, denk ik.'

Het valt me op dat Toms vader telkens zijn bord ronddraait, tot het eten dat hij aan zijn vork wil prikken op zes uur ligt.

'O, wat jammer,' zegt hij. 'Het zou leuk zijn geweest om je hier aan het ontbijt te zien.'

Ik lach, maar ik schijn de enige te zijn die het grappig vindt.

'Ze zijn nogal streng,' zeg ik. 'Heel anders dan jullie.'

Toms moeder is erg ingenomen met deze constatering.

'Tja, sommige mensen zijn nu eenmaal ouderwetser dan andere.'

Als we aan het dessert zitten, gaat de kokkin naar huis en wordt door niemand gegroet. Ik ben gefascineerd en verbijsterd tegelijk.

Na het eten kan ik mijn oren nauwelijks geloven als Toms moeder zegt dat we gezellig in de 'salon' gaan zitten.

We praten er over school en over Betty's schildercursus. Ik vraag me af of Margaret en zij met elkaar zouden kunnen opschieten, nu ze allebei aan schilderen blijken te doen. Gerald is niet erg spraakzaam. Er ligt een boek op zijn schoot, ter hoogte van zijn kruis, dat hij langzaam ronddraait, tegen de wijzers van de klok in, net als zijn etensbord.

Nadat hij een eeuwigheid lijkt te hebben gezwegen, schraapt Gerald zijn keel. 'Het zou je toch veel beter uitkomen als je vannacht hier sliep, Lou. Als je wilt, bel ik je gastouders wel. Met een beetje overredingskracht mijnerzijds, stemmen ze er vast wel mee in.'

Margaret en Henry zijn meer dan duidelijk geweest op dit punt. Ik mag onder geen beding ergens anders blijven slapen. Doe ik dat wel, dan sturen ze me meteen naar huis. Ik geloof dat weliswaar niet, maar het lijkt me beter om hen niet te tarten (of me door hen te laten tarten – ik weet nooit hoe je daar tegenaan moet kijken).

'Nou, ik vrees dat ze geen duimbreed zouden toegeven,' zeg ik. 'Je weet niet half hoe streng ze zijn. Later thuiskomen dan tien uur is onbespreekbaar.'

‘Wat jammer toch,’ zegt Gerald. ‘We hebben hier zoveel ongebruikte kamers en het zou zo leuk zijn om eens iemand uit een van die deuren te zien komen in de ochtend.’

Mijn zus Erin was veertien toen ze voor het eerst een nacht van huis bleef. Ze kwam op een zondagochtend thuis, net toen ik de woonkamer liep te stofzuigen. Mijn moeder stond in de keuken af te wassen. Erin zag er erbarmelijk uit, een pafferig gezicht met donkerblauwe kringen onder haar ogen. Ze had een veel te grote grijze trui aan, van uitgezakte dunne wol, die ze van een reus leek te hebben gestolen en die scheef om haar in zwarte kousen gestoken dijen hing. ‘Ik ga naar bed,’ zei ze. ‘Niks tegen ma zeggen.’

Ik was verbijsterd. ‘Maar ze heeft de hele nacht opgezeten.’

Erin greep mijn pols en maakte prikkeldraad bij me. ‘Het is nu geen nacht meer, dus dat doet er niet toe. Als je iets zegt, trek ik de haren uit je kop.’

‘Ik ga het wél zeggen,’ zei ik. ‘Je bent nog veel te jong om ’s nachts van huis te blijven en met jongens te rommelen.’

Erin legde haar handen om mijn nek.

‘Als je je bek niet houdt, maak ik je zo bang dat je in je broek schijt.’

Een paar minuten later ging ik de keuken binnen en zei: ‘Ik heb net even in Erins kamer gekeken en ze ligt gewoon te slapen. Ze zal vannacht wel heel stiekem binnen zijn gekomen.’

Mijn moeder deed alsof ze me niet gehoord had en pakte een theedoek om ontbijtresten van de eettafel te vegen. Toen ik me omkeerde om weer naar de kamer te gaan, zei ze tegen het tafelblad: ‘Heb ik niks van gemerkt. Ik ben zeker doof aan het worden.’

Het is halfacht als Tom en ik op het feestje komen, in een zolderappartement. Het is de woning van een studente die ik nog nooit ontmoet heb. Als ze opendoet, geeft ze Tom ter begroeting een lik over zijn gezicht. Ze heeft een kaalgeschoren hoofd en de grootste ogen die ik ooit heb gezien.

Binnen zit een groepje studenten op kussens in een kring. Tom en ik gaan erbij zitten en drinken een tijdje bier. Als ik een beetje aangeschoten raak en me lekker begin te voelen, wordt de muziek harder gezet en presenteert iemand een dienblad met witte hoopjes poeder. Cocaïne of speed, vermoed ik.

Ik kijk op mijn horloge. Het is halftien. Ik heb geen tijd meer om high te worden, maar hunker daar wel naar.

Tom buigt zich naar me toe. 'Trek in een snufje?'

'Nou,' zeg ik.

Hij knipoogt naar me. 'Komt eraan, mevrouw McGahern.'

Het blad gaat de kring rond en ik kijk wat ieder doet. Het kost maar een minuutje om te snuiven en het schijnt niemand kwaad te doen, al lachen ze misschien iets te hard. Als ik nou eens een klein beetje neem, dan word ik vast niet al te high.

Het blad komt bij ons aan en Tom bedient eerst zichzelf. Ik sla hem gade en doe hem vervolgens na. Hij zegt niets om me ervan te weerhouden.

Als ik klaar ben, geeft Tom het blad door aan de volgende en staat dan op om de mededeling te doen dat we gaan trouwen. Ze heffen 'Going to the Chapel' aan en ik lach van harte mee. Maar ik begin me zorgen te maken om de tijd.

En even later ben ik high en wil ik alleen nog maar dansen. 'Vijf minuutjes maar,' zeg ik. 'En dan stap ik op.'

Ik voel me een godin. Ik voel me volmaakt. Ik dans voor al die vreemde mensen en voel geen greintje verlegenheid. En als ik ben uitgedanst, wil ik zingen. Tom doet niets om me tegen te houden, al zou hij dat ook niet kunnen. Hij blijft me mevrouw McGahern noemen en ik weet opeens heel zeker dat ik dolverliefd ben. Ik heb me nog nooit zo gelukkig gevoeld. Als ik dat gevoel nu maar vasthoud, doet niets er meer toe. Ik wil niet meer weg.

Om tien over drie loopt Tom met me mee naar de voordeur. Ik weet zo goed hoe laat het is omdat ik eindeloos naar de groene cijfertjes van zijn digitale horloge heb zitten staren.

'Je kunt eigenlijk maar beter met mij mee naar huis,' zegt hij. 'Ze vermoorden je hier.'

'Welnee,' zeg ik. 'Niks aan de hand.'

'Dat hoop ik dan maar,' zegt hij, en hij omhelst me alsof ik een lange treinreis ga maken. 'Ik wil niet dat je problemen krijgt. Je bent de liefde van mijn leven.'

'Hoe weet je dat nou?' zeg ik. 'Je leven is nog maar net begonnen.'

'Je weet heus wel wat ik bedoel,' zegt hij. Hij beweegt zijn hoofd naar achteren om me in mijn ogen te kunnen kijken. 'Ik weet zeker dat ik nooit meer zo iemand als jij zal leren kennen.'

'Hoe weet je dat dan?'

'Om een heleboel redenen. Je ogen, bijvoorbeeld. Wat heb je toch prachtige ogen.'

'O ja?' zeg ik. 'Nou, ik heb ze niet zelf uitgekozen, hoor.'

Tom laat me los. 'Oké, je bent veel te high om te praten. Ga maar naar binnen. Ik zie je wel bij die generale. Welterusten.'

'Ik voel me heerlijk,' zeg ik.

'Dat weet ik,' zegt hij.

'O, en ik heb twintig dollar nodig.'

'Zie je wel, je houdt alleen maar van mijn geld,' zegt hij, terwijl hij een bundeltje bankbiljetten uit zijn portemonnee pakt.

'Ik hou van jou én van je geld,' zeg ik, en ik begin te giechelen als een idioot.

Ik drentel het huis in en zie Margaret en Henry in de eetkamer aan de tafel zitten, met twee lege ginflessen tussen hen in.

'Hai,' zeg ik. Hebben ze een feestje gehad? 'Het spijt me ontzettend dat ik zo laat ben, maar ik wilde me niet naar huis laten brengen door iemand die te veel gedronken had.'

Henry staat op. 'Florence Bapes is onderweg hiernaartoe en je koffers zijn al gepakt. Het spijt ons, maar je vertrekt vannacht nog. We kunnen niet anders.'

Ik geloof hem niet. Dit moet een grapje zijn. Ik glimlach en overweeg hem een knuffel te geven.

Margaret pakt een van de ginflessen op. 'We hebben je kamer doorzocht en deze onder je matras gevonden. Misschien wílde je wel dat we erachter kwamen. Misschien is dit een schreeuw om hulp. We hopen dat je die hulp krijgt, Lou. Dat hopen we echt.'

Zodra ik doorkrijg dat het ze menens is, word ik razend. Dat gebeurt me altijd als ik op heterdaad betrapt word. Dan raak ik buiten zinnen van woede.

'Ik héb jullie om hulp gevraagd,' zeg ik. 'En jullie hebben me laten barsten!'

Ik laat me op een divan neerploffen en begin te huilen.

'Mag ik nog afscheid nemen van Bridget en James?'

Henry komt naar me toe en gaat op zijn hurken bij de divan zitten. Hij raakt me niet aan, zit daar alleen maar gehurkt, met zijn armen op zijn knieën, alsof een aanraking tegen de regels van de uitwisselingsorganisatie is. 'Nee, het lijkt ons beter als je zonder gedoe vertrekt, ook voor jouzelf.'

'En de musical dan? Die gaat binnenkort al in première. Ik beloof dat ik niet meer uitga en geen druppel meer drink. Het was...'

Margaret beent op me af en slaat me in mijn gezicht.

Ik doe nu meer dan huilen. Ik kronkel en draai en begin te raaskallen alsof ik in een mystieke trance ben geraakt. Erg woest, al kan ik er mezelf niet mee overtuigen.

Ik weet eigenlijk niet waarom ik dit doe, baten zal het me niet echt, maar ik voel me vreselijk melodramatisch en wil zoveel mogelijk aandacht en sympathie. Misschien wil ik de indruk wekken dat ik geen controle heb over de dingen die ik doe. Dat ik het zelf niet ben die zo verdorven is, maar een of andere demon die in me is gevaren.

Misschien wil ik suggereren dat de enig juiste maatregel een duiveluitdrijving zou zijn. Ik rol met maaiende armen heen en weer, val van de divan af en lig vloekend en tierend op de vloer. Margaret en Henry lopen de kamer uit, sluiten gedecideerd de deur achter zich, maar ik blijf doorgaan met brullen en schelden, kruip in het rond en werp mezelf tegen meubels aan. Ik troost me met de wetenschap dat morgen onder de blauwe plekken zit. Ik zal er gehavend uitzien.

Flo Bapes komt binnen met een stapel papieren. Buiten beginnen er al blauwe vegen in de hemel te komen.

Flo wordt vergezeld door twee medewerkers van de organisatie – een lange man en een iets kortere, allebei bebaard. Ik staar ze aan alsof ik volkomen verdwaasd ben. Ze lijken sprekend op elkaar, zoals ze daar staan met hun vrijwel identieke gezichtsbeharing, en ze likken zelfs simultaan langs hun lippen, als een tweeling, alsof ze een geheime liefdesrelatie hebben en elkaars evenbeeld willen zijn.

Ik staar naar de net iets kleinere man, die een bruin trainingspak draagt en zo te zien geen tijd heeft gehad om zijn haar te borstelen. Als ik naar boven ga, zal ik een borstel voor hem pakken.

Ik word naar mijn kamer gestuurd om mijn spullen te pakken – 'eigendommen' is het woord dat Flo gebruikt.

Ze zegt, met een soort verrukking in haar stem: 'Lou, ga jij maar alvast naar je kamer om je eigendommen te pakken, dan doen wij hier het papierwerk.'

Boven ga ik een poosje op de overloop zitten en klop dan bij James op de deur.

Hij is wakker. 'Hai,' zeg ik. 'Het spijt me.' Ik ga op de rand van zijn bed zitten. Hij steekt zijn arm uit om de lamp aan te knippen.

'Doe maar niet,' zeg ik. 'Ik heb mijn ogen uit mijn kop gejankt.' Hij richt zich op en schuift naar de muur om plaats voor me te maken. 'Ik kan niet lang blijven,' zeg ik. 'Ze kunnen elk moment naar boven komen om me te halen.'

James is klaarwakker.

'Ga je vannacht al weg?' vraagt hij.

'Ja. Flo Bapes is er al. Ze doen nu het papierwerk.'

'Ik was in de keuken toen mijn vader en moeder die flessen vonden. Mijn vader heeft op je kamer naar Flo gebeld, met zijn mobiel, maar ik kon alles horen. Ze zeggen dat je alcoholist bent.'

Dat maakt me woedend.

'Ik heb alleen maar gedronken om die repetities aan te kunnen. Dan ben je nog lang geen alcoholist. Alcoholisten drinken al voor het ontbijt en slaan hun hond en hun vrouw.'

James lacht.

'Je rol zal nu wel naar je doublure gaan. Ze is knap saai vergeleken met jou.'

'Dank je,' zeg ik. 'Denk je dat Bridget ook al wakker is? Ik wil van haar ook even afscheid nemen.'

'Die zal wel wakker zijn, ja, want er is hier behoorlijk geschreeuwd. Vannacht heb ik voor het eerst mijn ouders tegen elkaar tekeer horen gaan. Mam denkt dat je ons vanaf het begin gebruikt hebt en pap is het daar helemaal mee oneens. Volgens hem hebben we te weinig aandacht aan je besteed. Hij zei dat we niet genoeg ons best hadden gedaan om je te begrijpen. En daar werd mijn moeder razend om en ze heeft hem de wind van voren gegeven.'

'Wat rot nou,' zeg ik. 'Het spijt me echt. Nou, laat ik Bridget nog maar even gedag gaan zeggen.'

'Doe dat nou maar niet. Bridget staat helemaal aan de kant van mijn moeder en ze heeft me al eerder gezegd dat ze woest op je is. Volgens haar moet je ook geld hebben gestolen om die gin te kunnen kopen. Maar ik ben niet kwaad op je.'

'Dank je,' zeg ik, en ik geef hem een kneepje in zijn hand.

Hij kijkt naar het patroon van zijn deken. 'Kunnen we niet even góed afscheid nemen? Ik voel me zo ellendig. Wil je niet even góed afscheid van me nemen?'

Vuile gluiperd, denk ik.

Hij steekt zijn hand uit naar mijn schouder. Hij wil me omhelzen. En daarna meer.

Ik draag een truitje met een bloes eronder. Ik trek ze allebei omhoog, tot aan mijn kin, zodat hij mijn borsten kan zien. Zijn uitgestoken hand begint te trillen. Ik schuif iets naar achteren, net genoeg om buiten zijn bereik te blijven. Hij kijkt me doordringend aan, met een gezicht dat schoon en gaaf is in het halfdonker, net als die nacht waarin we elkaar achterin het busje lagen aan te staren.

Ik sluit mijn ogen en denk aan Tom terwijl James stilletjes aan de slag gaat onder zijn dekens, alsof hij daar een fietspomp heeft. Als hij begint te kreunen, voel ik me opgewonden, dwaas en smerig tegelijk. Ik sta op. Hij boezemt me weerzin in, maar ik wil hem niet afwijzen. Ik kan hem niet uitstaan, maar ik kan hem ook niet mijn rug toekeren. Wat brengt hij me toch altijd in verwarring.

Onder aan de trap begint Flo te krijsen, zonder eraan te denken dat er misschien mensen liggen te slapen.

'Kom je, Lou? We staan allemaal op je te wachten!'

James houdt op met wat hij doet en pakt me beet. 'Ik wil geen viezerik zijn,' zegt hij. 'Ik wil me niet misdragen. Ik wil alleen maar lief voor je zijn.'

Ik zeg hem dat ik precies weet wat hij bedoelt. Ik zeg dat zuiverheid tussen mensen voor mij ook het hoogste is, en ook het enige wat ik altijd met hem heb gewild. Ik zeg hem dat mijn eigen familie verdorven is, dat mijn ouders en zusters verdorven zijn en dat ik hier alleen maar naartoe ben gekomen om mezelf te zuiveren, en dat ik hen nooit meer wil zien.

Ik zeg hem dat ik anders wilde zijn dan zij, dat ik anders bén, en dat ik daarom ook hier ben. Ik zeg dat ik wou dat we in het geheel geen lichaam hadden. Ik zeg dat ik niet weet hoe ik leven moet.

'Ik ook niet,' zegt hij, en hij knijpt zijn ogen samen om de tranen eruit te duwen, opdat ze me maar zullen opvallen.

Ik buig me over hem heen en kus hem zachtjes op zijn voorhoofd.

Ik zeg hem een wens te doen voor onze toekomst. Ik vraag hem iets zuivers te wensen, iets wat met liefde te maken heeft, en niet met seks.

Hij steekt een hand uit naar mijn borst en ik ga weer zitten om hem zijn gang te laten gaan. Zijn hand glijdt onder mijn bloes, bereikt mijn borst, en hij sluit zijn ogen. Ik beeld mezelf in dat ik het aangenaam vind, omdat ik zou willen dat ik het aangenaam vond.

Flo komt de trap op.

Ik ga met mijn rug tegen James' deur staan leunen, zodat ze hem niet open kan krijgen.

'Heb je een wens gedaan?' vraag ik.

'Ja,' zegt hij. 'Mag ik je zeggen wat?'

'Ja.'

'Ik heb gewenst dat we elkaar weer zullen ontmoeten als ik achttien ben en jij negentien.'

'Dat lijkt mij ook fijn,' lieg ik.

'O, Jezus,' zegt James. 'Ik zal gek worden van het wachten.'

'Dat zou mooi zijn,' zeg ik.

'Vind ik ook,' zegt hij. 'Dag Lou.'

Ik open de deur en Flo pakt me bij mijn elleboog.

'Laat me nog één keer mijn kamer bekijken,' zeg ik.

'Vooruit, maar wel opschieten,' zegt ze.

Als ik zie hoe leeg mijn kamer is, begin ik te snikken. Er ligt alleen nog een stapel brieven met een touwtje eromheen. Het zijn alle brieven en verhalen en toneelstukjes die ik voor de Hardings heb geschreven. De prullenbak ligt vol snoepwikkels en winkelbonnen. Het bed is afgehaald en de kast is leeg. Op het bureau staat een olielamp, met een wit vlammetje dat de kamer zuivert. Ik smijt de deur dicht en loop naar beneden.

Flo Bapes geeft me twee formulieren waar ik mijn handtekening op moet zetten. Margaret ruimt de tafel af, waar ze koffie hebben gedronken. Flo heeft mijn ouders al gebeld.

Ik ben kwaad. 'Krijg ik nog te horen wat er nu gebeurt?'

Ze vertelt me dat mijn ouders haar toestemming hebben gegeven om me bij een nieuw, tijdelijk gastgezin te plaatsen. Zij bepaalt wat er daarna met me gebeurt, houdt ze me voor. Het zal haar beslissing zijn, niet die van Margaret of Henry, en zeker niet de mijne.

'Goed,' zegt Flo, 'dan gaan we nu maar.'

Henry legt een hand om zijn keel en zegt zachtjes: 'Je wordt naar het huis van een tijdelijk gastgezin gebracht, hier niet zover vandaan, en vervolgens ga je...'

'Sorry, Henry, maar hier moet ik je onderbreken,' zegt Flo met haar allergewichtigste stem, bang dat ik te veel aan de weet kom.

'We weten niet precies wat er daarna gebeurt. Het zal deels van Louise afhangen en deels ook van de regels, die ik, zoals je begrijpen zult, nog niet grondig genoeg heb kunnen bestuderen. Het is allemaal snel gegaan en de situatie is bepaald ernstig.'

Henry is nu ook kwaad, omdat hij op zijn nummer is gezet door een onbenul. Hij loopt op me af, geeft me een knipoog en pakt mijn koffers op. 'Ik draag ze even naar de auto voor je, als dat niet tegen de regels is.'

'Dank je,' zeg ik.

Margaret komt niet mee naar de auto. Ze blijft in de deuropening staan, huilend, met een formulier tegen haar borst gedrukt. Ze kijkt me niet aan als ik instap. Henry staat op de stoep en zwaait naar me. Ik zwaai terug zoals de koningin dat doet, en vraag me af of hij daar de wrange grap van inziet.

Deel drie

17

Ik zit met een van de bebaarde mannen op de achterbank van een zwarte auto. Flo zit achter het stuur en de andere bebaarde man zit naast haar. Na een paar straten zegt Flo dat ze me naar Chicago brengt, waar ik in een 'tehuis voor probleemleerlingen' zal verblijven tot er een besluit is genomen over mijn 'toekomst op langere termijn'. Ze vertelt me nogmaals dat ze toestemming van mijn ouders heeft om in de tussentijd 'toezicht' op me te houden.

'Ik dacht dat ik bij een nieuw gastgezin werd ondergebracht,' zeg ik.

'Nee,' zegt Flo, 'je woont voorlopig in een internaat.'

Hoor haar eens genieten.

'Een gevangenis, bedoel je.'

'Nee, jongedame, het is een internaat.'

'Maar dan heb je dus gelogen tegen Margaret en Henry,' zeg ik.

'Die hebben genoeg doorgemaakt,' zegt de bebaarde man naast me.

We stoppen maar één keer voor koffie en iets te eten. Ik neem niets en blijf de hele rit zwijgen, hoewel het begint te sneeuwen en ik dolgraag zou zeggen dat ik nog nooit sneeuw heb gezien en dat ik het prachtig vind.

We stoppen voor een gebouw van drie verdiepingen in een drukke straat in hartje Chicago, pal naast een pizzatent.

Flo haalt mijn koffers uit de kofferbak en neemt op de stoep afscheid van me.

'Ik houd natuurlijk contact met Henry en Margaret,' zegt ze alsof ze van kindsbeen af met ze bevriend is. 'Als je nog iets aan ze kwijt wilt, dan kun je dat op papier zetten en aan mij geven.'

'Ja, best,' zeg ik, en ik hoor er Bridgets stem bij in mijn hoofd.

De twee bebaarde mannen openen de voordeur van het internaat en we gaan drie trappen op naar de kamer waar ik zal slapen. Op weg naar boven komen we door een grote zitkamer met getraliede ramen, waar een stuk of tien tieners rondhangen.

In de kleine, donkere kamer staan twee stapelbedden, een lage kast en één enkele stoel. Het ene raam is ook van tralies voorzien. 'Goed, dan laten we je hier maar achter,' zegt de man met de kortste baard, die in de auto naast me zat.

'Het beste,' zegt de ander.

Ik ga op het onderste matras van een stapelbed zitten. Het is hier koud.

Er komt een medewerkster van het internaat binnen.

'Hallo, mijn naam is Gertie Skipper,' zegt ze. Ze is klein en mager en ze lijkt wel tachtig.

'Hai,' zeg ik.

Ze geeft me een broodje kaas op een wit bord, vertelt me waarom ik hier ben en laat daar de huisregels op volgen. Ik mag alleen onder begeleiding naar buiten. Zij beheert mijn zakgeld. Er zijn wekelijkse uitstapjes naar toeristische attracties en afhankelijk van je geloof kun je eenmaal per week onder begeleiding naar een kerk, synagoge of moskee. Voor de rest zal ik het internaat alleen verlaten voor afspraken met artsen, psychiaters, hulpverleners en, als ik geluk heb, mogelijke nieuwe gastgezinnen. Bedtijd is tien uur en het keukenrooster hangt op het mededelingenbord in de gemeenschappelijke zitkamer beneden.

Gertie komt naast me op het bed zitten en geeft me een klopje op mijn been.

'Je blijft hier tot je naar Sydney wordt teruggestuurd óf in een nieuw gastgezin wordt opgenomen. Wat het uiteindelijk wordt, hangt af van de vooruitgang die je boekt.'

'Vooruitgang waarmee?'

'Tja, noem het maar je heraanpassing. Maar daar hoor je morgen meer over van je hulpverlener.'

De andere internaatbewoners worden een voor een naar mijn kamer gebracht en aan me voorgesteld.

Ze blijven in de deuropening staan, zeggen hallo en gaan weer weg. Ik zit met mijn rug tegen de muur en het bord met het broodje op mijn benen.

Ik deel deze kamer met drie meisjes: Miranda, Rachel en Veronique. Ik krijg later nog wel te horen waarom zij hier zijn beland.

Gertie vertelt me dat zij en de andere medewerkers er zijn om me te helpen en dat ik nu maar even tot mezelf moet komen, mijn broodje moet eten en mijn koffers moet uitpakken.

'En als je klaar bent, kom dan gerust naar beneden, bij de anderen zitten.'

Ze praat erover alsof het een vakantiekamp is.

'Dank je,' zeg ik.

Gertie gaat weg en trekt de deur achter zich dicht.

Ik begin uit te pakken, maar als ik het gevoel krijg dat ik misschien ga janken, houd ik op en ga door het getraliede raam naar de straat eronder staan kijken. Ik realiseer me hoe ik het gemist heb om in een grote, lawaaiige stad te wonen. Als ik hier kon blijven, werd alles misschien wel heel anders.

Ik ga op mijn bed liggen om te slapen, maar dat lukt niet, dus staar ik naar de spiraal boven me en tel de springveren. Ik laat mezelf kouder en kouder worden. Zo blijf ik liggen, urenlang voor mijn gevoel, en denk erover na hoe onecht alles lijkt, tot ik zelfmedelijden krijg omdat ik helemaal alleen in zo'n koude, donkere kamer lig.

Ik sta net op om naar beneden te gaan als er op de deur wordt geklopt. Er komt een lange, magere jongen binnen, met zwart haar tot op zijn schouders.

'Hai,' zegt hij, 'mijn naam is Lisjny. Ik ben van Rusland.'

Hij heeft een opvallende grote neus.

‘Ik ben Lou,’ zeg ik. ‘Ik kom uit Sydney in Australië.’

Hij gaat op mijn bed zitten.

‘Ik kom hier pas twee dagen terug,’ zegt hij. ‘Zal ik jou helpen ontpakken?’

‘Uitpakken bedoel je.’

‘Ja.’

‘Hoeft niet, hoor. Dat kan ik zelf wel.’

Ik ga verder met uitpakken. Hij kijkt naar mijn stapel boeken.

‘Mag ik jouw leesstof zien?’

Zijn moeite met de Engelse taal heeft iets gemaakts. Is hij hier om me te bespieden, om te zien of ik al berouw heb?

‘Ga je gang,’ zeg ik.

Hij spreidt al mijn boeken uit over de vloer en graait erdoorheen alsof hij uitgehongerd is en het geen boeken zijn maar broden.

Ik ga met mijn rug tegen het raam staan en sla mijn armen over elkaar. ‘Wat lees je zelf?’ vraag ik.

Hij bladert een van mijn boeken door en geeft geen antwoord.

‘Van welke boeken hou jij zelf?’ vraag ik.

Hij kijkt verstoord naar me op. ‘Dit is een banale vraag.’

Dat vind ik eigenlijk ook wel.

‘Dat vind ik ook,’ zeg ik. ‘Je hebt gelijk.’

Hij glimlacht. Wat een charmante glimlach heeft hij. Ik glimlach terug.

Hij wijst op het omslag van mijn verhalenbundel van Gogol.

‘Dit is de minderwaardigste vertaling van Gogol die ik ooit heb gadegeslagen,’ zegt hij.

‘Werkelijk?’

Ik weet nu zeker dat zijn steenkoolengels nep is, en ik vermoed dat hij dit op zijn beurt aan me merkt, maar ik wil niet dat hij ermee ophoudt. Ik word vrolijk van dat rare taaltje, wat misschien ook wel zijn bedoeling is.

‘Jazeker, het is vol afgrijzen.’

‘Aha,’ zeg ik met een grijns die hem duidelijk zal maken dat ik hem doorheb.

Hij bladert het boek door en zit daar in het Russisch bij te foeteren.

Ik tik met mijn schoenpunt tegen zijn rug.

'Wat?' zegt hij. 'Zie jij niet dat ik mij bezighoud?'

Ik glimlach naar hem. Hij glimlacht terug.

'Vertel eens, grote talenkenner,' zeg ik, 'wat is er dan zo slecht aan?'

'Als jij gaat zitten, zal ik jou uiteenleggen.'

Ik ga zitten. 'Leg uit.'

'Goed, als jij zo'n minnares bent van deze gekke Russische odeur.'

'Het is niet minnares maar liefhebster,' zeg ik. 'En het is geen odeur maar auteur.'

'Het is wél odeur. Hij stinkt.'

We schieten allebei langdurig in de lach.

'Geef nou maar toe dat je perfect Engels spreekt,' zeg ik. 'Dat sukkelige taaltje is gewoon aanstellerij.' Mijn stem klinkt gespannen. Ik wou dat ik kon zwijgen, maar ik ben niet zo bedreven in de kunst van het zwijgen. Laat ik zwijgen maar eens op de lijst van dingen zetten waarin ik beter moet worden.

'Daar zou je best eens gelijk in kunnen hebben,' zegt hij.

Ik pak een kussen van het stapelbed en sla hem ermee op zijn hoofd.

'Niet slaan! Ik ben sukkelig!' zegt hij. Hij pakt een ander kussen en slaat terug. 'Ik ben nog nooit sukkelig geweest!'

Als we klaar zijn met ons kussengevecht, gaan we ieder op een onderbed zitten en slaan de dekens om ons heen, waarna Lisjny me uitlegt waarom de vertaling van Gogol niet deugt. Hij zegt dat er geen recht wordt gedaan aan Gogols ironie.

'Ik ga mijn eigen Gogol wel even halen,' zegt hij. 'Dan kan ik je laten zien wat ik bedoel.'

Het duurt een eeuwigheid eer hij terugkomt. En als het zover is, heeft hij behalve zijn Russische Gogol twee reusachtige stukken chocoladecake bij zich. Er zit een veeg chocolade op de punt van zijn neus.

'Dank je,' zeg ik. 'Ik begon vreselijke honger te krijgen.'

'Ze vieren een feestje beneden. Gertie is vandaag zestig geworden. Wil je daar niet liever naartoe?'

Ik hoor blikkige muziek van beneden komen – zoals muziek klinkt als er een oud cassettebandje wordt afgespeeld. Iemand zegt iets en er wordt gelachen, maar het klinkt allemaal mat en vervelend. Ik haat grote gezelschappen.

'Nee,' zeg ik. 'Ik blijf liever hier.'

'Ik ook.'

We eten de cake met onze vingers en praten over boeken. Wat een opluchting om eens met iemand te praten die niet zwakzinnig is.

Gertie komt naar boven om te zien hoe het met me gaat. Ze staat in de deuropening met een klembord en zegt dat ik straks naar beneden moet komen voor het avondeten, en om wat papieren te tekenen en mijn intake-gesprek te voeren.

Ik bedank haar en ze vertrekt weer.

Als ze weg is, vertelt Lisjny me dat dit zogenaamde internaat niets meer of minder is dan een gevangenis, en dat de begeleiders in feite cipiers zijn. De leiding berust maar voor een deel bij de uitwisselingsorganisatie. De immigratiedienst en de politie maken veel meer de dienst uit.

'Ze zeggen dat er tralies voor de ramen en sloten op de deuren zitten om te voorkomen dat we onszelf iets aandoen, maar de bedoeling is gewoon dat we niet ontsnappen om een plekje voor onszelf te zoeken in dit zogenaamde land van de vrijheid.'

Het begint donker te worden, maar we laten het licht uit.

Lisjny stapt over naar mijn bed en we praten verder tot het te koud is om stil te blijven zitten.

'Ik wil nu toch wel naar beneden,' zeg ik. 'Het is hier niet te harden van de kou.'

'Het hele huis is steenkoud. Een ijsbeer zou zich nog beklagen.'

We lachen.

'Waarom ben jij hier eigenlijk?' vraag ik.

'Daar mag ik niet over praten,' zegt hij. 'Ik word ondervraagd door de politie en heb ondertussen een spreekverbod.'

'O.'

'En jij? Wat heb jij misdaan?'

'Te veel gedronken,' zeg ik.

'Dan hoor je alleen maar de hik te krijgen, geen celstraf.'

We gaan naar de gemeenschappelijke zitkamer waar de anderen tv-kijken of bordspelletjes spelen. Er staan twee banken, vier leunstoelen en een kleine vierkante tafel.

In de hoek staat een kerstboom zijn naalden te verliezen. Op het raam erachter kleven sneeuwvlokken alsof iemand er broodkruimels overheen heeft gestrooid.

Lisjny en ik gaan aan het uiteinde van een bank zitten. Een van de andere bewoners zit op de vloer bij de kachel. Hij heeft een broekspijp opgerold tot aan de knie en houdt zijn blote onderbeen in de warme gloed. Hij krabt tot bloedens toe aan zijn scheen, die overdekt is met korsten. Het bloed sijpelt in zijn sok.

'Kunnen ze hem daar niets voor geven?' vraag ik zachtjes. 'Hij zit onder de zweren.'

'Misschien heeft hij wel iets gekregen maar wil hij het niet gebruiken.'

We praten verder tot de etensbel gaat, waarna we aan de keukentafel gaan zitten en stamppot krijgen opgediend. Gertie en een andere bewaker, Phillip Tanzey (een student geneeskunde die hier parttime werkt) eten met ons mee. De andere bewoners praten over de sneeuw en popzangers en filmsterren, over de uitstapjes die ze gemaakt hebben en andere plekken in Chicago die ze nog willen zien. Niemand heeft het over opsluiting en de wens om vrij te zijn.

'Hoe groot is het percentage geïnterneerden dat uiteindelijk naar huis wordt gestuurd?' vraag ik.

Phillip legt zijn vork en mes neer en veegt zijn handen af met een servet.

'Je bent geen geïnterneerde en ik weet niet hoe groot dat percentage is,' zegt hij, 'maar het zal meer dan de helft zijn. De meesten wíllen trouwens naar huis, om allerlei redenen.'

Gertie glimlacht naar me.

'Maak je geen zorgen,' zegt ze. 'Het is nog vroeg dag voor jou. Wen voorlopig eerst maar aan het leven hier, dan zien we wel waar het schip strandt.'

'Zien waar het schip strandt. Rare uitdrukking is dat eigenlijk,' zeg ik. 'Zelf gebruik ik nooit zulke clichés.'

'Ik ook niet,' zegt Lisjny. 'Ik mijd ze als de pest.'

Ik glimlach naar hem, ben kennelijk de enige die zijn grapje begrijpt. Hij glimlacht terug.

Een van de andere bewoners, Mike uit Engeland, begint met zijn mond vol te praten.

'Weet je al van het puntensysteem hier?' vraagt hij aan mij.

'Nee.'

'Nou, je begint met zestig punten, en daar gaan er steeds twee vanaf als je vloekt, of brutaal bent, of een maaltijd mist, je bed niet opmaakt of praat nadat het licht is uitgedraaid.'

Phillip veegt opnieuw zijn handen af.

'Zo simpel is het niet, Mike, en dat weet je best. We hebben het hier na het eten nog wel over, Lou.'

Hoeveel punten zou ik al kwijt zijn?

Na het eten blijf ik in de keuken achter bij Gertie en Phillip. Ze doen de deur dicht en nemen punt voor punt het introductieprogramma met me door. Aan het eind van deze preek vraagt Gertie me een papier te ondertekenen – een bereidverklaring om terug te keren als er geen nieuw gastgezin wordt gevonden. Terwijl ik mijn handtekening zet, vraag ik me af hoe groot mijn kans is om tussentijds te ontsnappen.

Lisjny en ik zitten op de vloer achter een bank, onder dekens die hij van zijn bed heeft gehaald.

Er zijn vanavond drie cipiers in huis. Een van hen, Lily Beesman, die na het eten is gekomen, komt naar ons toe om een praatje met me te maken.

'Hallo, ik ben Lily.'

'Hai,' zeg ik.

We geven elkaar een hand.

'Het is eigenlijk niet de bedoeling dat je op de vloer gaat zitten,' zegt ze nadat ze bij ons is neergehurkt. 'Zo lopen jullie nog een blaasontsteking op. Ga lekker op de bank zitten!'

Lisjny heeft me al verteld dat Lily vroeger kleuterjuf is geweest. Ze beweert vergrote knieschijven te hebben na alle jaren waarin ze op haar hurken moest zitten om haar kleintjes toe te spreken. Haar lange, tailleloze lichaam is ruwweg verdeeld in drie segmenten, met een eigenaardige bolling in het midden. Ze ziet eruit als een reusachtige vinger.

'Waarom is het zo bezwaarlijk dat we hier zitten?' vraag ik.

'Ach, het valt ook wel mee,' zegt ze. Ze staat op en klopt het stof van haar gezwollen knieën.

Lisjny en ik blijven de rest van de avond zitten praten en lachen. Hij vertelt me dat hij nog maar net zestien is en twee maanden geleden een schaaktoernooi in Seattle heeft gewonnen. Hij wil GM worden, zegt hij.

'Wat is een GM?' vraag ik.

'Een grootmeester. Op mijn veertiende heb ik de halve finale gehaald in Soedak, op de Krim. Ik verloor omdat mijn eindspel knudde is. Als ik terug ben, ga ik aan mijn eindspel werken.'

Ik vraag me af hoe het leven is waar hij woont, en of ik met hem mee zou kunnen.

Het is mijn tweede dag. Ik heb vannacht geen oog dichtgedaan en kon het licht niet aandoen om te lezen. De deur van de grote zitkamer zat op slot, dus kon ik daar ook geen tv-kijken.

De andere bewoners zijn allemaal naar de film, onder begeleiding van Phillip en Lily. Ik moest in huis blijven omdat ik om drie uur een gesprek heb met Rennie Parmenter, de hulpverlener.

Ik heb maagpijn en loop de trap af om Gertie op te zoeken.

Ze staat in de keuken op een omgekeerde krat aan het aanrecht. Ze draagt haar horloge om de mouw van haar wollen vest.

'Heb je misschien een pijnstiller voor me?' vraag ik.

'Heb je hoofdpijn?'

'Nee, kramp.' Ze gaat me voor naar haar kamer op dezelfde verdieping als de keuken en de zitkamer.

'Ga zitten,' zegt ze, en ik ga op haar eenpersoonsbed zitten.

Ze doet de deur dicht en ik word bevangen door een bedroefde vermoeidheid, een verlangen om onder haar gebloemde dekbed te kruipen, mezelf onder te dompelen in haar lavendelgeur en in slaap te vallen terwijl ze een verhaaltje voorleest.

Ze legt haar handje op mijn schouder. Het voelt aan als een warmwaterkruik. Ongelofelijk, zoveel warmte als haar oude lichaam voortbrengt.

'Wat voor kramp is het precies?'

Ik kijk naar haar ogen en realiseer me dat ik ze nog niet eerder heb bekeken. Zoals ik eigenlijk nooit goed naar ogen kijk. Het wordt tijd dat ik aandacht leer besteden aan de details van iemands gezicht. Ik kan me niet eens herinneren wat de kleur van Margarets ogen was. Dat zou ik toch moeten weten. Als ik beter op dit soort dingen had gelet, had ik me misschien ook beter gevoeld en was dit alles niet gebeurd.

Dus kijk ik in Gerties ogen, en zij kijkt in de mijne, en ik krijg een rilling alsof ik als een wortel uit de grond word getrokken. Wat ik voel staat opeens los van wat ik denk. Ik denk dat ze oud en seniel is, en dat ik haar niet mag, maar ik voel een verlangen om door haar omarmd te worden.

'Ik weet niet,' zeg ik. 'Gewoon kramp.'

Ze pakt mijn hand. 'Moet je ongesteld worden?'

Ik wil iets sarcastisch zeggen over het woord ongesteld, maar doe dat niet. Ik wil aardig zijn. Ik ben benieuwd hoe het voelt als ik anders reageer, en ik wil het op Gertie uitproberen.

'Nee,' zeg ik. 'Het zijn steken in mijn zij, alsof iemand me met een mes bewerkt. Ik krijg ze altijd als ik slecht geslapen heb, en ik slaap bijna altijd slecht.'

'Oké,' zegt ze, 'maar schroom niet het me te zeggen als je daarbeneden last hebt. Dat zou heel normaal zijn voor een tienermeisje.'

Ik glimlach naar haar in plaats van een gemene opmerking te maken, en zij knijpt in mijn hand, en dan slaat ze een arm om me heen en krijg ik een weldadig verdoofd gevoel. Misschien alleen maar omdat het hier warmer is dan in de rest van het huis.

'Zou ik even op je bed mogen liggen?' vraag ik.

Het zal ongetwijfeld tegen de regels zijn om je zelfs maar in haar kamer te bevinden, laat staan dat je in haar bed mag slapen.

'Nou vooruit,' zegt ze. 'Voor één keertje dan.'

Gertie maakt me wakker met een kopje verse thee, en ik voel me volkomen verkwikt. Ik heb in geen maanden zo lekker geslapen.

'Tijd om op te staan. Rennie is hier voor jullie gesprek.'

Het is net alsof dat dutje een beloning was omdat ik aardig tegen haar ben geweest, me voorbeeldig heb gedragen. En misschien gaat het ook wel zo in dit leven.

'Wat fijn dat ik hier even mocht slapen,' zeg ik. 'Heel erg bedankt.'

Ze knikt en gaat op het voeteneinde zitten.

'Ik weet dat je al vriendschap hebt gesloten met Lisjny,' zegt ze. 'Maar je zou er goed aan doen om de anderen ook te leren kennen. Lisjny zal hier niet lang meer blijven.'

'Waarom niet?' vraag ik. 'Wat heeft hij eigenlijk verkeerd gedaan?'

'Dat moet hij je zelf maar vertellen. Het lijkt me gewoon geen goed idee als jullie te veel aan elkaar gehecht raken.'

'Weet hij zelf wel dat hij binnenkort weg moet?'

'Natuurlijk weet hij dat. Kijk, wij zijn heus niet de barbaren waar hij ons zo graag voor uitmaakt, hoor.'

'Maar waarom kan hij dan niet zeggen waarom hij hier zit?'

Gertie slaakt een zucht.

'Dat kan hij wél. Niets of niemand houdt hem tegen. Misschien wíl hij het gewoon niet zeggen.'

Rennie Parmenter zit op me te wachten in de consultatieruimte, een kamertje op de bovenste verdieping. Het heeft geen raam, een kleine ronde tafel in het midden, twee stoelen en een kacheltje. Op de vloer staat een doos tissues. Rennie is een schriel mannetje met vettig rood haar. Hij draagt een wijde wollen trui met een v-hals, zonder T-shirt eronder.

Als ik ga zitten, staat hij op en gooit met een klap de deur dicht.

'Oeps, sorry,' zegt hij. 'Dat was de tocht. Er zal wel weer een sneeuwstorm woeden.'

Ik vraag me af of er al veel sneeuw ligt en of ik nog naar buiten mag om erin rond te lopen. Dat heb ik nog nooit gedaan. Dit wordt mijn eerste witte kerst.

Rennie heft een betoog aan dat zich uren lijkt voort te slepen. Hij heeft een protserige manier van spreken.

Als ik zeg: 'Wat gebruik jij een dure woorden,' heeft hij niet door dat ik sarcastisch ben en zegt: 'Tja, mijn liefste schat is mijn woordenschat, zeg ik altijd. Maar ook jij kunt je goed leren uitdrukken, geloof me. Het begint allemaal met een positief zelfbeeld, en daar kun je aan werken, als je echt wilt.'

'Ik hoop het,' zeg ik.

Hij vertelt me zijn complete levensverhaal en laat er een massa zinloze informatie op volgen. Hij zegt dat hij elke dinsdag en donderdag op het internaat is en nooit een lunchpauze neemt. Dat laatste verklaart misschien waarom hij zo uit zijn bek stinkt. Hij heeft de adem van een iemand die nooit goed eet.

'Goh,' zeg ik.

Rennie loopt over van de goede maar o zo onnozele bedoelingen. Als hij eindelijk over zichzelf is uitgepraat, vindt hij het tijd voor een 'goed tweegesprek'.

Hij buigt zich naar me toe en stelt voor een 'route uit te stippelen' voor mijn 'nieuwe reis'.

'Kijk,' zegt hij, 'wat ik me afvraag is dit. Hoe heeft die mooie jonge Louise met haar hoge IQ zich zo in de nesten kunnen werken? Hoe kon een talentvol zestienjarig meisje een alcoholiste worden?'

Hoe heeft zo'n zwamneus hulpverlener kunnen worden? Hoe imbeciel moet je zijn om te denken er altijd een rationele verklaring is voor wat mensen doen? Waar haalt hij het idiote idee vandaan dat afwijkend gedrag tot in details kan worden uitgeplozen? Het is zo simpel. Ik had om de een of andere reden het gevoel dat ik waardeloos was, en toen ben ik gaan drinken om mezelf een beetje beter te voelen, ook al wist ik dat ik daarmee mijn kans op een nieuw leven kon vergooien. Waarom is dat zo moeilijk te begrijpen?

Ik zou hem het liefst tegen zijn schenen trappen, maar in plaats daarvan maak ik alles wat er gebeurd is tot een overzichtelijk verhaal met een begin, midden en eind, gelardeerd met allerlei redenen voor mijn doen en laten. Hij hoort me tevreden aan, vooral op de momenten waar ik mijn gedrag verklaar uit een diepe behoefte aan waardering en erkenning.

Ik waak ervoor om anderen ergens de schuld van te geven, ben een en al zelfverwijt, maar tegen het eind maak ik toch de fout om op te merken dat Margaret een bazig karakter heeft en dat het huishouden beheerst werd door allerlei regeltjes, en dat dit me misschien gesterkt heeft in mijn negatieve gedrag.

Hij aarzelt geen moment en grijpt dit slippertje aan voor een act die Lisjny me al beschreven heeft: Rennies beroemde 'Met hoevelen zijn we hier?'-nummer.

'Oké, Louise,' zegt hij. 'Je zit dus danig in de problemen. Zullen we eens een logische analyse van oorzaak en gevolg maken?'

Dit is zo bespottelijk dat ik me afvraag of ik hem misschien toch niet beter een trap had kunnen geven.

'Graag,' zeg ik.

Hij staat van zijn stoel op en opent de deur.

'Ik hoor Gertie beneden in de keuken scharrelen,' zegt hij met een wuivend gebaar in die richting. 'Is het háár schuld dat je in de knoei zit?'

'Nee,' zeg ik, 'haar schuld is het niet.'

Hij sluit de deur en gaat weer zitten. 'Oké. Is het dan misschien míjn schuld?' Hij legt er zijn gekruiste handen bij op zijn borst, alsof hij Jezus is die een apostel beleert.

'Nee, jouw schuld is het ook niet,' zeg ik.

'Goed. Oké. Hoeveel personen zitten er nog meer aan deze tafel, Louise?'

'Er zit verder nog maar één persoon aan deze tafel.'

'Correct!' zegt hij, en hij wipt van pure geestdrift van zijn stoel op. 'En is die persoon Louise Connor?'

'Dat klopt.'

'En is zíj iemand die met een beschuldigende vinger naar anderen wijst als ze zelf iets verkeerds heeft gedaan?'

'Nee, zo iemand is ze niet.'

Hij knikt plechtig, en slikt iets door – ik weet niet wat, maar voedsel is het niet.

'Ben je dan bereid om aan te nemen dat je alles alleen maar aan jezelf hebt te wijten?'

Hij buigt zich verder dan ooit over de tafel. Zijn gezicht komt te dicht bij het mijne, een benauwende en onwelriekende ervaring. Ik schuif steels naar achteren op mijn stoel om aan hem te ontkomen. Onkundig van de walging die zijn adem bij me wekt, handhaaft hij zijn vooruitgebogen houding en veegt met de mouw van zijn slobbertrui over het tafelblad – alsof hij me te kennen geeft dat ik ruggelings op de tafel moet gaan liggen, bij voorkeur naakt, om me aan een dubieus onderzoek te onderwerpen.

'Ja, Louise, ben je daartoe bereid? Ben je bereid tot een volwassen aanvaarding van de verantwoordelijkheid voor je eigen handelen?'

'Ja, dat ben ik,' zeg ik, Lisjny's waarschuwing indachtig dat dit de enige manier is om een eind aan het gesprek te maken.

Rennie staat op. 'Dan hebben we volgens mij nu een basis om werkelijke vooruitgang te boeken.'

Hij loopt om de tafel heen, komt bij me staan en legt zijn hand op mijn hoofd als een amateur-priester die iemand probeert te zegenen.

'Stel je het misschien op prijs als ik je nu alleen laat om dit gesprek nog even op je te laten inwerken?'

'Ja,' zeg ik. 'Heel, heel hartelijk bedankt.'

18

Het is de middag van mijn derde dag. De anderen maken hun tweede uitstapje van de week, wat volgens Gertie hoogst ongebruikelijk is, maar de kersttijd nadert en dan kan het geen kwaad om 'iets opbeurends' te doen. Ik kon niet mee, want ik had vanochtend mijn eerste gesprek met een psychiater.

Haar naam is dokter Trevor. Ze heeft me een recept voor slaappillen gegeven en ik kreeg haar zelfs zover dat ze me er direct twee gaf uit het monsterdoosje op haar bureau. Ik heb ze meteen na het gesprek ingenomen en ben nu pas weer wakker. Ik voel me loom.

Ik schrijf een brief aan Henry en Margaret. Ik schrijf als een robot, denk nauwelijks na over wat ik op papier zet. Ik bezweer ze talloze malen dat ik spijt heb en dat ik ze mis en dat ik ze om vergiffenis vraag. Ik heb geen idee of ik er iets van meen, weet alleen maar dat ik graag een ander mens was geweest en wou dat zij ook andere mensen waren geweest. Ik vraag ze me terug te nemen. Ik vertel ze dat ik niet terug naar huis wil. Ik vertel ze dat ik mijn zussen nu nooit meer onder ogen kan komen.

Als ik klaar ben met die brief, komt het idee bij me op om mijn moeder te bellen, maar ik moet er niet aan denken dat Erin of Leona opneemt. Wat zouden ze me jennen met mijn afgang.

Misschien moet ik Gertie vragen of ik even naar buiten mag om een kaart voor mijn moeder te kopen. Is ze dol op, vooral op die Hallmark-kaarten met een gedrukte boodschap. Daar reageert ze altijd op alsof ze speciaal voor haar gemaakt zijn, zelfs al schrijf je er alleen 'liefs, Lou' bij. Geeft niet, ik wil haar iets sturen.

Het loopt tegen vieren. Ik ga naar de badkamer om te douchen, snak naar warm water. Maar de boiler is leeg.

We mogen hier om de dag een douche nemen, dus ik kan het morgen waarschijnlijk ook vergeten. Ik pak mijn handdoek van zijn haakje. Hij is na twee dagen nog steeds klam.

Ik ga naar de keuken. Gertie zit aan de tafel te breien en ik ga bij haar zitten. Ik vraag waarom een van de bedden boven is afgehaald en krijg te horen dat Greta vanochtend is vertrokken terwijl ik bij dokter Trevor was. Ik heb Greta gisteravond pas voor het eerst ontmoet. Ze had een opvallend harde lach.

'Waarom zat ze hier?'

'Ze was niet helemaal in orde.'

'O, mij leek ze perfect in orde. Ze heeft de hele avond zitten gillen van het lachen.'

'Heeft ze je verteld dat ze haar naam heeft veranderd, van Greta Le Paige in Kwark met Klonten?'

Gertie probeert haar gezicht in de plooi te houden maar schiet toch in de lach. Ik lach met haar mee.

'Ach, misschien was ze een beetje excentriek,' zeg ik.

'Dat kun je wel zeggen, ja. Ze is op een dag zonder kleren aan naar school gefietst.'

'Wauw,' zeg ik geïmponeerd. Ik had het waarschijnlijk wel kunnen vinden met Greta.

Ik blijf nog een uur met Gertie zitten praten, tot ze zegt: 'Ik moet maar eens met koken gaan beginnen. Wegwezen jij.'

'Zal ik je helpen?'

'Nee, ga maar naar bed. Je ziet er hondsmoe uit.'

Ik hou er niet van als mensen zeggen dat ik er moe uitzie, vooral niet als ik er moe uitzie.

'Oké,' zeg ik. 'Dank je.'

Ik loop naar de grote zitkamer en zet de tv aan, maar er is niks fatsoenlijks, tenzij je van zoetsappige onzin over engelen, stompzinnig geweld of evangelische hersenspoelerij houdt. Het is weinig gerieflijk, hier in die zitkamer, maar als ik nóg meer tijd op mijn bed doorbreng, krijg ik doorgelegen plekken. Ik begin al een doof gevoel in mijn ledematen te krijgen.

Het ergste aan dit huis, afgezien van de kou, vind ik de muurschilderingen die twee wanden van de zitkamer in beslag nemen. Door de jaren heen hebben bewoners weemakend lieflijke tafereeltjes van bergen en weiden vol paarden en margrietjes op die wanden gekalkt. Het doet me denken aan het plaatje van de mormonenhemel, dat Yvonne me toen liet zien. Misschien moet ik trouwens eens op zoek naar Yvonne. Misschien zouden haar ouders zich over me willen ontfermen. Die mogelijkheid lijkt me de moeite van het onderzoeken waard. Ik zou dan wel in een mormoons gezin moeten leven, maar ik had ook Yvonne weer terug.

Die slaappillen zijn echt een uitkomst. Ik ben ontspannen, voel me veel helderder dan anders en ben ervan overtuigd dat ik hoe dan ook een manier zal vinden om te kunnen blijven.

Ik zit aan de tafel een debiel modeblaadje door te bladeren (van het soort waar meisjes dol op horen te zijn). Ik zet de radio aan, maar ze draaien een country & western-nummer, gevolgd door een autoreclame. Vijf vervelende minuten later zijn mijn vingers zo koud dat er helemáál geen kachel in deze barre kamer lijkt te branden.

Net als ik weer naar mijn slaapkamer wil gaan, komen de anderen terug van hun uitje. Lisjny komt op me af, trekt me omhoog van mijn stoel en omhelst me. Niemand kijkt ervan op. Waarschijnlijk omdat de meesten hier wel iets met een van de anderen hebben, ook al is het ten strengste verboden dat jongens een meisjeskamer betreden en vice versa. Lily is de enige medewerkster die zich daar druk om lijkt te maken.

Lisjny vertelt me wat hij van Chicago vindt.

'Ik zou hier dolgraag willen wonen,' zegt hij. 'En dat is misschien ook wel mogelijk.'

Dat laatste zal ik maar niet zo serieus nemen.

'Maar waarom heeft jouw gastgezin je er nou uitgegooid?'

vraag ik. 'Gertie zegt dat het je vrijstaat om dat te vertellen.'

'Dat liegt ze niet. Ik kan het je inderdaad vertellen, maar dat wil ik nog niet. Kun je nog een paar dagen wachten?'

'Oké,' zeg ik.

Om zeven uur gaat de etensbel. Gertie zegt dat we vanavond ons bord op schoot mogen nemen in de zitkamer. Ieder krijgt een kom soep en ze zet een schaal met wel honderd gesmeerde boterhammen op de tafel. Lisjny en ik nemen ieder vier boterhammen en kruipen ermee achter de bank, met onze dekens om ons heen. In tegenstelling tot Lily maakt Gertie er geen punt van.

'Pompoensoep,' zegt ze tegen ons. 'Lekker warm.'

We klemmen onze koude handen om onze kom en bedanken haar.

'Graag gedaan,' zegt ze, met een knipoog naar mij.

Ik knipoog terug en voel me gelukkig.

Gertie slaat haar hand voor haar mond. 'O, dat vergeet ik helemaal. Er is voor je gebeld.'

'Door wie?'

'Ene Tom. Hij zou het morgen opnieuw proberen.'

'Dank je wel.'

Ik heb geen enkele behoefte om met Tom te spreken. Maar als ik die deur op een kier wil houden, zal ik wel moeten.

Na het eten spelen Lisjny en ik een potje schaak. Hij slacht me af en zegt: 'Ik durf te wedden dat niemand jou ooit zo gemakkelijk van het bord heeft geveegd.'

'Verwaande kwast,' zeg ik.

'Nee, jij bent verwaand als je dacht dat je me misschien wel aankon.'

'Lazer op, lul.'

'Lazer zelf op, trut.'

En zo gaan we een poosje door. Het is echt gekibbel, maar wel leuk gekibbel. Ik heb nog nooit leuk met iemand gekibbeld. Als we zijn uitgeruzied, lachen we en pakt hij mijn handen beet.

'Mijn complimenten,' zegt hij. 'Je hebt een prachtige stijl van spelen.'

'Dank je.'

Gertie staat in de keuken af te wassen met de twee bewoners die vanavond afwasdienst hebben en Lily komt een kijkje achter de bank nemen om te zien of we het nog een beetje netjes houden.

'Ik heb altijd al schaak willen leren spelen,' zegt ze. 'Dammen en dat soort spelletjes vind ik ook enig.'

Ik kan een glimlach niet onderdrukken, maar kijk haar vriendelijk aan. Ik zeg: 'Ik zal het je leren. Morgen misschien.'

Lisjny en ik besluiten naar mijn kamer te gaan. Ik ga vooruit, hij volgt zo'n twintig minuten later.

We gaan op aparte bedden zitten, voor het geval dat Lily komt binnenstormen. Als we een tijdje hebben zitten lezen en praten, gaat Lisjny naar zijn kamer en komt terug met een paar wanten.

'Trek deze eens aan en probeer dan je veters te strikken.'

'Waarom?'

'Zo kun je weer voelen hoe het was om een klein kind te zijn.'

'Oké.' Ik trek mijn schoenen aan en probeer met de wanten aan mijn veters vast te maken. 'Je hebt gelijk,' zeg ik. 'Ik voel me volslagen hulpeloos.'

'Boeiend, hè?'

Wat ik zou willen zeggen is dat ik nog nooit zo'n interessante persoonlijkheid heb ontmoet als hij.

'Nou. Maar ik dacht dat je zou proberen me omver te duwen of zo.'

'Wil je dat dan?'

'Ja, graag.'

Hij duwt me omver en we vallen lachend op het bed. Ik trek zijn T-shirt uit en hij trekt mijn hemd omhoog.

Lily komt zonder te kloppen de kamer binnen.

'Jullie weten dat hier geen jongens mogen komen,' zegt ze.

'Sorry,' zeg ik.

Het spijt me dat we haar aan het blozen hebben gemaakt. Ik sta op.

'Neem ons niet kwalijk. We stoeiden maar wat, hoor.'

'Jullie zijn net twee kleine kinderen,' zegt ze.

Lisjny knikt plechtig.

'Je hebt volkomen gelijk,' zeg ik.

'En zo ís het natuurlijk ook,' zegt Lisjny. 'We zijn nog maar kinderen.'

'Hoe dan ook,' zegt ze, 'het is tijd om te slapen. Het licht gaat uit.'

Gertie komt na het ontbijt naar mijn kamer en vraagt of ik mee wil naar het ziekenhuis, waar ze op bezoek gaat bij een meisje uit het internaat.

'Ze heeft hier tot vorige week gewoond. Ze lijdt aan anorexia, en ze zal nu snel moeten gaan eten, anders gaat ze dood.'

Zou dit een geheime test zijn, een onderdeel van mijn heraanpassing?

'Natuurlijk wil ik mee,' zeg ik. Het doet me aan Miranda denken, een van mijn kamergenotes, die ook aan anorexia lijdt.

'Hoe zit het met Miranda? Moet die ook naar het ziekenhuis als ze niet normaal gaat eten?'

'Misschien, maar dit meisje is er veel erger aan toe.'

We nemen een taxi helemaal naar de andere kant van de stad. Daar aangekomen blijkt Gertie de bezoektijden verkeerd genoteerd te hebben. We zijn drie uur te vroeg. Ik vraag me af of dit ook deel uitmaakt van een geheime test.

'Waar zou jij naartoe willen?' vraagt Gertie.

Ik zou naar een bar of café willen, om te roken en een sterke kop koffie te drinken.

'Het museum,' zeg ik.

We brengen de voormiddag door in een tentoonstelling van Mexicaanse kunst rond de Dag van de Doden. We zien reusachtige doodkisten van papier-maché en miniatuurskeletten die alledaagse dingen doen in het hiernamaals – ze liggen in bed te lezen, eten hun lunch uit een trommeltje of laten de hond uit. En er is een meisjesskelet op een fiets, dat een strak rood truitje met korte mouwtjes draagt, en fluwelen linten om haar lange zwarte vlechten.

'Wat schitterend!' zeg ik, en Gertie geeft me een kneepje in mijn arm.

We gaan het ziekenhuis binnen, naar de zaal waar het meisje met anorexia ligt. Ze ligt aan een infuus met een crèmekleurige vloeistof. We gaan aan haar bed zitten en niemand zegt iets. We zien tot onze verbijstering dat Anorexia een rood truitje met korte mouwtjes draagt en twee lange zwarte vlechten heeft, met rode strikjes aan het eind.

Gertie pakt mijn hand beet, praat met zachte stem over het weer (er is vannacht een sneeuwstorm geweest) en pakt een boek van het nachtkastje. 'Zal ik je wat voorlezen?'

'Ga je gang,' zegt Anorexia. 'Mij best.'

Gertie leest op fluistertoon voor, alsof Anorexia door haar ziekte reuzenoren heeft gekregen en niet meer tegen geluid kan.

'Stomvervelend,' zegt Anorexia. 'Hou maar op.' Ik vraag haar hoe het is om de hele tijd ontzettende honger te hebben.

'Ik heb geen honger,' zegt ze, en ze sluit haar ogen.

Gertie probeert nog een poosje met haar te praten, maar ze weigert haar ogen weer open te doen, dus gaan we maar weg.

In de taxi begint Gertie te huilen. Ik weet niet wat ik moet zeggen.

'Denk je dat ze doodgaat?' vraag ik.

Gertie slaakt een zucht. 'Ik weet niet. Als ze dood wil, zal dat wel niet tegen zijn te houden.'

'Waar zijn haar ouders?'

'Die zijn vorige week uit Duitsland komen overvliegen, maar ze hebben hun hotel amper verlaten. Het is een vreemde familie.'

'Alle families zijn vreemd,' zeg ik. 'Ze worden altijd gevormd door mensen die geen woord met elkaar zouden willen wisselen als ze elkaar op een feestje tegenkwamen.'

Gertie lacht.

'Kunnen we een paar straten voor het internaat uitstappen en een stuk door de sneeuw wandelen?' vraag ik. 'Ik wil een kaart kopen voor mijn ouders.'

'Natuurlijk,' zegt ze. 'Had jij al weleens sneeuw gezien, trouwens?'

'Alleen in schudbollen.'

'O, wat enig om je dan met echte sneeuw te laten kennismaken,' zegt ze, en het dringt tot me door dat ik haar niet langer oud en seniel vind. Of misschien hoop ik alleen maar dat we nog even een café in kunnen, zodat ik een sigaret kan opsteken.

Ik breng de hele volgende ochtend in de zitkamer door. Lisjny is door de politie opgehaald voor een verhoor op het bureau. Ik bel Tom en we voeren een lang en vervelend gesprek. Hij klinkt alsof hij een script voorleest, de rol van het vriendje van de heldin. 'Ik mis je,' zegt hij. Ik vraag me af hoe dat voelt, iemand missen. Als ik zeg dat ik moet ophangen, reageert hij hoorbaar opgelucht. Misschien zijn we toch niet zo verschillend.

Ik schrijf nog een brief aan Henry en Margaret en maak voor ieder een lijst van de twintig eigenschappen die me het meest aanspreken. Onder het opstellen van die lijsten gebeurt er iets eigenaardigs. Ik krijg heimwee – een verdrietige misselijkheid, een heet gevoel in mijn maagstreek en stekende ogen. En ik denk dat ik bij hen thuis werkelijk gelukkig ben geweest, en dat zij mijn ware verwanten zijn. 'Ik hou van mijn vader en moeder,' schrijf ik, 'maar ze zijn niet mijn ware verwanten. Met hen heb ik nooit zo kunnen praten als met jullie.'

Het is natuurlijk flauwekul. In theorie zou het waar moeten zijn. In theorie zou ik met Henry en Margaret moeten kunnen praten zoals ik nooit met mijn ouders heb kunnen praten, over wat voor onderwerp dan ook, maar in werkelijkheid heb ik zo'n gesprek nooit met ze gehad. Het was wel de bedoeling, maar het is nooit gebeurd. Ik voelde me bij hen net zomin thuis als bij mijn echte familie. Het enige verschil is dat ik hier, in Amerika, de kans heb om iemand anders te worden, de kans om mezelf te transformeren. In Sydney kennen ze me te goed – daar moet ik blijven wie ik ben.

Dus schrijf ik Margaret en Henry dat mijn zussen verslaafd zijn aan heroïne en dat mijn ouders dit niet weten. Als ze er ooit achter kwamen, schrijf ik, zou dat ze kapotmaken. Maar de waarheid is dat ik onder geen beding terug wil naar die stinkende huurflat waar elke uitgegeven dollar een paniekstemming teweegbrengt. Ik wil niet terugkomen op mijn beslissing om nooit meer terug te keren.

Ik besluit er een paar uur voor uit te trekken om mijn medebewoners beter te leren kennen. Inclusief mezelf zijn er hier vijf meisjes, en behalve Miranda heb ik Rachel en Veronique als kamergenotes. Rachel is hier beland nadat ze de auto van haar gastvader tegen een muur had gereden. Zij slaapt in het bed boven mij. Ze vertelt me dat ze een terugkerende nachtmerrie heeft waarin ze in een bed vol bakstenen ligt, en ze wordt geplaagd door een gevoel alsof haar oren zijn gevuld met baksteengruis.

Veronique heeft de hond van haar gastgezin verstikt. Volgens haar gastouders omdat ze vond dat ze te weinig aandacht kreeg. Zelf houdt ze vol dat het een ongeluk was.

Het vijfde meisje, Kris, heeft een kamer voor zich alleen. Ik weet niet waarom ze hier is terechtgekomen. Ze komt nooit naar de zitkamer.

Vijf van de zes jongens zitten hier wegens drank- of drugsgebruik, dealen, diefstal, pogingen om weg te lopen en onder te duiken om niet naar huis terug te hoeven, of voor rijden onder invloed.

Lisjny wordt ervan verdacht zijn vier jaar oude gastzusje in bad te hebben verdronken.

Overdag lopen de bewoners vrijelijk alle kamers in en uit, terwijl Lily, onveranderlijk gekleed in een hobbezakjurk, overal opduikt om te zien of er geen ontuchtige handelingen worden gepleegd. Vanochtend ging ik Lisjny's kamer binnen en zag ik haar met haar arm onder zijn dekens zijn bed aftasten.

Anders dan in een echte gevangenis zitten er geen sloten op de kamerdeuren. Het is soms net alsof we versufte treinpassagiers zijn op een eindeloos lange reis, allemaal hopend dat we er bij het eerstvolgende station uit mogen, en allemaal wensend dat we een eigen coupé hadden.

Ik wou dat ik een stille eersteklascoupé had, met een deur die ik in het slot kon schuiven en gordijntjes die ik dicht kon trekken, om onder het zachte beddengoed te kruipen en mijn hoofd op de twee witte kussentjes neer te vlijen, waarna ik door een spleet in die gordijntjes naar het voorbijglijdende landschap kon staren tot ik in slaap viel.

De dagen zijn lang en koud. Er is nu zoveel sneeuw gevallen en de lucht is zo betrokken, dat je vanuit het getraliede keukenraam niet eens meer de toren van de kathedraal kunt zien die zich anders als een zwart stuk karton tegen de blauwe hemel aftekent. Onze jassen, dassen en mutsen zijn samen met onze koffers in een zolderruimte opgeborgen, achter een dikke houten deur met een grendel en een ketting. Maar wie zou het in zijn hoofd halen om onder deze omstandigheden te ontsnappen?

Het is ochtend en de kachel is gerepareerd. De Hardings hebben nog niets van zich laten horen. Ik loop met mijn kom ontbijtgraan naar het raam van de zitkamer en kijk naar de paspop in de etalage aan de overkant. Het is een rommelige textielzaak, met kleurloze rollen stof die schots en scheef tegen het stoffige raam staan. De winkel wordt alleen door oudere vrouwen bezocht. Ze staan bij de toonbank met elkaar te kletsen en drukken zich in hun bontjas tegen elkaar aan voor een beetje warmte.

De inrichting van de etalage verandert nooit. Vier jurken van donkere wol hangen als dode trapezeacrobaten aan een stuk ijzerdraad. Daarvoor staat een vrouwelijke, arm- en beenloze paspop van doorzichtig materiaal met een wit thermo-hemd. 's Avonds springen er elke vier seconden lampjes aan, die opgloeien als witte larven, hun spookachtige schijnsel over het trottoir werpen, en dan weer snel uitdoven.

19

Het is de avond van mijn tiende dag. Gertie komt mijn kamer binnen. Ik heb alleen mijn bh en mijn slipje aan.

'Goed nieuws,' zegt Gertie.

'Wat dan?'

'Meneer en mevrouw Harding komen morgen naar Chicago. Ze willen je ontmoeten.'

'O,' zeg ik blij.

Maar het volgende ogenblik zie ik al voor me hoe ik ergens met Margaret en Henry in een kale ruimte op harde stoelen zit, verlegen, snikkend, de ene spijtbetuiging na de andere mompelend, mijn handen stijf van de kou, wensend dat ik gewoon opnieuw kon beginnen en mezelf een volstrekt nieuwe persoonlijkheid kon aanmeten, en er hen ook een kon geven.

'De organisatie heeft aan de rand van de stad een appartement voor dit soort ontmoetingen. De Hardings hebben het voor dit weekend gehuurd, zodat jullie weer eens bij elkaar kunnen komen,' zegt Gertie.

'Om te zien of de breuk weer gelijmd kan worden?' vraag ik.

'Om te zien hoe jullie nu tegenover elkaar staan.'

Ze vertelt me dat ik er morgenmiddag naartoe ga.

'Ik hoop in ieder geval dat het geen vaarwel voor jullie wordt,' zegt ze terwijl ik mijn jeans aantrek. 'Ik hoop dat jullie er het beste van maken.'

'Fantastisch,' zeg ik, en ditmaal zie ik een luxe appartement voor me, met een goede verwarming, een volle koelkast, grootbeeld tv en een groot warm bed.

‘Zijn James en Bridget er ook?’ vraag ik.

Gertie glimlacht. ‘Zou je dat willen?’

‘Natuurlijk!’ zeg ik, in de hoop dat dit de goede reactie is. ‘Ik wil ze dolgraag weer eens spreken.’

‘Nou, we zullen zien wat er geregeld kan worden.’

Ik wil haar om de hals vallen. Ik wrijf met mijn handen over mijn bovenarmen.

‘Knuffel?’ zegt ze.

‘Ja,’ zeg ik.

Lisjny is nog niet terug, dus zit ik de rest van de avond met de anderen in de kamer naar een film op de tv te kijken, en ik realiseer me dat ik me niet zo op het weerzien verheug als ik zou moeten. Zeker, ik wil graag weer in hun huis wonen en naar school gaan, maar in mijn fantasie deel ik het huis met Henry en Lisjny. We zouden in Henry's kamer kunnen zitten en dan zou hij zijn pijp roken en we lazen boeken en ik leerde pianospelen. Dit soort dingen gaan me door het hoofd terwijl ik wens dat die film me wat meer zou afleiden.

Het is vrijdagmiddag en ik ga op weg voor mijn reünie met de Hardings. Flo Bapes haalt me op in de zwarte auto van de organisatie. Zij zit weer achter het stuur, en de twee bebaarde mannen zijn ook weer van de partij.

‘We gaan niet tot het eind met je mee,’ zegt de langste baard. ‘Flo zet ons af bij het hoofdkantoor.’

We rijden langzaam door het drukke verkeer, dus ze hebben alle tijd om me grondig aan de tand te voelen over mijn heraanpassingsproces.

‘Hunker je nog naar alcohol?’ vraagt de baard naast me op de achterbank.

‘Niet in het minst,’ zeg ik.

Ik wou dat de achterbank breder was, zodat ik me naar hem toe kon keren zonder hem recht in zijn neusgaten te kijken.

‘En je slapeloosheid? Slaap je nog altijd slecht?’

'Ik slaap als een roos,' zeg ik. 'Als een roos.'

Ik zeg niets over de slaappillen, en vertel ook niets over mijn brandende ogen en het opgezette gevoel in mijn kaken.

'Wat geweldig,' zegt Flo. 'Blij dat te horen.' Alsof ze opeens om me geeft.

Als de bebaarde mannen zijn uitgestapt, blijf ik op de achterbank zitten.

Flo draait zich naar me om. 'Dat is niet erg beleefd, Louise. Ik ben je chauffeuse niet.'

Dus stap ik uit en ga naast haar zitten.

'Sorry,' zeg ik.

We rijden nog een uurlang door de sneeuw en wisselen geen woord meer.

We komen bij het appartementsgebouw aan.

Henry en Margaret staan me op te wachten voor de getinte glazen deuren van de foyer. Zij aan zij staan ze daar. Henry heeft zijn arm om haar schouders geslagen. Zij laat een hand teder op zijn heup rusten.

Ik zeg Flo gedag zonder haar aan te kijken en ze rijdt weg met een rauwe brul van haar claxon.

Geen van beiden omhelst me. Margaret gaat me voor op de smalle kale trap naar een nietig kamertje.

Op het voeteneinde van het bed liggen twee keurig opgevouwen roze handdoeken en een stukje zeep in geschenkverpakking. Het ledikant is van zwart gietijzer en het kreunt als een gewond beest als ik erop ga zitten.

'Je zult morgenochtend wel zien wat een mooi uitzicht je hier hebt,' zegt Margaret nerveus, en ze schuift het onwillige raam een paar centimeter omhoog. Er komt een ijskoude windvlaag naar binnen. Waarom zet ze dat raam open?

'Geweldig,' zeg ik.

Ik kijk naar het raam en zie alleen de zwarte lucht en mijn vermoeide bleke gezicht.

'Wat leuk,' zeg ik terwijl ik het stukje zeep oppak.

Het is klein en rond, verpakt in vloeipapier met dezelfde lavendelgeur als Gerties slaapkamer. Ik kijk naar de warrige patronen van de beddensprei en Margaret begint mijn kleren in de kast te hangen. Het geluid van de hangertjes, een iel metalig gerammel, maakt me paniekerig. We beginnen weer op precies dezelfde manier. Ik voel me weer net zo als toen ze me mijn kamer in huize Harding liet zien. Ik word nerveus en prikkelbaar.

'Doe dat nou niet,' zeg ik, iets te scherp.

Ze kijkt om. 'Het is geen moeite, hoor.'

'Nee, maar ik bedoel dat ik het liever zelf doe.'

'Ik weet wat je bedoelt,' zegt ze, en ik blijf zitten kijken hoe ze geluidloos huilt en doorgaat met het ophangen van mijn kleren. De sfeer tussen ons is om te snijden en ik snap niet waarom ze deze ontmoeting heeft gewild. Ze lijkt er nu in ieder geval alweer spijt van te hebben. Ik wil haar een lieve leugen vertellen, dat ik bijvoorbeeld dol ben op geurige zeepjes in geschenkverpakking en dat het zo lief van haar is om het op mijn bed te leggen en me het gevoel te geven dat ik in een duur hotel verblijf. Maar in plaats daarvan zeg ik: 'Heb je die zeep uit een motel gepikt?'

Ze begrijpt niet dat ik een grapje probeer te maken. Ze loopt op me toe, pakt het zeepje uit mijn hand en kijkt ernaar. 'Nee, het was een cadeautje van Henry's moeder. Ze is vorige week overleden. Het was zijn idee om hier heen te gaan. Hij wil je een tweede kans geven. Ik weet niet of ik het met hem eens ben.'

Ze stopt het zeepje in de zak van haar blazer, alsof het smokkelwaar is.

'Het spijt me ontzettend,' zeg ik.

'Ja, spijt het je?'

'Enorm. Ik heb spijt van alles wat ik gedaan heb.'

Ze komt naast me op het bed zitten, uitgeput.

'Ik was echt op je gesteld. Ik kan maar niet begrijpen waarom je ons bedrogen hebt. Ik snap het gewoon niet.'

Ik voorkom een huilbui met een diepe zucht.

'Ik snap er ook niets van,' zeg ik. 'Ik weet alleen maar dat ik het nooit meer zou doen.'

Ze gaat weer staan en kijkt op me neer. Ze heeft er nog nooit zo echt uitgezien, zo menselijk, en ik besef nu pas hoezeer haar robotachtigheid me altijd bevreemd heeft – het kille gemak waarmee ze de wereld tegemoet trad, alsof niets haar ooit kon deren.

'Misschien niet,' zegt ze met een bijna-glimlach. 'We zullen zien.'

Betekent dit dat ik terug mag komen?

'Waar is Henry?'

'Beneden. Hij moet nog wat telefoontjes plegen.'

'En Bridget en James?'

'Ook beneden, voor de tv.'

Ik wist niet eens dat ze hier waren.

Ze neemt me mee naar de badkamer en wijst me de douche en het kastje met de schone handdoeken. 'Zou ik nu al een douche kunnen nemen?'vraag ik. 'Dat helpt me misschien ontspannen.'

'Natuurlijk,' zegt ze.

Ik wil slapen. Ik wil in bed stappen terwijl Margaret nog bij me is.

'En mag ik na mijn douche naar bed? Ik ben ontzettend moe.'

'Het is nog vroeg, maar als je dat wilt, mij best.'

Ze loopt de badkamer uit en ik begin me direct uit te kleden.

Ik sluit het raam en wikkel mezelf in een handdoek terwijl ik wacht tot het water de juiste temperatuur heeft. Ik merk dat het naar rotte eieren stinkt.

Ik knijp mijn neus dicht en adem door mijn mond, maar de stank is taai en kleverig en heeft zich al een weg gebaand tot in mijn maag.

Ik stap onder de douche. Het is een krachteloos straaltje en als ik er weer onder vandaan stap, ben ik zo versteend dat het voelt alsof ik mijn rug en benen heb gebroken. Ik loop mijn kamertje weer binnen, kruip onder het koude dek en snuif mijn eigen zwavelgeur op. Een paar minuten later begin ik te zweten. De binnenkant van mijn ellebogen zweet, mijn knieholten zweten, mijn hoofd zweet.

Ik kan niet slapen, kan mijn benen niet stilhouden. Ik moet ze op en neer bewegen onder de dekens, anders gaan ze pijn doen.

Het is ochtend en ik zit rechtop in bed. Ik weet niet hoe laat het is en wacht tot ik de geluiden hoor van ontbijt dat gemaakt wordt. Ik hou niet van ontbijten zelf, maar wel van de geuren en geluiden die erbij horen.

De deur gaat open. Het is Henry. Hij kijkt naar het bed en ik zie hem zich afvragen of het gepast zou zijn om op de rand te komen zitten. Hij blijft in de deuropening staan, ietwat gebogen onder de lage dorpel.

Hij is magerder geworden.

'Hoe voel je je?' vraagt hij.

'Prima,' zeg ik. 'En hoe gaat het met jou?'

'Ook goed,' zegt hij.

Stilte.

'Wat erg van je moeder,' zeg ik.

Hij knikt.

'Ik had je willen roepen voor het ontbijt,' zegt hij, 'maar het leek Margaret beter om je te laten uitslapen.'

'Goh, hoe laat is het dan?'

'Halfeen.'

'O nee,' zeg ik. 'Ik moet doodmoe zijn geweest.'

Ik weet dat ik nu meteen zou moeten opstaan, zodat we alles kunnen uitpraten. Wat ik eigenlijk alleen maar wil is met de Hardings mee terug gaan en weer bij ze gaan wonen – naar de bioscoop, een boek lezen, wat tv-kijken, een bordspelletje spelen en dan weer naar school. Ditmaal zou ik me veel gelukkiger bij ze voelen.

'Geeft niets, hoor,' zegt Henry. 'Sta maar op je gemak op. We zitten beneden in de keuken als je iets nodig hebt.'

'Wacht,' zeg ik. 'Ik wil nog even zeggen dat het me heel erg spijt.'

Hij kijkt uit het raam en schraapt zijn keel.

'Goed,' zegt hij. 'En nog bedankt voor je brieven. Maar laten we nu maar eens zien of je meer kunt dan alleen de juiste dingen zeggen.'

Hij keert zich om voor ik kan antwoorden en duikt ineen als hij onder de dorpel door de gang op stapt, met zijn handen theatraal op zijn hoofd om me aan het lachen te maken. Ik kan aan hem zien dat hij graag meer had gezegd, en zelf had ik ook niets liever gewild.

Mijn ogen branden en zijn plotseling vol tranen. Het is altijd droevig als twee mensen op hetzelfde moment hetzelfde hebben gedacht, maar geen van beiden in staat waren om het ook te zeggen. Henry is net als ik. Hij zou willen dat de mensen anders waren, beter, dat ze zich zouden gedragen zoals ze zich in hun brieven voordoen, dat ze aardiger dingen durfden te zeggen, het soort dingen dat ik in mijn brieven schrijf. We verlangen allebei naar meer oprechtheid, meer gevoel, minder spanning, minder gespeeldheid, maar we zijn allebei veel te verlegen om het gedrag waar we naar verlangen zelfs maar bij benadering te vertonen.

Als hij de deur achter zich dicht heeft getrokken, zeg ik 'Ik hou van je,' in de wetenschap dat niemand het hoort, en misschien alleen maar om voor mezelf te voelen of het waar is.

Ik kleed me aan zonder te douchen en ga naar beneden. Het sneeuwt weer en er brandt een vuur in de open haard. Ik loop de keuken binnen.

'Is er nog koffie?'

'Natuurlijk,' zegt Margaret. 'Waar wil je zitten? Dan breng ik je wel een kop.'

'Ik kom hier wel bij jullie zitten.'

'Drinken Australiërs allemaal zoveel koffie?' vraagt Henry om het gesprek op gang te brengen.

'O, ja,' zeg ik. 'Meer dan thee of frisdrank.'

Ik heb geen idee of dit waar is.

'Meer nog dan Coke of Pepsi?' vraagt Henry.

'Veel meer,' zeg ik.

'Da's opmerkelijk, zeg, voor zo'n heet land.'

'O, maar het is er niet altijd heet, hoor,' zeg ik. 'Wij hebben ook koude winters, en de nachten zijn vaak koud, zelfs in de zomer.'

Ik zie dat hij hetzelfde gevoel heeft als ik – dat we dit soort gesprekjes vaker hadden moeten voeren. We kijken elkaar opgelucht aan, blij dat we met elkaar uit de voeten kunnen.

Ik drink mijn koffie en als Margaret en Henry over hun werk beginnen te praten, loop ik de zitkamer in en ga op de bank voor de tv liggen. Ik weet dat ik niet moet rondhangen, maar ik voel me zo moe dat ik tot weinig anders in staat ben. Ik had gisteravond twee slaappillen moeten nemen in plaats van één.

Margaret maakt mijn bed op en wast mijn kleren.

'Waar zijn Bridget en James?' vraag ik als ze door de zitkamer loopt.

'Naar de film. Toen je vanochtend niet naar beneden kwam, zijn ze de stad maar ingegaan.'

'Wanneer komen ze weer terug?'

'Om een uur of drie. En dan moeten we maar eens praten met zijn allen.'

Ik ben niet zenuwachtig. Ik wil deze horde gewoon zo snel mogelijk nemen, zodat ik weer mee terug kan naar huize Harding. Ik zit op de bank met een boek en doe alsof ik lees.

'Kan ik iets doen?' vraag ik. Ik heb trek in een sigaret. 'Heb je nog boodschappen nodig?'

'Nee,' zegt ze, 'neem jij nu maar je rust.'

Geen van beiden heeft nog gezegd waar deze ontmoeting nu precies voor bedoeld is. Misschien weten ze dat zelf ook niet. Misschien wachten ze tot ik iets zeg, maar ik weet niets anders te zeggen dan dat het me spijt.

Margarets huishoudgeluiden, haar gefluit, het dichtslaan van kastdeurtjes, de geur van waspoeder, bezorgen me een nieuwe scheut heimwee. Ik krijg er het idee door dat ik vanaf het eerste moment volmaakt gelukkig was toen ik bij de Hardings woonde.

Ik heb zulke foutieve, verdraaide herinneringen wel vaker. Herinneringen vol valse zonneschijn. Ik kan heimwee krijgen naar dagen die ik verschrikkelijk vond toen ik ze meemaakte. De dagen bijvoorbeeld die ik met mijn zussen aan het strand of in het zwembad heb doorgebracht.

Als ik zulke herinneringen onder de loep neem, blijkt telkens weer dat mijn geest me alleen de objectieve ingrediënten voor geluk heeft voorgetoverd, dat ik me geen geluksgevoel herinner, maar zintuiglijke indrukken die dat gevoel hadden moeten opwekken – de zon, het geluid van rondspattend water, roomijs op je droge lippen, bruisende frisdrank op je droge tong, gelach om je heen. Mijn geheugen goochelt wel vaker met nepgeluk. Dat zou ik zo langzamerhand moeten weten.

Mijn eerste maanden bij de Hardings, onze rondrit in de zomervakantie, de etentjes in restaurants, de avonden in de maanbeschenen tuin, de lange gesprekken in de keuken, wellen nu bij me op als een tijd van zorgeloos geluk, een tijd waarin ik lachte zoals andere mensen lachen, spontaan genietend van de kleine maar o zo leuke momenten in het leven. En toch weet ik dat ik me op geen van die momenten gelukkig voelde, of zelfs maar ontspannen. Maar vanaf nu wordt het anders. Deze keer zal het heel anders gaan.

Ik doezel voortdurend weg, krijg bij elke dommelslaap een viezere smaak in mijn mond en wordt weer bedrogen door mijn geheugen. Het vertelt me dat ik altijd volmaakt gelukkig was als ik in mijn propere witte kamertje op de bovenverdieping van huize Harding in mijn propere witte bed lag en naar de geluiden van hun gezinsleven luisterde.

Mijn geheugen fluistert me in dat ik gelukkig was als ik Henry en Margaret na het avondeten in huis hoorde scharrelen, praten en lachen, als ik James en Bridget elkaars kamer in en uit hoorde lopen als ze even pauzeerden van hun noeste huiswerk aan hun keurige houten schrijfbureau, als ik hoorde hoe er bladzijden werden omgeslagen in boeken die ik op een dag ook zelf wilde lezen.

Mijn geheugen houdt me voor hoe gelukkig ik was, en hoe dom het van me was om dit niet te beseffen. En nu is het te laat, zegt mijn geheugen. Het waren gelukkige tijden die nooit terug zullen komen. Je zult nooit meer zulk geluk ervaren. En ik vraag me af of er wel zoiets als geluk bestaat.

James en Bridget zijn teruggekomen met een taxi en James gaat naast me zitten op de bank.

'Hai,' zegt hij.

'Hai.'

Bridget kijkt naar ons, fronst haar wenkbrauwen en knijpt haar ogen tot spleetjes, zoals Henry dat ook vaak doet.

Ze draagt een lange witte jas, hoge zwarte laarzen en roze lipstick. Ik glimlach naar haar. Ik wil zeggen dat ze er leuk uitziet. Maar dat doe ik niet. Ik ben bang dat ik dan weer moet blozen. Ik heb niet meer gebloosd sinds ik bij hen weg ben.

'Hai,' zegt ze. 'Hoe laat ben je opgestaan? We dachten dat je dood was of zo.'

Ze glimlacht naar me.

'Ik was doodmoe. Het valt niet mee om een oog dicht te doen in zo'n internaat met drie andere meiden op je kamer, en het is er vreselijk koud.'

James reikt naar de afstandsbediening, hoewel het geluid al af staat en hij niet van plan is om tv te kijken. Hij wisselt van een zwart-witfilm naar een sportzender en strijkt met zijn arm langs mijn been.

'Ik haat die ouderwetse films,' zegt hij. 'Al dat sentimentele liefdesgedoe...'

Henry en Margaret komen de kamer binnen en gaan in de leunstoelen tegenover de bank zitten. Margaret heeft een envelop bij zich die ze gladstrijkt met haar hand.

Bridget blijft staan. 'Hoe is het daar verder?' vraagt ze.

Er is geen zitplaats meer voor haar.

'Vreselijk,' zeg ik. 'Wil je hier zitten?'

Ze strijkt langs haar jas, die ze niet wil uittrekken, de warmte van de open haard ten spijt.

'Ja, schuif maar op,' zegt ze.

Ik schuif naar het uiteinde van de bank, zodat zij in het midden kan zitten, maar James schuift onmiddellijk tegen me aan.

Bridget laat zich aan zijn andere kant zakken en nu we dicht opeen zitten, laat hij er geen gras over groeien. Hij zwaait zijn benen open en dicht, open en dicht, alsof hij het koud heeft of nerveus is, en zorgt ervoor dat zijn knie elke keer de mijne raakt. Ik kijk naar Henry en Margaret om te zien of ze dit keer de moeite willen nemen om te merken wat hun zoon doet.

Henry staat op.

'Ik ga koffie maken. James, zet die tv eens uit.'

'Geef mij maar een rootbeer,' zegt James.

'En mij een cola light,' zegt Bridget.

Als Henry in de keuken staat, vraagt Margaret Bridget en James hoe ze het in de stad hebben gehad. Ze zeggen dat ze had moeten meegaan. Het was gaaf. De film was geweldig. De winkels waren gaaf en de taxirit was gaaf. Ze zouden hier wel willen wonen. Ik wou dat het woord gaaf niet bestond.

'Ik had zin in een rustig dagje,' zegt Margaret, 'en ik had vanochtend nog wat leeswerk te doen.'

Bridget slaakt een zucht. 'Jee, mam, kun je je werk nou nooit eens laten zitten?'

Margaret bijt op haar onderlip.

'Waar hebben jullie geluncht?'

Ze hebben in een Italiaans restaurant geluncht. Het kostte nog meer dan James' schoenen. Hij haalt zijn nieuwe hi-top sportschoenen uit een plastic tas.

'Gaaf, hè?'

Hij lijkt een jaar of zes jonger geworden sinds ik hem voor het laatst zag, maar als zijn been langs het mijne schuurt, is dat nog steeds een aangename gewaarwording, alsof zijn lichaam niks te maken heeft met wie hij is.

Ik snak naar een sigaret en hoop dat we straks de deur uitgaan om te eten.

Als Henry terugkomt, kan het grote gesprek beginnen.

'Tja, Lou,' zegt Margaret, 'je zult al wel begrijpen hoe teleurgesteld we in jou zijn. Je hebt ons bedrogen en ons vertrouwen beschaamd.'

Ze kijkt me doordringend aan. Henry ook. Twee paar droeve ogen en twee paar knieën en twee leunstoelen recht tegenover me. Ik doe mijn best om niet in de lach te schieten.

'Dat weet ik, ja.'

Henry heeft een loopneus en pakt zijn zakdoek om hem af te vegen. Niemand zegt iets. We staren hem allemaal aan tot hij klaar is.

'We willen een verklaring voor je gedrag. Als het iets te maken had met ons, met wat wij deden, dan willen we dat graag weten.'

De waarheid is veel te ingewikkeld.

'Het had niets met jullie te maken. Jullie waren allemaal geweldig, zoals ik ook al in mijn brieven heb geschreven. Het lag aan mij en aan niemand anders. En het was vooral mijn slapeloosheid. Daarom ben ik gaan drinken, maar dat probleem is nu verholpen. Jullie hebben niets verkeerds gedaan. Jullie waren geweldig. Ik heb nu therapie en dat helpt echt.'

Henry kijkt naar Margaret en ze reikt me de envelop aan.

'We willen dat je dit leest. Kun je ermee instemmen, dan mag je weer bij ons komen wonen. Maar dat gebeurt dan wel op proef, en je moet er wat tegenoverstellen, en dat ook volhouden.'

Bridget schiet overeind en stormt de kamer uit.

Ik loop rood aan en krijg het bloedheet.

'Op die manier kun je toch je laatste jaar afmaken en met opgeheven hoofd naar Australië terugkeren,' zegt Henry. 'We hebben het je moeder al voorgelegd, en zij zou blij zijn als je weer bij ons introk.'

'Op proef,' herhaalt Margaret, en ze vertrekt haar mond in een antiglimlach.

'Dank jullie wel,' zeg ik. 'Ik ben jullie heel erg dankbaar.'

Henry veegt zijn neus af. 'Lees eerst die brief maar eens. Er zijn een paar nieuwe regels bijgekomen.'

Boven wordt een deur dichtgesmeten.

'Is Bridget boos op me?' vraag ik.

'Ze wil dat je haar persoonlijk je excuses aanbiedt,' zegt James. 'Omdat je geld hebt gestolen. Ze kan begrijpen dat je dronk omdat je je zo rot voelde, maar ze vindt het vreselijk dat je hebt gestolen terwijl pap en mam zoveel spullen voor je hebben gekocht.'

Ik vind dit zelf ook mijn grootste fout en kan niks uitbrengen. Ik had daarvoor nog nooit iets gestolen en ik word beroerd als ik eraan terugdenk. Ik wil niet huilen, niet met James vlak naast me, dus kijk ik naar de vloer.

'Het spijt me,' is alles wat ik over mijn lippen krijg. Spijt is een kort woordje. Kort genoeg om niet in snikken te hoeven uitbarsten. Het is maar goed dat het zo kort en makkelijk uitspreekbaar is. Als het een lang woord was geweest, zoals recalcitrantie of zo, dan had ik het een stuk moeilijker gehad.

Niemand zegt iets. Henry veegt zijn neus af. Margaret slaat een been over het andere, en slaat het weer terug. James blijft tegen me aan zitten, al is er nu volop ruimte op de bank. Ik denk aan Gertie. Ik kijk naar Margaret en zie haar verdrietige gezicht, en dan bekijk ik haar ogen zoals ik die van Gertie heb bekeken, en wordt ze opeens echt. Ik bekijk Henry's ogen en ook hij ziet er opeens echter uit.

'Het spijt me echt verschrikkelijk,' zeg ik.

Ze staan op. James verroert geen vin. Ik sta ook op en omhels ze allebei. Het is een beetje gênant, maar het voelt goed.

'Dan ga ik nu maar naar boven, deze brief lezen,' zeg ik.

James staat op.

'Laten we ergens gaan eten,' zegt hij. 'Ik ben uitgehongerd.'

Wacht eens, Bridget is er ook nog.

'Ik ga even met Bridget praten,' zeg ik.

'Goed,' zegt Margaret. 'Dan gaan we daarna ergens eten. Die brief kun je later wel lezen.'

Nu oogt ze gelukkig.

Bridget ligt voorover op haar bed.

'Hai,' zeg ik. 'Mag ik even met je praten?'

'Ja,' zegt ze.

Ik ga op de vloer zitten om niet te dicht bij haar te zijn.

'Ik wil graag persoonlijk mijn excuses bij je maken, omdat ik dat geld van Margaret heb geleend.'

'Lenen? Jatten zul je bedoelen.'

Ik voel me elke keer beschaamder als ik aan die diefstal denk, alsof het nu pas een waar gebeurd feit is en eerst maar een droom was. Ik ben verbijsterd over wat ik gedaan heb en wie ik geweest ben.

Bridget gaat rechtop zitten en haalt een haarspeld uit haar haar.

'En James?' zegt ze. 'Hou je ook op met dat gerotzooi met hem?'

Dit treft me als een mokerslag.

'Wát?' Ik krijg amper lucht. Ik moet iets beetpakken, moet me ergens aan vastklampen – een glas, een sigaret, de lichtknop.

'Ik weet er alles van,' zegt ze. 'Hij heeft het zijn vrienden verteld, en je weet dat zulke dingen snel worden doorverteld.'

'Wat voor dingen?' Ik hoop dat ze geen idee heeft waar ze over praat.

'Dat weet je best! Het is duidelijk genoeg. En trouwens, ik heb jullie zelf gehoord.'

Er is nooit ook maar het minste geluid geweest. Ze liegt.

'Dat is gelul,' zeg ik. 'Dat is puur gelul.'

'Nietwaar,' zegt ze.

Ik sta op, vouw mijn armen en kijk op haar neer.

'James weet heel goed dat dit flauwekul is. Ga het hem zelf maar vragen. Dit slaat nergens op.'

Ze haalt haar schouders op.

'Dat zal dan wel.'

'Ik ben hier mijn spijt komen betuigen,' zeg ik, 'maar nu neem je me weer iets anders kwalijk, dat ik niet eens gedaan heb.'

Ik ga op het bed zitten. Ze speelt met haar haarspeld.

'Luister,' zeg ik, 'het spijt me echt heel erg.'

Ik steek mijn hand naar haar uit, in de hoop dat ze hem pakt, maar in plaats daarvan omhelst ze me.

'Ik neem je niks kwalijk,' zegt ze. 'Ik wilde alleen maar dat je ons aardig vond. Ik dacht dat je ons niet aardig vond.'

Meent ze hier iets van?

'Ik hou juist van jullie,' zeg ik. 'Ik heb van meet af aan van jullie alle vier gehouden.'

Ze laat me los. Ze heeft tranen op haar wangen.

We maken oogcontact.

'Ik wist wel dat het niet waar was, wat die vrienden van James zeiden,' zegt ze. 'Ik wist dat hij tegen ze gelogen had.'

Nu heeft ze het alweer over James. Ze praat veel te vaak over hem. Die jongen maakt iedereen hoorndol.

Ik kijk haar aan.

'Vergeet James nou maar,' zeg ik. 'Gaat het weer?'

'Ja,' zegt ze.

'Ik geloof dat we uit eten gaan.'

'O, gaaf,' zegt ze. 'Hé, waar is mijn haarspeld?'

We vinden haar haarspeld, we glimlachen naar elkaar, ik leen een van haar jassen en we lopen de trap af, lachend omdat die jas me veel te groot is.

Het is zondag. Henry heeft de tafel gedekt met kommen, borden, koffie, eenzijdig geroosterde boterhammen en vier soorten ontbijtgraan. Ik probeer uit elke doos een beetje graan, bij wijze van proefmonster, omdat ik weet dat je Henry een plezier doet met zulke speelsheid.

James en Bridget zijn ook vrolijk. Ze maken grapjes over Margaret die vanochtend vroeg naar de kapper is geweest. Ze heeft nu een kort en ietwat valhelmvormig kapsel, maar het maakt haar wel jonger.

'Je lijkt wel een Lego-mannetje,' zegt James, en Margaret geeft hem lachend een draai om zijn oren.

Henry legt nog een boterham op mijn bord en Margaret haalt de kommen alvast van tafel.

Als we klaar zijn met eten, gaat Henry bij het aanrecht staan en doet alsof hij uit het raam kijkt.

'Ik krijg een vakantiegevoel van al die verschillende graansoorten,' zeg ik. 'Als we op vakantie gingen, kocht mijn vader altijd ontbijtgraan in van die kleine reisverpakkingen, zes of twaalf per doos. Heerlijk. Het zal me altijd aan lange autoritten doen denken, en caravanparken met tafeltennistafels.'

We babbelen nog een uur lang over onze herinneringen aan vakanties van vroeger.

Ik heb vannacht niet best geslapen, dus neem ik nog een slaappil en val als een blok in slaap op de bank. Ik wil ontspannen zijn. James maakt me wakker door zijn koude frisdrankblikje tegen mijn voorhoofd te duwen.

'Rot op,' zeg ik.

'Ik vind jou ook lief,' zegt hij.

Na de lunch stuurt Margaret James en Bridget naar boven om even met mij alleen te zijn.

Ik drink mijn koffie en ze vraagt me wat ik van haar brief met regels vind.

'Het is allemaal heel redelijk,' zeg ik. 'Ik kan me er helemaal in vinden.'

'Daar ben ik blij om,' zegt ze.

Ik zeg niets over die belachelijke geen vriendjes-regel, of over de eis dat ik mijn kamer onberispelijk netjes moet houden. Maar eerlijk is eerlijk, er is het nodige op me aan te merken geweest. Ik heb ze geen van allen ooit een echt blijk van genegenheid gegeven, heb nooit een poot uitgestoken bij het huishouden, heb de meeste weekeinden doorgebracht met slapen en tv-kijken.

Ik ken van geen van hen de tweede voornaam. Ik weet niet wat Margaret en Henry het leukst vinden om te doen, noch weet ik precies wat hun werk inhoudt. Het is zelfs nooit bij me opgekomen om daarnaar te vragen.

'Wat gaan we vandaag doen?' vraag ik, bezwaard maar vast van plan om vandaag echt aardiger te zijn, echte interesse te tonen en hulpvaardig te zijn.

'O,' zegt Margaret, 'Flo Bapes komt jou om drie uur ophalen en wij vertrekken twee uur later.'

'Ah,' zeg ik. 'Dat had ik me niet gerealiseerd.'

We praten over wat er hierna gebeurt. Margaret zegt dat ze me pas na de kerst terug wil hebben. Ze vindt dat ik eerst nog een paar gesprekken met mijn hulpverlener moet voeren, en nog een paar keer naar de psychiater moet. Ik zeg dat ze gelijk heeft en dat lijkt haar blij te maken.

Zodra we het programma hebben doorgesproken, loop ik naar de keuken en doe er de afwas. Daarna vraag ik Margaret of ze nog een klusje voor me heeft en als ze nee zegt, ga ik naar mijn kamer.

Terwijl ik op Flo wacht, kijk ik uit het raam, met de warme wanten aan die Margaret me gisteravond gaf voor in bed.

Ik duw de wanten tegen mijn wangen. Ik wil huilen, maar er komt niks. Ik voel me alsof ik een pak slaag heb gekregen. Wachten op Flo... het voelt als een afwijzing. Dat wordt dus kerstmis in het internaat. Ik vraag me af of Lisjny er ook zal zijn, maar zelfs dat lijkt een schrale troost. Ik krijg een somber voorgevoel, onheilspellender dan ik ooit heb gehad.

Ik ga weer naar beneden. Margaret en Henry zitten zwijgend aan de afgeruimde en schoongeveegde keukentafel. Er staat een vaasje bloemen in het midden, maar zonder het haardvuur van de zitkamer is het hier koud en naargeestig.

Bridget en James komen ook aan de tafel zitten. We babbelen wat en James zet zijn voet op de mijne. Ik geef hem een trap tegen zijn scheen en hij kijkt me pruilend aan.

We zitten te wachten, horen de sneeuw kraken op het dak van een belendend huis. Ik zou Bridgets zijden pyjama willen aantrekken (ze zei gisteravond dat ik hem mag lenen) om op de bank voor de open haard te gaan liggen doen alsof ik ziek ben. Maar deze dag is niet meer te redden. Ik zal het nu moeten zeggen.

'Ik wil jullie graag nog even zeggen dat ik jullie allemaal geweldig vind, en ik ben hartstikke blij dat ik weer terug mag komen. Dat wou ik gewoon nog even kwijt.'

Margaret kijkt alsof ze in huilen gaat uitbarsten. Ze staat op, legt haar handen om mijn hoofd en trekt me tegen haar buik aan.

'We houden van je, dat weet je,' zegt ze, en voor ik iets terug kan zeggen lijkt het alsof ik zit te snikken en lijkt de keuken te stralen van vreugde en zonneschijn.

Er wordt getoeterd buiten en ik weet dat het Flo is. Ik zie op tegen het afscheid bij de voordeur, het nerveuze gedoe en het zoeken naar woorden.

Als ik buiten sta, probeer ik nog iets geestigs te bedenken over de bedorven lucht in de douche (die iedereen is opgevallen). Dat dit nu eens rottigheid was waar ik géén schuld aan had, of zoiets. Maar het is tijd om in te stappen en ik laat het maar zo.

En trouwens, Flo boort haar klauwen in mijn arm en stelt me voor aan een nieuwe man van de organisatie, die me onaangedaan aankijkt vanaf de passagiersplaats.

'Dag Louise, mijn naam is Roger Franson.'

'O, dáag. Wat gaaf om u te ontmoeten.'

Ik klink minstens zo sarcastisch als James, maar Roger schijnt het niet te merken.

Ik wil afscheid nemen van Margaret en Henry, en nog één keer zeggen hoe ik naar mijn terugkeer uitzie.

'Kunnen jullie nog heel even wachten?' vraag ik.

Ik schrijf iets in mijn aantekenboekje, scheur het velletje eruit en geef het aan Henry. We omhelzen elkaar, kort en onhandig, maar het voelt goed. En dan omhels ik Margaret en ze zoent me op mijn wenkbrauwen. Dat heeft nog nooit iemand gedaan.

Flo start de motor en ik kruip op de achterbank.

Meneer Franson vertelt me dat hij een chirurg is en een dag vrij heeft genomen om met mij terug te rijden naar het internaat.

Hij wrijft over de revers van zijn dure jas en zegt hoezeer het hem spijt dat 'het niet helemaal gelopen is zoals we het ons allemaal hadden voorgesteld'.

Ik frunnik nog aan mijn veiligheidsgordel en hij draait zich naar me om. 'Laten we maar even stoppen, dan zal ik je helpen.'

'Ik kan het zelf wel, hoor,' zeg ik.

'Je bent ongetwijfeld tot heel veel in staat, maar daarom kan het nog wel zinvol zijn als je je soms eens door iemand laat helpen.'

Ik staar naar de weg. 'Wat een inspirerende gedachte. Zou u eens moeten opschrijven.'

Iedereen zou moeten horen dat ik sarcastisch ben, zelfs Flo. Maar Roger kijkt me aan, laat zijn blik afdwalen, sluit zijn weke mond over zijn onregelmatige gebit (hooguit het tweede dat ik sinds mijn aankomst in Amerika heb gezien), en zegt: 'Dank je wel.'

20

Gertie vertelt me dat de Hardings willen dat ik eerst mijn therapie nog een paar weken voortzet. Ik zeg haar niet dat ik dit al weet.

'Je gaat na de kerst naar ze terug, in het nieuwe jaar. Dus dat wordt met recht een nieuw begin.'

Een begin is altijd nieuw, wil ik zeggen.

'Geweldig,' zeg ik.

'En je brengt de kerstdagen door bij een gezin dat al een gastdochter uit Sydney in huis heeft.'

'Waarom?'

'Hoezo, lijkt het je dan niet leuk om de feestdagen in gezinsverband door te brengen?'

'Misschien wel, maar waarom zouden die mensen voor een paar dagen een vreemde in huis nemen? Dat lijkt me een hoop overbodige moeite. Ik blijf net zo lief hier, bij jou en Phillip en...'

'Maar dat is het juist, Lou. Wij zijn allemaal bij onze eigen familie.'

'Ach, dat is natuurlijk ook zo,' zeg ik. 'Ik begrijp het.'

Ik heb drie lange, vervelende dagen achter de rug, met maar één uitstapje en geen moment voor mezelf. Ik ben bezocht door studenten in de sociologie, criminologie, penologie, ethiek, antropologie, biologie, ethologie, psychologie, psychiatrie en statistiek.

Ik kan aan hun gezicht zien dat ze het liefst mijn schedel zouden opmeten, maar vrezen dat ik dat onbeleefd zou vinden. Hun belangrijkste vraag is een hoogst banale: hoe kan iemand met zo'n goed verstand zich zo dom gedragen? De enige andere bewoner die zo in hun belangstelling staat is Lisjny.

Omdat het bijna kerst is, zijn we op pizza getrakteerd en hebben we ieder twintig dollar gekregen, om op ons volgende uitstapje iets voor onszelf te kopen.

Om zeven uur komt de politie hier weer om Lisjny te ondervragen, voor de laatste keer misschien. We zitten op de rieten mat achter de bank in de gemeenschappelijke zitkamer, onder een grote grijze internaatsdeken. De andere bewoners zitten op de banken en staren suffig naar het flakkerende tv-scherm. In navolging van Lisjny en mij hebben zij zich ook in dekens gehuld.

Ik trek de deken tot onder mijn kin, maar de wol is zo koud dat hij wel nat lijkt.

Lisjny kijkt voor de zoveelste keer op zijn horloge. Het is halfzeven. Hij glimlacht naar me, duikt onder de deken en legt zijn hoofd op mijn schoot.

Lily komt op haar hurken bij ons zitten. Ze wil Lisjny afleiding bieden met wat gezwam over de kou.

'Lisjny,' zegt ze, 'trek die deken eens weg zodat ik je kan zien.'

Hij haalt zijn hand van mijn dij en trekt de zware deken van ons af.

'Waarom gaan jullie niet bij de anderen zitten?'

Lisjny's ogen zijn zwart.

'Heb je misschien een sinaasappel voor me?' vraagt hij. 'Of anders een blikje sardientjes?'

Lily vindt dit niet zo grappig als ik en ze loopt weg om tv te gaan kijken.

'Ik ben verliefd op je,' zegt hij.

Ik leg mijn hand op zijn rug, laat hem lichtjes op zijn dunne witte hemd rusten. 'Ik zag je vandaag staan,' zeg ik. 'In je eentje op de gang boven, in het halfdonker. Je ging met je vingers over je gezicht. Ik kijk de laatste tijd vaak naar je.'

'Goed zo.'

'En toen zag ik hoe je jezelf bekeek in de spiegel van de jongens-wc. Je betastte je neus en ik...'

Hij haalt zijn hoofd van mijn schoot en komt onder de deken vandaan.

'Ik ben eenzaam,' zegt hij. 'Ik ben zo eenzaam dat ik vannacht in bed jouw sokken als wanten heb gedragen.'

Ik ben voor het eerst bezorgd over wat er met hem gebeuren gaat. Tot nu toe heb ik me alleen maar zorgen gemaakt over hoe het mij zou vergaan als hij er niet meer was. Ik ben nog nooit bezorgd geweest over iemand anders. Niet dat ik me herinneren kan, tenminste.

'En in mijn droom heb ik je wenkbrauwen gelikt,' zegt hij.

Lily komt weer bij ons staan, met hetzelfde nare gezicht dat mijn moeder altijd trekt als ze handdoeken staat uit te wringen en zich beklaagt omdat ze drie ondankbare dochters moet opvoeden.

'Wat is het toch vreselijk koud, hè?' zegt ze, met haar rug gekromd om minder lang te lijken.

'Zeg dat wel,' zegt Lisjny. 'Het is hier nog erger dan in Norilsk.'

Daar komt hij vandaan.

Hij trekt de deken over onze hoofden en ze loopt weer weg.

'Ik heb een briefje onder je kussen gelegd,' zegt hij. 'Dat zal alles duidelijk maken.'

Ik weet dat dat briefje over zijn ontsnappingsplan gaat. Hij heeft een oom die ergens in Illinois woont, en die wil hij opzoeken. Hij wil dat ik ook ontsnap en met hem bij zijn oom kom wonen. Hij heeft me verteld dat hij dol is op grote bibliotheken en dat ik hem daar maar moet zoeken als ik hem nergens kan vinden.

'Ik wil niet dat je gaat,' zeg ik.

Hij legt zijn hoofd op mijn schouder. Ik leg mijn hand in zijn nek en hij verplaatst hem naar zijn dij. En zo blijven we zitten, roerloos, onze ademhaling simultaan, ik met mijn hand op de binnenkant van zijn dij en hij met zijn hoofd op mijn schouder.

'Ik wil niet meer met de politie praten,' zegt hij.

Ik druk mijn lippen op zijn gezicht en nek. Lisjny voelt altijd warm aan, de ijzigheid ten spijt, terwijl hij minder kleren draagt dan de rest van ons. Alsof hij ergens anders woont. Hij heeft altijd een blos op zijn wangen, en ik denk niet dat hij schuldig is aan de misdaad die hem ten laste wordt gelegd.

Om zeven uur wordt er hard op de deur geklopt. Lisjny komt onder de deken vandaan. Hij heeft zweetdruppeltjes op zijn neus, en rode irritatievlekken in zijn hals.

Hij zoent me en zegt: 'Dit is niet het einde. Dat weet je toch, hè?'

Ik knik en we zoenen opnieuw.

Er komen drie agenten de zitkamer binnen, met sneeuw aan hun jassen en laarzen. Ze leggen hun zwarte petten op de tafel. Een van de jongens, Ari, zet de tv uit en holt de trap op.

Ari is bij zijn gastgezin weggelopen om aan zijn dienstplicht in Israël te ontkomen. Hij is bang voor politie. Ze hebben hem een paar maanden geleden opgepakt toen hij uit een trein stapte om een kop koffie te kopen. Hij is zo bang voor ze dat hij daarstraks onder het eten zijn bestek niet stil kon houden. Hij rammelde er zo mee op zijn bord, dat hij zelf om een plastic mes en vork uit de pizzeria hiernaast vroeg.

De andere bewoners kijken met voyeuristisch plezier toe. Blij met de afleiding. Of misschien zijn ze blij dat ze weldra van Lisjny verlost zijn. Ze zitten omgedraaid op de bank of leunen tegen de muur met zijn weerzinwekkende koetjes en weitjes.

De politiemannen dragen zwarte coltruien onder bollende zwartleren jacks. Uit een zwarte draagband over hun borst steken walkietalkies.

Een van de agenten is hier eerder geweest. Hij heeft een olijfkleurig gezicht en witte handen – alsof zijn hoofd eigenlijk bij een ander lichaam hoort. Hij pakt een notitieboekje uit zijn linker borstzak en slaat het open. Ik vraag me af of hij één olijfkleurige en één blanke ouder heeft, zo opvallend is dat kleurverschil. Een menselijk half-om-halfkoekje.

Lily, Gertie en Phillip gaan met de agenten in de deuropening naar de keuken staan en fluisteren met grote nadruk op ze in. Ik kan niet horen of het aanmoedigingen zijn om Lisjny weg te halen of smeekbedes om hem te laten blijven.

De half olijfkleurige, half blanke agent zegt: 'Goed, wil iedereen nu de kamer verlaten, behalve Lisjny en zijn begeleider?' Lily steekt haar vinger op als een overijverige leerling. 'Dat ben ik,' zegt ze.

Phillip loopt naar de voordeur, schuift de beide grendels dicht en maakt het kettinkje vast. Als hij de kamer weer inkomt, lijkt hij zich geen raad te weten met zijn handen. Hij pakt een politiepet en verschuift hem naar de andere kant van de tafel.

Het is stil in de kamer nu de tv uit staat, en je hoort scherper hoe op straat de taxi's toeteren en de politiesirenes loeien. Er rijdt een ambulance voorbij, gevolgd door nog meer politieauto's. Dit zijn de geluiden waar ik 's nachts naar luister als ik niet kan slapen, geluiden waar ik gehecht aan ben geraakt, die me troosten.

De tweede politieman, kort en vierkant, schraapt zijn keel en zegt: 'Vooruit, iedereen naar boven. Ik wil deze kamer nú leeg hebben.'

Als ik niet beweeg, komt hij naar me toe om me te verwijderen. Hij ruikt schoon en prikkelend door de avondlucht en de sneeuw. De kou slaat in vlaagjes van zijn glimmende uniformknopen af. Ik glimlach naar hem. 'Goedenavond, agent,' lispel ik.

'Wilt u ook naar boven gaan?'

Dat ben ik niet van plan en ik keer hem stompzinnig mijn rug toe, in de hoop dat ik mag blijven als ik maar koppig genoeg ben. Ik voel zijn hand op mijn elleboog en schud hem af.

'Juffrouw? U zult hier weg moeten. We willen alleen zijn met meneer Bezoechov.'

'Ik ga al,' zeg ik.

Ik loop voor de keuken langs en kijk naar Lisjny die daar aan de tafel zit.

Hij kijkt terug met een onthutsende, verslagen glimlach. Ik

zie zijn kleine witte tanden en dunne rode lippen. Het gezicht dat er een paar minuten geleden nog volmaakt uitzag, lijkt nu het lelijkste dat ik ooit heb gezien.

Phillip neemt me mee naar boven en blijft met me voor mijn kamerdeur staan. Hij veegt het zweet van zijn bovenlip en laat zijn vinger bij zijn mondhoek rusten.

'Hoe voel je je?' vraagt hij. Ik zie hem hopen dat mijn antwoord kort en bedaard zal zijn.

'Het gaat wel,' zeg ik.

'Goed zo. De politie is hier nog wel even, dus je kunt maar het best proberen om wat te slapen.'

Ik zit bij het raam van mijn kamer en kijk naar de overkant van de straat, waar een grote digitale neonklok in de vorm van een draaiende blauwe aardbol reclame maakt voor een telecombedrijf. Verderop in de straat zie ik een verlicht reclamebord in een bushokje, 'welkom in de eerste klasse'.

Rachel staat van haar bed op en komt naast me staan op haar pantoffels. Ik zeg: 'Vind jij ook niet dat die sirenes iets troostends hebben?'

'Ja, best wel,' zegt ze glimlachend.

We leunen een poosje met onze ellebogen op de vensterbank. 'Denk jij dat ze Lisjny zullen arresteren?' vraagt ze.

'Ik hoop van niet,' zeg ik.

'Ik weet zeker van wel,' zegt Miranda vanuit haar bed. 'Tot nu toe kwamen ze hier steeds met zijn tweeën. Die derde agent is nu meegekomen om naast hem op de achterbank te zitten als ze hem afvoeren. Als hij moeilijk gaat doen, kunnen ze hem met twee man in bedwang houden terwijl de derde rijdt.'

Miranda heeft een rothumeur, wat ook niet vreemd is als je een maand lang niets gegeten hebt. Er trekt een rilling van mijn stuitje langs mijn ruggengraat omhoog, die vervolgens als een hete scheut naar mijn onderbuik schiet.

'Ga jij jezelf nou maar afkluiven,' zeg ik, en Rachel pakt mijn hand en drukt er een kus op. Mensen doen soms de raarste dingen.

'Ik kruip maar eens onder de wol,' zeg ik.

Ik lig op het bovenste bed naar het plafond te staren, dat van havermoutpap lijkt gemaakt. Ik herinner me Lisjny's belofte van een briefje, voel onder mijn kussen en vind het.

Mijn liefste Lou,

Je weet waar je me kunt vinden en ik weet dat je me zult vinden. En daarna moet je me elke avond voorlezen.

Je liefhebbende
Lisjny

Ik zie voor me hoe hij in een auto stapt, alleen. De auto heeft geen stuurwiel, rijdt uit zichzelf een verlaten weg op en verdwijnt uit zicht.

Hij zal in een deftig hotel verblijven, zoals het hotel waar hij me over verteld heeft, het hotel waar hij logeerde nadat hij in een of ander heet land een schaaktoernooi had gewonnen.

Hij vertelde me dat het restaurant van dat hotel aquaria van muur tot muur had, zodat hij tijdens de maaltijd door vissen werd omringd. Er zwommen haaien en andere reuzenvissen langs zijn bord, met kleuren die hij nog nooit had gezien. Zijn kamer had een bubbelbad, een eindeloze voorraad videofilms, schalen vol chocolaatjes en fruit naast het bed en een koelkast vol met drank.

Hij had een week lang geen schaak hoeven spelen en was intens gelukkig geweest. Hij vertelde me dat we op een dag samen naar dat hotel zouden gaan.

Ik omhels mijn kussen en stel me voor dat ik samen met Lisjny in dat hotelbed lig, met onze gezichten naar elkaar toe, slapend met onze lippen op elkaar, in elkaars longen ademend.

De politie heeft Lisjny drie avonden geleden meegenomen en de begeleiders weigeren te zeggen wat er met hem is gebeurd. Het is hier vervelend zonder hem.

Als ik Lily naar hem vraag, glimlacht ze zwakjes, steekt haar handen in de zakken op de buik van haar overgooier en zegt: 'Ik kan niets meer voor hem doen.'

Als ik aandring, zie ik haar handen friemelen in die zakken – een weerzinwekkend gezicht, alsof ze op het punt staat te bevallen van een uit knokkels bestaand wezen.

'Maar is hij nog wel in Amerika?' vraag ik.

Haar vingers woelen steeds nerveuzer rond terwijl ik haar zie denken aan alles wat Lisjny en ik misschien wel met elkaar gedaan hebben. 'Dat kan ik je niet zeggen,' zegt ze. 'Het is misschien beter als je hem probeert te vergeten.'

Ik heb de laatste paar nachten nauwelijks geslapen en vanavond dreigt het niet veel beter te worden. De slaappillen helpen niet meer. Ik stap mijn bed uit en zoek Phillip op in zijn kamertje aan het eind van de gang. Hij is nog wakker en zit rechtop in bed, met een opengeslagen boek op zijn schoot.

'Ook de kunst van het slapen verleerd?' vraagt hij. Het lijkt hem niet te verbazen dat ik opeens aan het voeteneinde van zijn bed verschijn.

'Ja,' zeg ik. 'Mag ik even hier zitten en met je praten?'

'Ga je gang,' zegt hij.

Hij draagt een T-shirt met een opgestreken foto van een naakte mannentorso op een roestvrijstalen mortuariumtafel. Grove zwarte steken waarmee de snede van de lijkschouwer is gehecht, lopen van de keel naar de navel.

Phillip trekt de oranje deken op tot aan zijn hals. 'Sorry voor dit T-shirt,' zegt hij. 'De andere zijn in de was.'

We praten een hele tijd over slapeloosheid. Ik vertel dat ik vaak het gevoel krijg gek te worden als ik mijn ogen sluit om te gaan slapen, en merk dat ik daardoor alleen maar wakkerder word.

'Het is alsof je aan tafel gaat en dan merkt dat je geen mond hebt om mee te eten. En dat terwijl je rammelt van de honger, hard aan een maaltijd toe bent en er nooit aan hebt getwijfeld dat je een mond had. Sterker nog, je wist zeker dat je een mond had, je had hem pas nog in de spiegel gezien en je wist niet beter of alles werkte normaal.'

Phillip krijgt een glimlach van herkenning op zijn gezicht, en nog iets anders – alsof het hem aanspreekt wat ik zeg, maar hij het liever van een ander had gehoord. Misschien heb ik zelf wel vaak zo naar James gekeken. Hij slaat zijn ogen neer naar zijn boek. 'Ja, het is om wanhopig van te worden. Een eenzaam gevoel ook.'

'Precies,' zeg ik, en ik wou dat we samen in zijn bed konden liggen, en elkaar in slaap konden praten.

'Je kijkt alsof je er wel bij zou willen kruipen,' zegt hij.

'Mag dat?' vraag ik, en ik voel het bloed naar mijn gezicht stromen. Het verwarmt me, en wekt een verlangen om zijn huid tegen de mijne te voelen, niet om die aanraking zelf, maar om bevestigd te krijgen dat hij om me geeft.

Hij verroert geen vin. 'Het lijkt me niet verstandig, Lou.'

'Maar je bent homo, dus wat maakt het nou uit? Het zou net zijn alsof ik bij een meisje in bed lag.'

Phillip gaapt met zijn mond dicht. 'We kunnen er allebei gedonder mee krijgen, en jij hebt nu een hoop te verliezen.'

Ik kan zien dat hij slaap heeft, dat hij elk moment zonder mij kan wegdrijven. Hoe kan hij zo slaperig zijn terwijl ik me zo pijnlijk afgewezen voel, en zo klaarwakker?

'Het spijt me, Lou.' Alweer een onderdrukte geeuw. Er lekken slaaptranen uit zijn ogen. 'Je bent een lieve meid.'

Ik kijk in het gedempte licht naar de melkflesvormige moedervlek op zijn kin, en wou dat hij op zijn minst een hand naar me uitstak.

'Wil je dat ik terugga naar mijn eigen bed?'

'Dat lijkt me echt beter,' zegt hij. 'Probeer nou maar niet te veel te piekeren.'

'Oké,' zeg ik. 'Tot morgen.'

Ik loop bij hem vandaan en kijk in de deuropening toe hoe hij zijn boek op de vloer laat vallen en zich omdraait. Zijn hand glijdt diep onder zijn kussen. Ik wacht tot hij stil blijft liggen en probeer me voor te stellen hoe het geweest zou zijn om met iemand in één bed te slapen, met onze hoofden op hetzelfde kussen, mijn buik tegen zijn rug. En dan wakker te worden terwijl we naar elkaar toe gedraaid liggen en dezelfde lucht inademen.

Ik loop de zitkamer in na alweer een tenenkrommend gesprek met Rennie Parmenter. Alle niet-anorectische bewoners hebben ondertussen avondeten gehad en zitten nu tv te kijken, onder hun grijze dekens op de tot op de draad versleten banken.

Het stinkt naar verf in de kamer. Op de muur hebben de koetjes, konijntjes en dalen vol lelietjes-van-dalen gezelschap gekregen van een nieuw vriendje.

Twee meisjes die nog maar pas in het internaat verblijven hebben een ietwat uit het lood staande eenhoorn aan de muurschildering toegevoegd. Hij is tweemaal zo groot als de koeien en zijn veel te grote hoorn doorboort een pafferige roze wolk. Ik wou dat Lisjny er nog was.

Ik lig op mijn bed met het twintigdollarbiljet dat de organisatie me heeft gegeven om een cadeautje voor mezelf te kopen. Het is donker in de kamer en er hangt zoals altijd een eigenaardige, verstikkende mufheid die aan een kippenren doet denken – alsof de rieten vloerbedekking een mengsel is van stro, kippenstront en oude veren.

Het sneeuwt nu al wekenlang en het is zo koud in dit vochtige gebouw dat we morgen thermisch ondergoed en extra dekens krijgen uitgereikt. Ook is er de belofte van een nieuwe elektrische kachel in de zitkamer.

De keuken zal uitsluitend verwarmd blijven worden door het gasfornuis, waarvan we alle pitten laten branden als we daar zitten, met de deur op een kier. Het levert weinig meer op dan een vleugje gaswarmte dat niet voorbij je van kou gevoelloze huid komt. Mijn vingers, en dan vooral de knokkels, zijn zo koud dat ze wel verbrand lijken.

Ik ga naar beneden, de zitkamer in, en ga bij het getraliede raam naar de mensen kijken die kerstinkopen doen in de drukke, neonverlichte straat. Ze dragen lange donkere jassen, dassen en mutsen en hebben meerdere bolstaande plastic tassen in elke hand. Ik ben een en al hunkering.

Ik fantaseer over hun knusse levens tot ik er hoofdpijn van krijg, kies een van hen uit en stel me voor hoe hij thuiskomt, beladen met lekkernijen en cadeaus. Hij steekt een sleutel in een vertrouwde voordeur en zijn handen, gezicht en hoofdhaar worden gekoesterd door het warme licht van de lamp in de hal. Hij ruikt kissende boter en brood dat in de oven staat te bakken, en hij hoort zijn vrouw hallo roepen vanuit een slaapkamer, half gekleed en dromerig, of hij kijkt door de openstaande badkamerdeur en ziet haar blije gezicht in de spiegel of wordt toegezwaaid vanaf het toilet – er is niets dat hij niet mag zien, niets dat hij niet mag hebben. Alles is hem toegestaan. Zijn kinderen komen in hun pyjama de trap af gehold, nog blozend van hun douche of bad. Ik wou dat ik met hem mee mocht, mee naar huis mocht met een van die winkelende mensen daarbeneden.

Het is mijn beurt om met de afwas te helpen. Ik sta met Gertie in de keuken. Ze vraagt me even te gaan zitten omdat ze me iets belangrijks moet vertellen, maar ze moet eerst haar boosheid kwijt omdat er alweer een gezondheidsinspecteur is langs geweest.

'De derde al dit jaar,' zegt ze. 'Waarom moeten ze óns steeds lastigvallen?'

Ik zeg dat ik het schoon vind in huis en dat ik ook niet snap waarom ze steeds terugkomen. Ik vertel haar dat mijn moeder maaltijden voor bejaarden rondbrengt en latex handschoenen aan moet om de dienbladen te dragen, ook al is het eten afgedekt met folie. Ik heb mijn moeder gisteravond gebeld, maar er werd niet opgenomen. Erins vreselijke stem stond op het antwoordapparaat, dus heb ik zonder boodschap opgehangen.

Ik vertel dat die verplichte handschoenen soms zo glibberig zijn dat mijn moeder het dienblad uit haar handen laat glippen, zodat zo'n bedlegerig oudje niets te eten heeft dankzij de hygiënevoorschriften.

Gertie glimlacht en komt ter zake.

'Ik heb goed nieuws voor je,' zegt ze. Haar oogjes beginnen te glimmen van plezier, een aanblik die ik niet had verwacht.

'O, vertel eens,' zeg ik.

'Je vertrekt morgen naar het gastgezin waar je de feestdagen doorbrengt.'

'Fantastisch!'

Ik wil haar bedanken en alle dingen zeggen die ik heb ingestudeerd, maar ze geeft me een paar roze afwashandschoenen aan, als om me tot kalmte te manen.

'Bedenk wel dat dit je laatste kans is,' zegt ze. 'Maar als je op deze mensen een goede indruk maakt en alles prettig verloopt, zullen de Hardings je zeker terugnemen.'

'Geweldig,' zeg ik.

Ik wist niet dat mijn terugkeer naar de Hardings aan deze voorwaarde gebonden was en ik wil vragen wie dit bedacht heeft. Het maakt me kwaad en dat wil ik uiten. Ik had de Hardings nog eens moeten schrijven, of ze een kerstkaart moeten sturen. Wat moet ik als ze nog van gedachten veranderen?

Maar in plaats daarvan glimlach ik.

'Ik wil je afstudeerfoto van die highschool zien,' zegt Gertie.

'Dank je,' zeg ik. 'Ik ben heel blij met deze kans, en je moet weten dat ik je vertrouwen in mij enorm waardeer.'

Ze pakt een vuile schaal van de tafel en zet hem in de gootsteen. 'Bijna iedereen verdient een tweede kans,' zegt ze.

Het is ochtend en Gertie helpt me met inpakken, maar mijn keel wordt pijnlijk afgesnoerd door de zenuwen en ik kan niet met haar praten. Ik sta versteld van mijn eigen angst.

Het is dezelfde angst die ik altijd voelde als mijn zussen en ik spijbelden en elkaar voortduwden in winkelwagentjes, in de ondergrondse parkeergarage van het winkelcentrum. Toen was ik ook zo bang, maar nog banger om toe te geven dat ik bang was, dus liet ik me sullig rondrijden en van de afritten duwen door zussen die ik niet vertrouwde. En het was terecht dat ik ze niet vertrouwde. Ze reden me naar de rand van zo'n steile afrit en lieten dan los. Ik heb eens mijn arm gebroken omdat ik ze vertrouwde.

Ik bedwong mijn tranen toen altijd door mezelf ervan te overtuigen dat gevaar beter was dan verveling, en dat doe ik nu weer. Maar als ik diep ademhaal, voel ik een vreemde tinteling in mijn neus – de tinteling die je voelt als je gaat vallen.

Gertie zit naast me op mijn bed en legt haar klamme handje op mijn onderarm, houdt me vast alsof ze me voor zichzelf wil houden. Zelfs door de dikke wol van mijn trui voel ik de warmte van haar magere oude lichaam. Zou het menselijk lichaam soms steeds meer warmte vasthouden naarmate het ouder wordt? Pruttelt het voort als een gerecht dat te lang op het vuur staat?

Ze kijkt me diep in mijn ogen en zegt: 'Probeer je de Louise Connor van over tien jaar voor te stellen, en vraag je af hoe het haar vergaan zal als déze Louise Connor opnieuw de fout in gaat. Dit is voor jou het moment om over je toekomst te beslissen, ook al heb je op jouw leeftijd nog geen benul van de toekomst en de rest van je leven.'

Ik zie aan haar gezicht dat ze dit de meest indringende woorden vindt die ze ooit heeft gesproken. Ze heeft zichzelf waarschijnlijk kippenvel bezorgd.

'Lou, je moet je nu gewoon even anders voordoen dan je bent, en dat lang genoeg volhouden om uit deze ellende te komen.'

Ze kijkt opeens verlegen, verward zelfs, alsof ze op het eind toch nog iets verkeerds heeft gezegd.

'Kijk, ik heb al tekenen van verandering gezien. Ik heb je geduld zien opbrengen, heb je zelfs naar mensen zien luisteren die je niet mag. Volgens ons komt dat doordat je minder egocentrisch bent geworden.'

Het idee dat ik egocentrisch zou zijn komt nogal hard aan, maar ik glimlach naar Gertie en ze neemt haar hand van mijn arm af, onder achterlating van de warmte. Zoiets heeft nog nooit iemand tegen me gezegd.

Als Gertie mijn kamer uit is gelopen, abrupt, in een theatraal stilzwijgen, ruik ik aan mijn mouw. Waar ze haar hand heeft gehad is de wol nog vochtig en ruik ik haar eigenaardige geur.

De andere bewoners worden naar buiten gevoerd om kerstinkopen te gaan doen, of misschien ook wel om ze de aanblik van mijn vrijlating te besparen.

Terwijl ik zit te wachten, denk ik terug aan de tijd toen Erin en ik een kamer deelden en er op een keer onze fantasieën bespraken. Het is nog niet zo lang geleden. Ik was veertien en was net begonnen met spraakles. Erin was uit stappen geweest met haar vriendje, Shane, een luchtmachtpiloot die tien jaar ouder was dan zij.

Ik vertelde haar dat mijn lievelingsfantasie verschillende versies had maar erop neerkwam dat ik op een ochtend wakker werd met een wonderbaarlijk talent voor de piano of de viool, of een uitzonderlijk vermogen om vreemde talen te leren.

'Dus ik wil niet wakker worden en al meteen piano of viool kunnen spelen of vreemde talen kunnen spreken. Mijn fantasie is dat ik opeens de gave heb om het te leren.'

Erin lachte schamper. 'Waarom fantaseer je niet gewoon dat je in één klap honderd talen spreekt? Wakker worden met een talenknobbel, wat heb je dáár nou aan?'

Ik zei dat ze niet snapte waar het om ging, maar ze hoefde geen verdere uitleg. Het kon haar niet schelen dat ze me niet snapte. 'Het slaat gewoon nergens op, die fantasie van jou.'

Ik vond dat ik op mijn beurt naar haar fantasie moest vragen – uit beleefdheid, of om wat mijn moeder altijd 'de lieve vrede' noemt. 'Waar fantaseer jij dan over?' vroeg ik.

‘Nou,’ zei ze, ‘sinds ik met Shane uitga, heb ik een fantasie die ik maar niet uit mijn hoofd kan krijgen. Ik ga aan boord van een stikvolle jumbo, met honderden passagiers, en Shane is de gezagvoerder en we laten de deur van de cockpit open en dan gaan we neuken en dan...’

Op dit punt had ik al wel een idee hoe het verder zou gaan, maar daar bleek ik me deerlijk in te vergissen. Het werd veel smeriger en gewelddadiger dan de gore praatjes die ik van haar gewend was.

Erins obscene cockpitfantasie maakte me aan het huilen. Ze hield op met vertellen. Niet om me te sparen, maar om in alle rust van mijn gesnik te kunnen genieten.

Op de een of andere ziekelijke manier fascineer ik mijn zussen, en ze vinden het heerlijk om mijn reactie te zien op de vreselijke dingen die ze zeggen. Als mijn ouders niet medeplichtig waren aan deze kwelling, kon ik misschien van ze houden.

‘Jezus, trut,’ zei Erin, ‘wat is er zo erg aan een wip in een cockpit? Jij krijgt later nog de grootste problemen, meissie. Echt de grootste problemen.’

Het kwam misschien door die voorspelling van ‘later’, maar ik begon nog harder te snikken. Ik zei precies wat er in me opkwam, al wist ik dat het haar niets zou zeggen.

‘Het is allemaal zo gewelddadig,’ zei ik. ‘Alles aan jou is puur gewelddadig. Jij hebt een slachthuis vol geile mensen in je hoofd. En dat maakt me bang, want hoeveel mensen zouden er nog meer rondlopen met geile slachthuizen in hun hoofd?’

‘Ga nou maar slapen,’ zei ze. ‘Ga nou maar gewoon slapen.’

Maar dat kon ik natuurlijk niet.

21

Gertie brengt me met de auto naar het nieuwe gezin en praat er onderweg honderduit over, alsof ik de rest van mijn leven bij die mensen ga doorbrengen.

'Ze hebben al een uitwisselingsleerling in huis. Dat meisje komt ook uit Sydney. Mandy heet ze. Herinner je je haar nog van het introductiekamp?'

'Nee,' zeg ik.

'O, nou ja. Misschien herken je haar als je haar weer ziet.'

'Misschien wel, ja.'

'De moeder is pastoraal werkster en de vader is momenteel werkloos.'

'Ah, wat leuk,' zeg ik stompzinnig.

'Ze hebben het niet breed.'

'Nee, dat zal wel niet.'

'Dus het is heel genereus dat ze bereid waren om jou op zo korte termijn in huis te nemen.'

'Zeker.'

'Mandy zal zich misschien een beetje bedreigd voelen door jouw aanwezigheid.'

'Daar kan ik inkomen,' zeg ik.

'Kijk, Lou, wat ik zeggen wil, is dat je nu even goed je best moet doen om niemand tegen je in te nemen. Maar dat begrijp je zelf ook wel.'

Mijn nieuwe gastgezin woont in een desolate, industriële buitenwijk van de stad. Gertie houdt haar ogen strak op de weg en haar armen stram voor zich uit aan het stuur.

Met een grijns die ik nog niet op haar gezicht heb gezien zegt ze: 'Ik weet niet hoe dit gaat lopen, maar ik hoop van harte dat ik je nooit meer zie.'

'Insgelijks,' zeg ik. 'Ik wil jou ook nooit meer zien.'

We lachen, en voor ik weet wat ik doe steek ik een hand naar haar uit. Ze pakt hem en klemt haar vingers om de mijne. Ik krijg een brok in mijn keel. Als ik weer spreken kan, vraag ik: 'Weet jij misschien wat desquamatie is?'

Haar hand keert terug naar het stuur, alsof ze iets stevigs in handen moet hebben om te kunnen nadenken.

'Als oud-verpleegster weet ik dat inderdaad,' zegt ze. 'Desquamatie is het overmatig afschilferen van de huid. Het wordt onder meer veroorzaakt door een teveel aan vitamine A. Waarom vraag je dat?'

Niet te geloven. Gertie is de eerste die het weet.

'Ik ken het woord uit boeken over de eerste poolreizigers. Die schenen het altijd te hebben als ze bij zo'n expeditie om het leven kwamen. Weet jij waarom ze het kregen?'

'Te veel levers van ijsberen en sledehonden gegeten, stel ik me zo voor.'

'Wauw,' zeg ik. 'Wat verschrikkelijk.'

Het is lunchtijd en we stoppen bij een eettent langs de weg. Ik eet twee broodjes omdat ik me op mijn gemak voel bij Gertie. Niemand heeft mijn vraag zo goed beantwoord als zij, en ik wou dat ik bij haar kon intrekken en niet bij dat verpauperde gezin dat in de wildernis woont en al een Australisch meisje in huis heeft. Gertie zegt dat ze zich vaak afvraagt hoe het met Lisjny gaat. Ik heb vandaag nog geen seconde aan hem gedacht.

We rijden een smal, vervallen bruggetje over en stoppen voor het huis waar we moeten zijn.

Het is een sombere dag, maar ik voel me lichter dan ik me lange tijd gevoeld heb – en kalm, alsof ik in de toekomst kan kijken en zie dat de toekomst ook kalm is.

Als ik ben uitgestapt, wil ik de omgeving in me opnemen en draai om mijn as op het kiezelpad. Het gekners van mijn laarzen doet een zwerm spreeuwen opvliegen, in een brede sliert de grauwe hemel in. Ze lijken op theeblaadjes die rondwentelen in een omgeroerd kopje. Ik zie Gertie glimlachend omhoogkijken en glimlach zelf ook.

'Ik voel me goed,' zeg ik.

'Dat zie ik,' zegt ze.

'Ik vind het heerlijk als de hemel zo dreigend is dat hij je aandacht opeist.'

Ze pakt mijn hand en dat vind ik niet onaangenaam. Mijn hand is droog.

Het is een klein grijs huisje – rechthoekig en vochtig ogend, als een bunker na een regenbui. In de voortuin staat een verpieterde boom, als de laatst overgebleven haar op een stervend beest.

Er wordt opengedaan door een kleine man.

'Hallo,' zegt hij, en hij maakt een hoogst ongebruikelijk gebaar. Hij vouwt zijn handen alsof hij in gebed gaat en drukt ze tegen zijn onderkin. Anders dan alle andere mensen die ik in dit land heb ontmoet, steekt hij geen hand uit voor een handdruk.

'Kom binnen,' zegt hij. 'Je spullen pakken we straks wel.'

Hij gaat ons voor de keuken in, een kleine donkere ruimte direct achter de voordeur. Zijn vrouw en twee kinderen staan op van de keukentafel, waar ze aan een kom soep zaten, en het schuren van de drie stoelen over de betonnen vloer is als het losbarsten van een hoosbui. De soep is diepgroen en ze eten er droge sneden bruinbrood bij.

Het voorstellen verloopt zonder handenschudden.

Mijn nieuwe gastgezin wordt gevormd door meneer en mevrouw Bell en hun jonge zoontjes George en Paul. De jongetjes lijken sterk op hun moeder, met hetzelfde asblonde, doffe en ongewassen ogende krulhaar. Ze hebben langwerpige gezichten met een sereen starende uitdrukking die vermoeidheid en verveling verraadt. Behalve op hun moeder lijken ze ook nogal op schapen, maar op hun vader lijken ze in het geheel niet – alsof mevrouw Bell hen zonder zijn tussenkomst op de wereld heeft gezet.

'Ga zitten,' zegt mevrouw Bell. Haar lange blanke hals is overdekt met een vurig rode uitslag.

'Graag,' zeg ik, en Gertie en ik gaan aan de kleine houten keukentafel zitten. 'Willen jullie soep?' vraagt mevrouw Bell.

Aan onze voeten zit een bejaard hondje te snuffen en te grommen. Hij schraapt met zijn ontblote tanden over zijn rauwe, haarloze kruis, op jacht naar vlooien.

De soep ziet eruit als spinaziesoep en ruikt naar gewied onkruid dat wegrot in de zomerzon. De jongetjes eten alweer verder, met hun lepels langs hun tanden schurend.

Ik weet dat dit het stille soort huis zal zijn, waar elk geluidje zenuwslopend hard wordt versterkt. Dat krijg je met dit schaarse meubilair, de kale vloeren, de dunne gordijnen en de kou. Ik ben al eens eerder in zo'n huis geweest, op het platteland van Australië, en toen heb ik op een motorfiets door een weitje gereden tot de tank leeg was, om maar lawaai te kunnen horen.

'Nee hoor, bedankt,' zeg ik, 'we hebben net al iets gegeten.'

De jongens hebben na hun 'Hallo' niets meer gezegd, maar na hun laatste lepel groene soep glimlachen ze naar me. Ze hebben een hoogst onkinderlijke glimlach – gul en gastvrij, verstoken van iedere argwaan en wedijver. Meneer Bell haalt mijn bagage uit de auto en draagt alles naar een kamer achter in het huis.

'Laten we naar de woonkamer gaan,' zegt hij als hij terugkomt. Hij strijkt met zijn vingers door de vlassige toefjes grijs haar aan weerszijden van zijn voor het overige kale hoofd.

We steken een smal gangetje over en gaan een vertrek binnen dat nauwelijks groter is dan de keuken. En net zo donker. Er staan zes stoelen met houten rugleuningen in een wijde kring, alsof er zojuist een stoelendans is gehouden. Geen bank. Geen boekenkast.

Behalve de stoelen zie ik alleen een stapel kussens met geborduurde namen in de hoek, en een houten tafel met dezelfde afmetingen als die in de keuken en een hoge stapel bordspelen. Ik zie mezelf al met de schaapjongens op de vloer een spelletje zitten doen, met een kom grassoep op schoot.

Mevrouw Bell haalt een kussen uit een van de slaapkamers en ik krijg de grootste van de houten leunstoelen aangeboden. Ik leg het kussen op mijn schoot. Meneer Bell komt achter me staan.

'Ga eens wat naar voren,' zegt hij, en hij schuift het kussen gerieflijk achter mijn rug.

Mevrouw Bell zegt: 'Waarom trek je je wanten niet uit, kind? Is het koud hierbinnen? We kunnen een kachel neerzetten, hoor.'

Het is stervenskoud. Paul biedt aan een deken voor me te halen. 'Nee, hoor, het gaat wel,' zeg ik, al had ik ja moeten zeggen.

Dit huis is nog kouder en vochtiger dan het internaat, en ik weet zeker dat ik ijzige windvlagen tussen de vloerplanken door omhoog voel komen. Een huis? Het lijkt eerder een stapel vrieskisten op een bevroren meer.

Maar de familie Bell draagt zomerkleding. Hoe is het in vredesnaam mogelijk?

Wat een raadselachtig ijspaleis is dit. Ik vraag me af of er ergens een verborgen camera of een doorkijkspiegel hangt en een stel psychologen mijn reactie bestudeert.

Ik kijk naar Gertie. Ze heeft haar handen in haar vestmouwen gestoken en haar knieën wippen onwillekeurig op en neer.

'Zo,' zegt mevrouw Bell als we allemaal zitten, 'wat vind jij zoal leuk om te doen, Louise?'

De jongens kijken naar hun moeder alsof ze een sterk staaltje heeft verricht.

'Ik hou van lezen,' zeg ik.

George staat op en verklaart plechtig: 'Wij krijgen onze boeken van de rijdende bibliotheek die hier om de zondag komt.'

'Hou jij ook van lezen?' vraag ik hem.

'Ja! Ik heb al bijna alles gelezen voor mijn leeftijdsgroep.'

Mevrouw Bell maakt een subtiel handgebaartje en George gaat weer zitten.

'Nou, Louise, laat het ons maar weten als je iets nodig hebt voor je hobby's en liefhebberijen.'

Ik kijk naar een schaakspel met Alice in Wonderland-stukken, dat onder de tafel op de vloer staat. 'Misschien kan iemand hier me schaak leren spelen.'

'Ik!' zegt Paul.

'O, dat zou geweldig zijn,' zeg ik.

Nu komt Paul overeind om iets te zeggen. 'Ik heb het Mandy proberen te leren, maar ze vergat steeds hoe de lopers gaan en hoe je moet rokeren.'

Ik wil net veinzen dat ik niet weet wat rokeren is, om het gesprek gaande te houden, als meneer Bell zegt: 'Paul, je moet geen kritiek op mensen leveren als ze er niet bij zijn.'

Paul kijkt naar zijn moeder. 'Maar het ís zo!'

'Dat kan wel zijn, maar hoe moet Mandy zich nu verdedigen?'

Gertie staat op.

'Zullen we nog even wat dingen doornemen voor ik ga?' zegt ze.

Ze loopt met meneer en mevrouw Bell naar de keuken en de deur gaat resoluut dicht. Ik weet wat Gertie hun nu vertelt over de AA-bijeenkomsten waar ik van de organisatie naartoe moet.

De jongens halen een voor mij onbekend spel uit een doos en beginnen het op te zetten.

'Wil je meedoen?'

'Nee, dank je,' zeg ik. 'Ik kijk wel.'

Ik blijf net zo lang kijken tot mijn geduld schoon op is. 'Mag ik de rest van jullie huis even bekijken?' vraag ik.

'Ik laat het je wel zien,' zegt Paul.

Hij laat me de slaapkamers zien. Er hangen geen overgordijnen, alleen dunne witte vitrage. Kale vloeren. Geen spoor van een radio of cd-speler. En dan realiseer ik me ineens wat dit huis tot zo'n merkwaardig oord maakt. Er is geen tv.

Het is donker nu, en hoewel ik kalm ben, en blij met de kans die ik heb gekregen, kan ik me niet herinneren dat ik me ooit zó verveeld heb en me zó armoedig heb gevoeld.

Het is allang etenstijd geweest, maar er is niet gegeten. We zitten om de keukentafel, rond een pot thee, en de jongens delen iets wat volgens mij een oud paasei moet zijn – in piepkleine stukjes geslagen, die ze gul naar elkaar toe schuiven.

Er is afgesproken dat ik één week bij de Bells blijf. Gaat dat goed, dan komen de Hardings me ophalen.

Dus nu komt alles alsnog in orde. Ik ga mijn laatste schooljaar afmaken en trouw daarna onmiddellijk met Tom, zodat ik in Amerika kan blijven zonder de Hardings om iets te hoeven vragen. En dan zoek ik een goede universiteit, ga bijles geven, of wat het ook is dat studenten geneeskunde doen om aan hun geld te komen. En als ik mijn artsdiploma heb, of bijna heb, verlaat ik Tom en zet ik mijn leven definitief op poten.

Misschien vind ik Lisjny dan wel weer, of iemand die net zo aardig en grappig is als hij. Of ik ben misschien zelfs van Tom gaan houden. Hoe dan ook, ik hoef nooit meer terug naar huis.

Mevrouw Bell schuift me haar hand toe over de keukentafel. 'Ik weet nu al dat het heel leuk zal zijn om jou hier te gast te hebben,' zegt ze.

Ik trek mijn wanten uit, glimlach, en pak haar hand alsof ik dat al duizenden keren heb gedaan. Ik begin hier bedreven in te raken. Een paar seconden hiervoor verveelde ik me nog, en nu voel ik een weldadige vredigheid.

De jongens vegen hun mond af met een servetje en komen me een voor een een knuffel geven. Ik knuffel ze terug.

Gertie biedt aan te blijven tot ik me heb geïnstalleerd.

Ik word naar de kamer gebracht die voor mij is vrijgemaakt door George. Ik heb geen idee waar hij nu moet slapen. De bijkeuken?

Het is een keurig aan kant gemaakt kamertje, met een raam dat uitkijkt op een grasveld. George laat me de leeggehaalde kasten zien en vertelt me dat ik al zijn boeken mag lezen.

'Waar slaapt Mandy eigenlijk?' vraag ik.

'In ons tuinhuisje achter het huis,' zegt mevrouw Bell.

Er trekt een rilling over mijn rug. Het had me net zo goed kunnen gebeuren dat ik dat huisje met haar had moeten delen. Twee meiden in één kleine ruimte. Je moeten uitkleden waar een vreemde bij is, in bed met haar moeten praten, bang dat ze je kan zien.

Gertie en ik nemen afscheid bij de auto.

'Nou, dat is het dan,' zeg ik. 'Nu zie ik je dus nooit meer.'

'Zo is het,' zegt ze.

'Bedankt voor alles,' zeg ik, en ik vraag me af of ik haar moet omhelzen.

'Je hoeft me niet te omhelzen als je dat niet wilt, hoor. Ik weet ook wel dat ik een beetje knokig ben.'

Ik lach.

Ze opent haar handtas. 'O, dat vergat ik nog bijna. Je hebt een brief van je ouders gekregen. Gisteren al. Neem me niet kwalijk.'

Ik wuif haar uit tot ze uit het zicht is, en blijf zelfs dan staan wuiven. Ik denk: Misschien word ik wel gadegeslagen. Misschien zou ik me altijd moeten gedragen alsof ik word gadegeslagen.

Ik lig op mijn nieuwe bed en maak de brief open. Hij is van mijn moeder, verstuurd vóór het nieuws dat de Hardings me terug willen nemen, en geschreven op de binnenkant van een muzikale kerstkaart. Er is ook een biljet van vijftig dollar met plakband aan vastgeplakt. Waar haalt ze zo'n bedrag vandaan?

Lieve Lou,

Ik heb geweldig nieuws voor je! Je zal je ogen niet geloven als je het leest, maar je zusters zijn allebei zwanger!!!!

Leona belde gisterenavond om te vertellen dat ze over tijd is en een zwangerschapstest heeft gedaan. Niet te geloven toch? Nou wordt ik een dubbele oma en ze hebben het geeneens zo geplend.

Erin en Steve hebben de vorige week vreselijke ruzie gehad en hij is nou weg, maar we weten zeker dat hij gauw genoeg weer terug is. Je kan je wel indenken dat Erin hem graag weer wil zien, zo met de kerst voor de deur. Vrolijk kerstfeest voor jou ook!

Afijn, dit wil dus zeggen dat als je volgend jaar terugkomt, dan wordt je een tante (!!) en er zullen tegen die tijd ook wel een paar huwelijksbootjes uitvaren denk ik zo.

We horen van de organisatie dat je nu op een andere plek zit omdat die familie er niet tegen kon dat je af en toe wat dronk. Ik dacht eerlijk gezegd al dat ze nogal bekrompen waren. Ik heb het al duizend keer gezegd: hoe rijker mensen zijn, hoe minder ze kunnen hebben. Ze begrijpen bepaalde dingen gewoon niet, maar dat zie jij nu ook wel denk ik. Je bent in elk geval veel beter af daar waar je nou zit, en je kan je natuurlijk altijd verheugen dat je weer terugkomt.

Heel veel liefs

Je mama

ps: Bill Fanucane, je weet wel, die dat restaurant heeft in het nieuwe winkelcentrum, zegt dat hij over een tijdje iemand nodig heeft om de bar te runnen. En raad eens wat, volgens hem heb jij het in je mars om assistentbedrijfsleider te worden!!!

Afijn, hij wil dus iemand hebben rond de tijd dat jij weer thuis komt! Is dat mazzel of niet? Dus je kan je ook al op een goeie baan verheugen, en je verdient heel wat meer dan op een kantoor of zo. Dus als je weer eens schrijft, vergeet dan niet je vader te bedanken die dit allemaal geregeld heeft. Met al die kleintjes straks, kunnen we het geld goed gebruiken thuis.

ps nogmaals: we missen je allemaal en we houen van je!!!!!!!

Zeven uitroeptekens. Om onpasselijk van te worden. En dat is dus de eerste test die ooit positief voor Leona is uitgevallen.

22

Als meneer Bell terugkomt uit het schuurtje waar hij de houten leunstoelen maakt waar we op zitten, heeft hij een stoffig transistorradiootje bij zich. Hij voegt zich bij ons in de woonkamer en zet het radiootje naast zijn laarzen op de vloer.

Onze schuchtere woorden worden bijgemengd met de blikkige muziek – een bak met kapotte instrumenten, heen en weer gerammeld door een stormachtige wind, ergens ver weg. De jongens kijken met turende ogen naar de radio, als om beter te kunnen horen.

In een hoek staat een iele kerstboom met een enkele streng knipperende lichtjes. Eronder liggen tientallen ingepakte kleinigheden.

Erin heeft eens verkering gehad met een motorbink. Hij kwam op een kerstdag bij ons langs met een gewei aan zijn helm gebonden, een plastic kerstboompje achterop en het bagagevak vol met ingepakte exemplaren van zijn lievelingsroman.

Ik dacht dat ik gek werd toen ik Erin een tijdje later vroeg wat het voor boek was en ze geen flauw idee zei te hebben. Geen wonder dat die motorbink haar kort daarna liet vallen voor een vrouw die in een museum werkte en van boeken en geschiedenis hield.

Ik staar naar de schamele kerstboom van de Bells en verlies me in een onbenullige fantasie over een magische kerstdecoratie – een fraaie handbeschilderde arrenslee, compleet met rendieren en kerstman, die elk uur door een robotarm rond de boom wordt bewogen. De mechanische kerstman roept natuurlijk 'Ho ho ho' en strooit met gouden presentjes die dan chocolademunten blijken te zijn.

'Brian maakt al onze meubels zelf,' zegt mevrouw Bell.

'Goh, wat gaaf,' zeg ik, en ik vervloek wederom de dag waarop het woord gaaf is uitgevonden.

Meneer Bell heft zijn handen op om de toefjes grijs haar aan weerszijden van zijn hoofd glad te strijken. Hij heeft grote handen en dikke, eeltige vingers.

'Mandy zal zo wel thuiskomen,' zegt hij met een blik op zijn horloge. 'Hoe laat heb jij het?' vraagt hij zijn vrouw.

'Het is na achten,' zegt ze.

'Ja, dan is ze zo'n beetje klaar met schermles,' zegt hij.

'Leuk. Ik zie ernaar uit om haar te ontmoeten,' zeg ik, en terwijl ik het zeg trekt er een paniekrilling van mijn stuitje naar het midden van mijn rug, die daar halt houdt en weer net zo snel wegtrekt als hij gekomen is.

Het is een steenkoude avond, en de kou wordt verergerd door de leegheid van deze kamer. Die leegheid zorgt er ook voor dat iedereen veel te hard lijkt te praten, alsof we allemaal een microfoon onder onze stoel hebben.

Ik kan niet stil blijven zitten.

Ik kijk om me heen. De jongens lijken hun houten leunstoel comfortabel te vinden en praten monter over school.

Meneer Bell vraagt me: 'Heb je zin om mee te komen als we op eerste kerstdag bij de grootouders van de jongens op bezoek gaan?'

'O ja,' zeg ik. 'Lijkt me enig.'

Mevrouw Bell, wier ogen extra groot lijken in haar lange, smalle gezicht, buigt zich naar me toe en probeert zachtjes te praten, maar haar stem weergalmt evengoed door de kamer. 'We hebben een bijzondere verrassing voor jou met kerst.'

'O, maar jullie moeten niets voor me kopen, hoor!'

Mevrouw Bell kijkt naar haar zoontjes aan de andere kant van de kamer en ik volg haar blik. Ik probeer de details in me op te slaan – de kleur van hun ogen, de vorm van hun mond, de grootte van hun oren. Ik wil liever luisteren dan praten. Ik wil niet piekeren over wat ik moet zeggen. Voor mijn part zeg ik nooit meer iets geestigs of opmerkelijks. Dat zou veel prettiger leven zijn. Ik wil alleen nog maar luisteren, en geef gehoor aan mijn eigen wens. Ik zit aan één stuk door te luisteren tot het negen uur is en ik me begin af te vragen waarom de jongens nog niet naar bed hoeven.

George heeft klodders jam om zijn mond en niemand neemt de moeite om ze weg te vegen.

Mijn handen zijn nu zo koud dat ze gevild lijken, en mijn tenen lijken zich tot één starre bonk te hebben verenigd. Ik kan ze niet meer onafhankelijk van elkaar bewegen. De Bells hebben nog steeds alleen maar zomerkleren aan. Mevrouw Bell draagt een T-shirt waaronder ik haar enorme bh kan zien.

Het is halftien als Mandy thuiskomt met haar floretten en haar schermmasker dat eruitziet als de kop van een reusachtige witte vlieg.

'Hallo allemaal,' zegt ze, en ze laat een grote zwarte tas op de vloer neerploffen.

Ik sta op om haar te begroeten, maar ze kijkt me niet aan en loopt naar de jongens die ze allebei omarmt en op hun wang zoent.

'Hoe gaat het met mijn lieve gastgezin?' zegt ze.

'Hai,' zeg ik. 'Ik ben Lou, leuk je te ontmoeten.'

'Ja,' zegt ze met een vaag glimlachje, 'aangenaam.'

Ik geef haar een hand, waarna ze haar armen voor haar borst vouwt. Haar irissen zitten te hoog in haar ogen. Er zit te veel wit onder.

En opeens zie ik het. Ik herinner me haar inderdaad van het introductiekamp.

Ze is dik geworden. Wat toen een perfect gezichtje was, omgeven door een blond pagekopje, is nu bleek en pafferig. Haar vel hangt in plooien om haar blauwe ogen en ze heeft haar haar laten groeien. Het hangt nu futloos rond haar gezicht, waarschijnlijk om haar hangwangen te verhullen.

Nu weet ik het weer. Op een van die smoorhete introductiedagen in Los Angeles verveelde ik me en wilde een potje tafeltennis spelen in de recreatiezaal van het kamp, waar Mandy en haar popperig mooie vriendinnetjes aan een tafel zaten te lunchen.

Ik stond in de deuropening naar ze te luisteren.

'Mijn moeder zegt altijd dat je nooit met je benen over elkaar moet zitten. Doet ze zelf ook niet en ze heeft nooit last gehad van spataderen,' zei een vriendinnetje.

'Ja, dat zegt mijn moeder ook altijd,' zei een ander. 'Nooit je benen over elkaar slaan, anders krijg je spataderen.'

Een meisje met een sandwich haalde steels haar ene been van het andere en stak haar dikke tong uit om het brood naar binnen te leiden. Weerzinwekkend, die tong en dat gezwam en die kwinkelerende meisjesstemmetjes.

Ik liep de zaal in, pakte de rand van de tafeltennistafel en begon hem over de vloer te slepen. Het kapotte wieltje krijste over de vloer. Ze keken naar me en Mandy stopte haar vingers in haar oren, maar ik ging door.

'Zeg, moet dat?' riep een van hen. 'Wij zitten hier te praten.'

Ik bleef de tafel over de vloer slepen, helemaal tot aan de dubbele deuren en daar liet ik hem staan, zodat de uitgang versperd was. Het was Mandy die zei: 'Hé, ben jij niet goed snik of zo?'

Ik negeerde ze, klom door een openstaand raam naar buiten en maakte een smak op mijn arm.

Mandy en haar vriendinnetjes droegen elastiekjes om hun pols, zodat ze hun dikke blonde haar in een staartje konden doen als ze moesten eten of sporten. Ze deden allemaal aan wintersport en waterskiën. Ze droegen make-up, volgden diëten en dronken acht glazen water per dag. Hun sokjes waren wit en bleven wit – ik bekeek ze stiekem in de slaapzaal. Zelfs de hielen waren nog wit. Net als bij de witte sokjes van Bridget.

Mandy tilt George uit zijn stoel en zet hem op haar knie. Er is iets vreemds aan de manier waarop ze met haar hand door zijn haar strijkt.

'Dag knapperd,' zegt ze. 'Wat heb je voor dag gehad?'

George slaat zijn armen om haar nek en giechelt: 'Ik heb geen dag gehad.'

Mandy's stem is hard en levendig op het gewelddadige af. 'O, maar natúúrlijk heb je wel een dag gehad, Georgie! Je hebt toch wel iets gedáán?'

George kijkt vanonder haar blonde lokken naar mij.

'Lou is lief,' zegt hij.

Mandy kijkt me voor het eerst aan. 'Natuurlijk is ze dat,' zegt ze.

'Dank je wel, George,' zeg ik.

Meneer en mevrouw Bell volgen ons zonder een spoortje bezorgdheid op hun goedaardige en nieuwsgierige gezichten. Mijn keel verkrampt en mijn wangen beginnen te gloeien.

'Ik hoor dat je schermlessen neemt,' zeg ik tegen Mandy die haar bolle toet tegen het gezichtje van George wrijft – een gebaar van affectie dat niet zo waarachtig overkomt.

'Ik scherm al zeven jaar,' zegt ze met haar neus tegen die van George gedrukt. Ze heeft de uitstraling van iemand die weet dat ze bij alles wat ze doet een goede indruk maakt.

Er hangt een vage pislucht in de kamer. Ik vraag me af of die uit de broek van George afkomstig is.

'Zo zeg, da's indrukwekkend,' zeg ik. 'Dan ben je vast al heel goed.'

Mandy klemt haar armen om het borstje van George en wiegt hem heen en weer, zoals ik mensen wel vaker met kinderen heb zien doen.

Zelf heb ik nog nooit een kind aangeraakt.

'Ik was vroeger beter. Ik ben nogal aangekomen, zoals je ziet. Door het vette eten.'

'In de schoolkantine,' vult mevrouw Bell aan.

'Valt reuze mee, hoor. Het was me niet eens opgevallen,' zeg ik met geforceerde welwillendheid. Mandy wil me nog steeds niet aankijken en dat vraagt om een maatregel. Ik ga voortdurend en met een permanente glimlach naar haar kijken om haar een boodschap over te brengen. Ik zeg de boodschap in gedachten en stuur hem haar toe met mijn ogen: Je ziet er goed uit, Mandy. Je zult er altijd goed uitzien. Niet boos zijn omdat ik hier ben.

'Bijna acht kilo,' zegt ze. 'Dat móet je gezien hebben.'

Meneer Bell staat op.

'Wat zouden jullie zeggen van een rondje chocolademelk? Om Lou welkom te heten.'

De jongetjes springen overeind. 'Ik help!' roept George. 'Ik ook!' roept Paul. Mandy en mevrouw Bell volgen hen naar de keuken en ik blijf alleen achter.

Morgen moet ik hoe dan ook aan sigaretten zien te komen. Na de kerst stop ik met roken.

Het is ochtend. George en Paul rennen door de gang om me te begroeten.

'Dit is de grote kamer van papa en mama,' zegt Paul terwijl hij me naar de slaapkamer van zijn ouders troont.

De muren hangen vol foto's van de jongens, oude en nieuwe, in de stoelen die meneer Bell maakt. Op elke foto hebben ze hetzelfde aan – een overall over een geel T-shirt.

'Mijn vader verkoopt stoelen,' zegt Paul, 'en zo kan hij ze blijven zien.'

'Wat een mooie foto's,' zeg ik. 'En wat zien jullie er leuk op uit.'

Paul valt me om mijn nek en zoent me op mijn wang. 'Jij bent lief,' zegt hij. 'Veel liever dan Mandy.'

George pakt mijn hand en trekt me mee naar de keuken.

De anderen zitten al aan tafel. Er zijn flensjes voor het ontbijt. Ik zou genoeg moeten eten voor de hele dag, voor de komende dagen misschien wel, zou me als een kameel moeten volproppen voor het geval dat die groene soep weer opduikt. Ik begin de sfeer van het leven hier te voelen, of misschien begin ik te merken dat het leven een sfeer heeft – een aangename sfeer die je niet kunt benoemen, maar die er niet is als je nerveus bent.

Ik maak me op voor een fiks ontbijt, gevolgd door een paar spelletjes met de kinderen.

Mandy heeft haar haar gewassen en draagt het in staartjes. Ze heeft dikke rode lipstick op, die haar mond uitvergroot tot die van een clown. Haar tanden lijken oranje.

'Zo, eindelijk op?' zegt ze zonder me aan te kijken. 'Goed geslapen?'

'Uitstekend,' zeg ik. 'Het is een heerlijk bed.'

'Mooi,' zegt ze, terwijl ze een lepeltje ontbijtgraan neemt en behoedzaam tussen haar lippen door loodst om haar lipstick te ontzien.

'Ik eet geen flensjes,' zegt ze. 'Dus je mag de mijne hebben.'

Ze wil het laten klinken als een offer, een gebaar van goede wil, maar ik weet dat het alleen met haar overgewicht te maken heeft.

'Wat lief,' zeg ik. 'Weet je het zeker?'

Ze geeft geen antwoord. Ik probeer oogcontact met haar te krijgen. Ik moet haar mijn boodschap zenden.

Maar ze verdomt het om me aan te kijken.

Ik besluit het hele gezin aan te spreken. 'Ik wou jullie graag even bedanken voor jullie gastvrijheid. En jij vooral bedankt, George, omdat ik je kamer mag gebruiken.'

Wat ik ook zeg en hoe ik het ook zeg, het klinkt nooit echt overtuigend.

Na de afwas zeg ik tegen mevrouw Bell dat ik een eindje om wil.

'Moet een van de jongens mee om je het winkelcentrum te wijzen? Het ligt op een halfuur lopen van hier.'

'Nee, hoor, ik vind het zelf wel,' zeg ik. 'En ik heb trouwens wel zin in een lekkere lange wandeling.'

'Niet verdwalen, hoor.'

Ik koop mijn sigaretten in een café naast een pompstation. Het is een van de smerigste cafés die ik ooit heb gezien – een vette aanslag op de plastic stoeltjes, de stank van benzine en verkleurd plastic fruit aan de muren. Maar de warmte is weldadig. Ik bestel een kop koffie en pak de plaatselijke krant van de tapkast.

'Ga lekker zitten,' zegt de vrouw achter de bar.

Ik ga zitten. Ze brengt me mijn koffie, zet er een kannetje melk naast en gaat wat tafeltjes schoonvegen. Ze is klein en lichtvoetig, zweeft van de tafeltjes naar de keuken alsof ze met helium is gevuld. Ze zingt iets, maar ik kan geen melodie ontwaren.

'Waar kom je vandaan?' vraagt ze als ze mijn kop komt bijvullen.

'Ik woon bij de Bells, hier verderop. Bij dat kleine bruggetje.'

'Ah, die ken ik,' zegt ze opgetogen. Ze komt bij me zitten. 'Heb ik vaak voor gebabysit, voor ik dit baantje had. Klotewerk, maar je verdient er meer mee dan met babysitten.'

Ze praat snel. Ik luister vooral. Ik kijk wat voor kleur ogen ze heeft, welke vorm haar mond heeft en hoe groot haar oren zijn. Maar na een poosje raak ik teleurgesteld in wat ze te vertellen heeft, en mijn verkrampte glimlach begint pijn te doen.

Ik zou met iemand willen praten die ik echt ken, over dingen die ertoe doen. Ik wil met Lisjny praten. Ik wou dat er iemand binnenkwam van wie ik hield en die ik in geen jaren had gezien, zodat we een hartverscheurend weerzien konden hebben. Maar als ik me een gepaste kandidaat voor de geest probeer te halen, realiseer ik me dat ik iemand ben die nooit zoiets voor een ander zou kunnen voelen. Je ziet zo'n weerzien weleens op de tv, dus de mensheid moet een ondersoort kennen die wél tot zulke emoties in staat is. Of gaan mensen nu eenmaal huilen als er een tv-camera op ze gericht wordt, en zou mij dat ook gebeuren?

Ik ben op tijd terug om te worden afgehaald voor een AA-bijeenkomst in de hal van een nabijgelegen school. Voor ik vertrek, zeg ik het echtpaar Bell gedag in de keuken, waar ze allebei zitten te lezen. 'Je bent een dappere meid,' zegt mevrouw Bell, en ik huiver bij het woord meid.

Mijn begeleider komt me met de auto halen. Hij geeft les aan de plaatselijke highschool, is ongeveer vijftig jaar en draagt een bril met getinte glazen.

In de hal zijn de wanden bedekt met plastic hulst en verschoten decoraties. De voorzitter van de bijeenkomst heeft een rode kerstmuts op. De hal zit vol met oude mannen en er hangt een dikke wolk tabaksrook. Aan de uiteinden van elke rij stoelen zijn asbakken neergezet, maar dat is te weinig om iedereen zijn as te laten aftikken.

Ik vraag de man naast me om een sigaret en hij geeft me er vijf. Mijn begeleider verbiedt me niet te roken. Hij zegt trouwens helemaal niets, lijkt te verbijsterd om een woord uit te kunnen brengen. Ik steek een sigaret op en gebruik een plastic koffiebekertje met een laagje water om mijn as op te vangen.

Tijdens de bijeenkomst vermaak ik mezelf door mijn ogen dicht te doen en uit het stemgeluid van sprekers af te leiden hoe ze eruitzien. Als ik mijn ogen opendoe, word ik telkens door een handjevol oude mannen aangestaard. Ik probeer ze een plezier te doen door een ongelukkig gezicht te trekken.

Ze geloven vast niet dat ik écht aan de drank ben, en dat ben ik natuurlijk ook niet. Ik zou maar een paar woorden hoeven zeggen om hun indruk te bevestigen, en dat zou ze razend en verdrietig tegelijk maken. Ik neem het ze niet kwalijk dat ze me mijn bestaan misgunnen of vinden dat ik veel te weinig heb geleden.

Hoe zou zo'n oude alcoholist mij gunstig gezind kunnen zijn? Hoe zou dat kunnen als ik ze door mijn jeugdige verschijning voorhoud dat ze zelf veertig jaar te laat van de drank zijn gered? Het feit dat ik hooguit een tiende van hun ellende zal kennen, moet volstaan om hun vijandschap op te wekken.

Mijn vader zou zeggen dat die lodderige ouwe viezeriken het allemaal aan zichzelf te danken hebben. Hij zou vinden dat ze hier zelf voor hebben gekozen en niemand iets kwalijk mogen nemen. Maar niemand kiest ooit voor ellende. Een leven vol ellende, van het soort dat deze oude mannen zo weerzinwekkend maakt, is hun straf omdat ze ooit iets gekozen hebben waardoor ze zich juist minder ellendig voelden.

Ik buig mijn hoofd en stuur ze stuk voor stuk een boodschap: Ik begrijp best dat je me haat.

Als de bijeenkomst voorbij is en iedereen opstaat om een beker koffie of thee te halen, heb ik de indruk dat mijn boodschappen de stemming hebben verbeterd. Ik zie twee oude mannen elkaar omhelzen en twee andere met elkaar lachen. Een van hen stampvoet om niet te stikken van de lach. 'Schei uit!' zegt hij tegen zijn vriend. 'Dat méén je niet!'

Mijn begeleider voert me de hal uit voor ik de koffieketel kan bereiken. 'Er is me gevraagd je meteen weer thuis te brengen,' zegt hij.

'Prima,' zeg ik, en als we naar huis rijden, is de auto zo vol stilte dat het pijn doet aan mijn oren.

De highschoolleraar maakt geen aanstalten om uit te stappen en mee te lopen naar de voordeur. 'Volgende week,' zegt hij, 'komt mijn vrouw je halen.'

'Volgende week ben ik hier niet meer,' zeg ik.

Ik druk het portier zo zachtjes mogelijk dicht, waardoor het halverwege blijft steken.

'Laat maar,' roept de leerkracht. 'Ik doe het wel.'

Ik mag hem niet. Wie zal ik ooit wél mogen?

Als meneer Bell de deur opendoet en mijn lange zwarte jas aanneemt, vraag ik hem bijna of ik hem Lisjny mag noemen.

Om iets aan mezelf te veranderen heb ik gisteravond gezegd dat ik vegetariër ben, en de Bells hebben een bord aardappelpuree voor me bewaard. Ik vis er de harde groene stukjes uit.

George en Paul zijn nergens te bekennen en het is zo stil dat mijn trommelvliezen mijn schedel in dreigen te zakken.

'Waarom hebben jullie eigenlijk geen tv?' vraag ik aan mevrouw Bell. Ik hunker tot mijn stomme verbazing naar pure luidruchtige stompzinnigheid, de verdoving van reclamespotjes.

'Omdat we vinden dat je daar hersenverweking van krijgt,' zegt mevrouw Bell.

'Ja,' zeg ik, 'dat zou best weleens waar kunnen zijn.'

Meneer Bell krijgt een plotse hoestbui en loopt verlegen de keuken uit. Hij weet nog net 'Neem me niet kwalijk' uit te brengen voor hij proestend in de gang verdwijnt.

Mevrouw Bell borduurt een naam op een zakdoek en ik sla haar een poosje gade.

En dan ruim ik de tafel af.

En dan laat ik de gootsteen vollopen en leg de borden in het sop.

En dan zet ik de fluitketel op het gas.

Meneer Bell komt de kamer weer binnen. Zijn ogen tranen nog na.

'Gaat het weer een beetje?' vraag ik.

Hij kijkt me monter aan. 'Ja, hoor, dank je. Stukje kip in mijn verkeerde keelgat.'

Ik heb spijt van dat vegetarische verzinsel. Ik had alleen maar moeten zeggen dat ik allergisch was voor lever, vis met de kop er nog aan en groene soep.

'Waar zijn de jongens eigenlijk?' vraag ik.

'Bij hun tante Sarah,' zegt mevrouw Bell. 'Hier vlak om de hoek.'

'Wat doen ze daar?'

'Tv-kijken!' lacht mevrouw Bell, en meneer Bell schiet ook in de lach. Ze buigen schaterend achterover en slaan hun handen voor hun mond – precies hetzelfde onwillekeurige gebaar, alsof ze broer en zus zijn.

Mandy komt binnen en kijkt me strak aan. Ze heeft kennelijk aan de deur staan luisteren, want ze zegt: 'Misschien kijken ze wel geen tv. Het zijn brave jongens. Misschien helpen ze oom Stipe wel met behang aftrekken.'

Waarom heeft ze ons in godsnaam afgeluisterd?

Meneer en mevrouw Bell lachen des te harder. Ik lach niet met ze mee. Het lijkt me voor Mandy beter als ik niet lach.

We zitten aan de keukentafel, thee te drinken, biscuits te eten en over de naderende kerstdagen te praten. Het is zo koud dat mijn handen gekneusd aanvoelen. Mevrouw Bell schilt een paar aardappels en gooit ze in een steelpannetje met water. Gaat ze nou alweer aardappels koken?

Mandy heeft haar ene been over het andere geslagen en zwiept er zo wild mee heen en weer dat haar schoenpunt de onderkant van de tafel raakt.

'Ik kan haast niet wachten,' zegt ze met een verwendneststemmetje. 'Ik ben dol op Kerstmis. Ik vind het de mooiste tijd van het jaar en ik weet zeker dat we dit keer sneeuw hebben, net als in het liedje.'

'Over liedjes gesproken,' zegt mevrouw Bell. 'Jij kunt zingen, hè, Lou? We hebben gehoord dat je een grote rol hebt in een schoolmusical.'

Ik realiseer me dat ik al in geen tijden meer aan die musical heb gedacht, net zomin als aan de Hardings. Alsof ze van de aardbodem zijn verdwenen.

'Dat klopt,' zeg ik. 'Maar ik ben heel verlegen met zingen, hoor.'

Mandy staakt haar gezwiep. 'Hoe kun je nu verlegen zijn als je voor de hele school gaat optreden?'

Volgens mij heeft ze mijn telepathische boodschap nog steeds niet ontvangen. 'Toch is het zo,' zeg ik. 'Geloof me.'

Ze grijpt me bij mijn arm, vlak onder mijn elleboog, zodat mijn telefoonbotje begint te rinkelen. 'Weet je wat?' roept ze uit. 'Je kunt hier met kerst zingen! Oma Bell heeft een piano en ik doe met je mee. Ik kan het wel niet zo goed als jij, maar ik probeer het gewoon.'

Mijn gezicht gloeit. Ik moet naar buiten. Ik wil dronken worden.

'Nou, misschien,' zeg ik. 'Als jullie per se willen.'

'We zouden het enig vinden als je zong,' zegt mevrouw Bell.

Ik sta op. 'Ik denk dat ik een eindje om ga.'

'Meen je dat nou?' vraagt Mandy. 'Het vriest dat het kraakt.'

'Goed voor de spijsvertering,' zeg ik.

Meneer Bell schiet overeind alsof hij de telefoon hoort overgaan. Zijn lijfje schokt van geestdrift. 'Ja, laten we allemáál een frisse neus gaan halen!'

'Goed idee,' zeg ik, mijn tegenzin verbijtend.

Mandy heeft er nog wat lipstick bij gesmeerd en in het donker lijken haar rode lippen blauw. Ze vertelt me over school en al haar nieuwe vriendinnen, met haar armen in die van meneer en mevrouw Bell gehaakt. Ik speel met het halflege pakje sigaretten in mijn jaszak en wou dat ik alleen was.

Als we bijna een uur hebben gelopen, zegt mevrouw Bell: 'Trouwens, Lou, we hebben je spullen naar Mandy's tuinhuisje overgebracht...'

Mandy wil haar niet laten uitspreken, omdat ze dit veel te graag zelf vertelt. 'Ja, het leek me bij nader inzien toch wel gaaf als je bij mij kwam slapen. En zo kan George ook weer in zijn eigen kamertje.'

'Het is daar bovendien warmer,' zegt meneer Bell. 'Mandy heeft een elektrische kachel gekocht van het geld dat haar ouders hebben opgestuurd voor haar verjaardag.'

Het lukt me niet om vreugde te veinzen, dus zeg ik: 'Gefeliciteerd nog.' Waarom sleept ze haar stomme kachel niet af en toe het huis in?

'O, dat was alweer eeuwen terug,' zegt ze toonloos.

Ik laat Mandy vooruit gaan en breng nog wat tijd door aan de keukentafel, met mijn bevroren handen op een warmwaterkruik. Na ongeveer een uur ga ik door de achterdeur de tuin in.

Ze is nog wakker. Haar felle plafondlamp brandt en de enorme kachel staat nog te zoemen.

'Hai,' zeg ik. 'Ik wilde je nog even rust gunnen voor ik hier kwam binnenstormen.'

Ze zit rechtop in bed met een tijdschrift. Op het omslag zie ik de foto van een knokig model in een baljurk, en daarboven de kop: 'Het hongerdieet van een ster.' Ze is zo mager dat ik me haar skelet kan voorstellen onder haar vliesdunne huid, en dat roept weer een fantasie op van de dood en doodkisten en haar oogloze doodskop.

Mandy legt met een zucht het tijdschrift neer. 'Ik kan toch moeilijk gaan slapen als ik weet dat jij nog moet binnenkomen en me weer wakker zal maken. De deur slaat altijd dicht door de wind.'

'Het spijt me,' zeg ik. 'Laat ik dan maar snel het licht uitdoen.'

Ik draai de kachel en het licht uit en de maan vult het huisje met een melkachtig waas. Mandy ligt op haar zij toe te kijken hoe ik me uitkleed.

'Ik kan je ribben zien,' zegt ze. 'Ze steken helemaal uit.'

Ik trek een dichtgeknoopt wollen vest over mijn hoofd. 'Werkelijk?' zeg ik. 'Grappig, ik stond net aan de dood te denken.'

'Wát zeg je?'

'Nee, laat maar.'

'Ga je daarin slapen?' zegt ze met een monsterende blik op mijn vest.

Ik stap bij het raam vandaan. 'Ja,' zeg ik. 'Anders krijg ik het koud.'

Ze kijkt toe terwijl ik onder de dekens kruip.

'Hoe is dat eigenlijk, zo'n bijeenkomst van de AA?' vraagt ze.

'O, gaat wel,' zeg ik. 'Dit was pas mijn eerste.'

'Wat hebben jullie gedaan?'

'Met elkaar gepraat en verteld waarom we ooit zijn gaan drinken, en waarom we tot het besluit zijn gekomen om te stoppen.'

Ze kijkt me argwanend aan. 'Maar jij bent gedwongen om te stoppen!'

'Klopt, maar ik ben er niet minder blij om,' zeg ik. 'Ik had een hekel aan mezelf.'

'Waarom?'

'Omdat ik mezelf niet meer was.'

'O,' zegt ze. 'En wat hebben jullie nog meer gedaan? Waarom ben je tweeënhalf uur weg geweest?'

Ik steek mijn handen tussen mijn dijen.

'We hebben hand in hand liedjes zitten zingen, en daarna hebben we met uitgestrekte armen in een rechte lijn gelopen om te laten zien dat we nuchter waren, en...'

'Schei uit,' zegt ze zonder een sprankje vrolijkheid. 'Wat heb je écht gedaan?'

'We hebben het gebed om gemoedsrust gezegd en een kopje thee gedronken en nog wat nagepraat.'

'Wat is het gebed om gemoedsrust?'

'Wil je dat echt weten?'

Ik praat alleen maar tegen haar omdat ik zin heb om te praten, en omdat ik er de tijd mee doorkom, en omdat het rustgevend is om mijn eigen stem te horen, vooral nu ik zo zelfverzekerd klink.

'Natuurlijk, anders vraag ik het niet.'

'Dat gaat zo: Heer, geef mij de gemoedsrust om te aanvaarden wat ik niet kan veranderen, de moed om te veranderen wat ik kan veranderen en de wijsheid om het verschil te kennen.'

'Geloof jij in God?' vraagt ze.

'Niet echt, nee.'

'Hoe kun je dan bidden?'

'Ik bid tot mezelf.'

Ze werkt zich opeens omhoog en laat haar hoofd op haar vuist rusten, klaar voor een twistgesprek. 'Wat heeft dát nou voor zin?'

'Da's moeilijk uit te leggen.'

'Probeer het toch maar,' zegt ze.

'Tja, voor mij is God een woord voor wat ik bedoel als ik over de best mogelijke wereld praat, over de perfecte versie van alles. Of misschien is God de best mogelijke versie van mezelf. Als ik dat gebed zeg, heb ik het misschien wel over een toekomstige, volstrekt volmaakte stoel.'

Ik gebruik het woord stoel om na te gaan of ze wel goed luistert. Maar ze heeft het laatste deel van de zin niet eens gehoord. Ze klakt met haar tong en zegt: 'Als het alleen maar over jou gaat, heeft het niets met God te maken.'

'Het heeft niets met God te maken als het níet over mij gaat. Er kan geen God zijn als ik niet aan Hem denk.'

'Jij bent God niet, hoor!'

'Dat zeg ik ook niet. Ik zeg dat God de gedachte aan God is. Die gedachte als zodanig is wat God is. Er zijn geen woorden voor die gedachte, want die gedachte is voor ieder mens anders en valt daarom buiten de taal.'

Ik zit rechtop te gesticuleren. Ik begin het gevoel te krijgen dat ik begrijp wat ik zeg. Zij kan me allang niet meer schelen. Ik wil dit gewoon zeggen.

'Het hele punt met God is,' vervolg ik, 'dat God niet valt uit te leggen. God is datgene wat de gedachte aan God voortbrengt, zowel als die gedachte zelf. Ik heb gedachten over God en dat is wat God is. Het feit dat mijn hersens die gedachten hebben is...'

Nee, ik heb eigenlijk geen flauw idee van wat ik zeg.

Mandy keert zich met veel misbaar om naar de muur. 'Dit slaat allemaal nergens op! Hoe kan God nou alleen de gedachte aan God zijn? Je draait in een kringetje rond! Ik ga slapen.'

Ze valt als een blok in slaap (zoals ik al van haar verwachtte) en begint te snurken – een wezenloos gereutel.

Ik lig nog uren op mijn rug, denk na over het leven en vraag me af of er ook maar íets is waar ik in geloof. Ik open mijn mond en prevel het uiteindelijke antwoord in de stilte. God is als al die stukken hout die in het schuurtje van meneer Bell staan te wachten tot hij er een stoel van maakt, en God is wat er gebeurt als meneer Bell zichzelf ertoe brengt om die stoel te maken, ook al heeft hij koude handen en een maag vol groene soep.

'Truste,' fluister ik mezelf toe. 'Slaap lekker.'

23

Het is de ochtend van de dag voor Kerstmis. De jongens dragen rood en groen. Meneer en mevrouw Bell zijn op hun zondags gekleed. Ze zijn allang op als ik uit bed kom. Ik bied aan roerei te maken, in de wetenschap dat er geen eieren meer zijn en dat ik naar de winkel zal moeten.

'We hebben geen eieren meer,' zegt Paul. 'Die zijn gisteren opgegaan aan de cake die ik heb gemaakt.'

'Die *wij* hebben gemaakt,' zegt George.

De jongens stralen van vrolijkheid, alsof Kerstmis echt een speciale tijd is. Ze zitten rechtop in hun stoel en eten hun waterige pap alsof die naar chocola smaakt.

'Ik ga met alle plezier even naar de winkel, hoor,' zeg ik. 'Ik heb reuze zin in eieren.'

'Weet je wat?' zegt Mandy. 'Ik haal er wel een paar bij tante Sarah. Die houdt kippen.'

Meneer Bell staat op en lijkt zijn geroosterde boterham en halve kop thee in de steek te willen laten. 'Ik haal ze wel,' zegt hij. 'Ik moet ze vandaag toch een stoel gaan brengen.'

'Nee,' zeg ik. 'Laat mij nu maar gaan, dan kunnen jullie hier gewoon aan je ontbijt blijven zitten. Zeg maar even hoe ik lopen moet.'

'Tja,' zegt mevrouw Bell, 'het is hier vlakbij.'

Mandy maakt opeens indringend oogcontact. 'Ik ga mee,' zegt ze.

Als we buiten lopen, besef ik dat ik geen andere keus heb dan haar te bekennen dat ik een sigaret wil roken.

'Mandy,' zeg ik, 'ik moet je iets vertellen, maar verklap het alsjeblieft niet aan meneer en mevrouw Bell.'

'Je hebt trek in een sigaret,' zegt ze, zichtbaar met zichzelf ingenomen. 'En raad eens?'

Mijn huid voelt opeens koud, in weerwil van mijn thermische ondergoed. 'Nou?'

'Ik heb er een paar. Ik rook ook. Ik kon het al ruiken aan de kleren in je koffer.'

Ik kan haar wel vermoorden omdat ze mijn kleren heeft besnuffeld.

'God zij dank,' zeg ik. 'Maar ik zou jou nooit voor een roker hebben aangezien. Daar oog je veel te gezond voor.'

'Ik ben ermee begonnen om af te vallen,' zegt ze. 'En ik ben al drie kilo kwijt.'

Mandy is dus een bewijs te meer dat je wel een ontzettende stommeling moet zijn om met roken te beginnen. Ik zou haar eigenlijk eens aan mijn zussen moeten voorstellen. Ik stel me ons beiden als skeletten voor. 'Ja, roken is uiteindelijk het allerbeste vermageringsmiddel.'

Ze kijkt me niet-begrijpend aan. 'Hoe bedoel je?'

'Laat maar,' zeg ik. 'Waar zullen we heen gaan?'

'Hier om de hoek ligt een parkje. En dan gaan we daarna wel naar tante Sarah.'

'Heel erg bedankt,' zeg ik.

Ze slaat haar arm om mijn schouders, zwaar en abrupt. 'Waar heb je vriendinnen voor?'

'Voor sigaretten,' zeg ik, en ik vergeet mijn arm om haar schouders te slaan.

Als ze merkt dat ik niet op haar vriendschappelijke arm reageer, trekt ze hem terug en gaat een paar passen voor me uit lopen tot we het parkje bereiken. Deze terugkeer van haar afstandelijkheid is waarschijnlijk een straf omdat ik haar niet aanraak, niet weet wat ik met haar lichaam aan moet.

'Als ik wil roken, ga ik meestal op de draaimolen zitten,' zegt ze. 'Dan kan ik de kinderen eventueel zien aankomen.'

We roken ieder drie mentholsigaretten en ik voel me kotsmisselijk, alsof die molen niet stil is blijven staan maar op topsnelheid heeft rondgedraaid, met mij in het midden.

'Dank je,' zeg ik. 'Daar was ik hard aan toe.'

Op de terugweg vraagt Mandy: 'Waarom ben jij helemaal niet aangekomen sinds je in Amerika bent?'

'Geen idee,' zeg ik. 'Niet zo over nagedacht.'

'Je ziet er fantastisch uit,' zegt ze. 'Hartstikke fit en zo.'

'Dank je,' zeg ik. 'Maar ik sta er nooit zo bij stil.'

'Toch is het zo,' zegt ze, en ik zie haar mond bol staan van de woorden die ze niet wil uitspreken. 'Helpt de drank je zo mager te blijven?' vraagt ze.

'Ik zou het niet weten,' zeg ik, hunkerend naar een slok.

Als we bij het hek van de voortuin aankomen, blijft ze staan. 'Had jij geen vriendje toen je nog bij de Hardings woonde?'

'Zoiets ja,' zeg ik.

'Dan zul je hem wel heel erg missen.'

'Niet echt, nee.'

'Natuurlijk wel,' zegt ze. 'Waarom zou je hem níet missen?'

'Ik ben hem vergeten toen ik iemand anders leerde kennen.'

'Dat is schandalig!' zegt ze met plooien van woede en teleurstelling in haar gezicht. Het is alsof ik heel anders ben dan ze had gewild, en dat ik daarom alles heb verpest.

Zij is ook niet het type dat ik me had gewenst. Maar het verschil is dat zij mij lijkt te haten omdat ik niet aan haar beeld voldoe, terwijl ik alleen maar treurig ben omdat het me maar niet lukt om mensen aardig te vinden, en ik nu ook haar weer op mijn lijst van onaardige mensen moet zetten.

'Echt schunnig, zeg, dat je zomaar van de ene jongen naar de andere kunt gaan,' zegt ze.

'Vind je dat?' vraag ik. 'Tja, ik weet niet. Heb ik eigenlijk nooit zo bij stilgestaan.'

'Jezus,' zegt ze terwijl ze de klink optilt. 'Als hij míjn vriendje was geweest, zou ik voortdurend aan hem denken.'

Het is kerstochtend en we maken na het ontbijt onze cadeautjes open onder de kerstboom in de woonkamer.

Ik wil de jongens over mijn denkbeeldige kerstdecoraties vertellen (heb er in de tussentijd nog een paar verzonnen) als in de keuken de telefoon gaat.

Het is Gertie Skipper. 'Als je wilt, kun je het extra toestel in onze slaapkamer nemen,' zegt mevrouw Bell.

Ik ga naar de merkwaardige slaapkamer met de foto's van kleine jongetjes in houten stoelen, en neem er de telefoon op. Gertie heeft vast slecht nieuws. Ik krijg een murw gevoel in mijn borst. Het voelt alsof alles is stilgevallen.

'Hai,' zegt Gertie.

'Hai,' zeg ik. 'Vrolijk kerstfeest.'

'En, hoe bevalt het verblijf bij de Bells?' vraagt ze.

'Geweldig,' zeg ik.

Ik krijg een gevoel alsof ik alle ellende kan afweren door Gertie te vertellen wat ik van alles vind.

'Kijk,' zeg ik, 'aan de ene kant is het natuurlijk helemaal niet geweldig, maar het is hier erg leuk en ik ben dolblij met de kans om in Amerika te kunnen blijven en niet terug naar huis te hoeven. Ik vind het geweldig dat ik weer bij de Hardings kan gaan wonen en het is geweldig dat ik de highschool kan afmaken. En het is geweldig dat ik mijn problemen heb overwonnen en niet langer mijn leven verpest.'

'Nou, dan zal het je zeker plezier doen om het volgende te horen. Ik heb vernomen dat je je voorbeeldig gedraagt, en de Hardings zijn daar ook erg blij om, dus je gaat op 3 januari naar ze terug.'

'Dat is het beste nieuws dat ik ooit heb gehoord,' zeg ik. 'Ik was eerlijk gezegd bang dat je iets naars te melden had. Ik had een heel akelig voorgevoel, in mijn maagstreek.'

'Nee, hoor, alleen maar goed nieuws, dus maak je niet ongerust. Hoe gaat het met dat andere meisje, Mandy?'

'Volgens mij wel redelijk,' fluister ik. Het verbaast me hoe heerlijk ik het vind om met Gertie te praten. Ik wil haar zo lang mogelijk aan de lijn houden.

'Ze zit er alleen vreselijk mee dat ze zo dik is, en ze heeft een obsessie met diëten en de slanke lijn. Ze praat bijna nergens anders over en leest van die debiele tienerblaadjes over fotomodellen en make-up.'

Gertie glimlacht, dat voel ik.

'Nou, dat is toch wel begrijpelijk van zo'n meisje?' zegt ze. 'Misschien kun jij haar helpen om ook eens aan iets anders te denken. Laat je scherpe verstand eens op haar los.'

'Je hebt gelijk,' zeg ik.

Als ik de kamer weer binnenga, zie ik dat de Bells op me hebben gewacht. Paul en George zitten met half uitgepakte cadeautjes.

'Vooruit,' zegt meneer Bell. 'Jouw beurt om je pakje open te maken.'

Mandy komt met een woedende blik uit de keuken en mijn bloed begint te gloeien alsof het is vergiftigd. Ik kan aan haar gezicht zien, voel aan de lucht om haar heen, dat ze mijn gesprek met Gertie heeft afgeluisterd aan het toestel in de keuken.

Ik pak mijn cadeau uit – een handgesneden doosje met tientallen miniatuurolifantjes, zo klein dat ze op de top van mijn vinger passen. Mijn handen trillen ervan.

'Met de hand gesneden in India,' zegt George. 'Ze maken ze onder een vergrootglas. We wisten wel dat jij ze mooi zou vinden.'

Ik geef hem een zoen op zijn voorhoofd, en trek me ijlings terug omdat ik voel dat ik ga kokhalzen.

Ik vrees de uren die komen gaan, terwijl ik me argeloos zal moeten gedragen.

Na het eten belt tante Sarah aan. We gaan met zijn allen op kerstvisite bij oma Bell.

Mandy komt als laatste het huis uit.

'Heeft iemand mijn portemonnee gezien?' vraagt ze.

Ik zit met Paul en George op de achterbank van de auto van de Bells.

'Wat eigenaardig,' zegt mevrouw Bell, die voorin zit. 'Ik wou net hetzelfde vragen.'

Meneer en mevrouw Bell stappen uit. 'Help jij even mee zoeken?' vraagt meneer Bell aan mij, en ik weet dat dit voorlopig de laatste normale woorden zijn die tegen me gezegd zullen worden.

Ik blijf in de auto zitten en wacht af.

Een paar minuten later komt mevrouw naar buiten met een zakdoek voor haar gezicht, deels om zichzelf te troosten, deels om zich te verstoppen.

'Lou, wil je alsjeblieft uitstappen?' Haar stem klinkt precies zo verstikt als ik wist dat hij ging klinken.

'Loop even met me mee,' zegt ze.

We lopen met zijn tweeën naar het bruggetje.

'We hebben mijn portemonnee en die van Mandy onder in jouw koffer gevonden. En niet dat het er veel toe doet, maar er lag ook een pakje sigaretten in.'

Het is verbazend dat zo'n abrupt, schokkend moment tegelijkertijd zo onvermijdelijk kan aanvoelen. Ik kijk naar de andere kant van het bruggetje en voel een lach opkomen. Ik laat mijn voorhoofd op de houten leuning rusten en vouw mijn armen om mijn hoofd om haar stemgeluid te verdoffen.

'Je moet toch geweten hebben dat dit zou uitkomen? Wij wisten toch dat je bij de Hardings ook geld hebt gestolen?'

Ik bonk met mijn voorhoofd op de brugleuning. Ik ben nog nooit zo kwaad geweest, nog nooit zo vol schaamte.

'Hou daarmee op!' zegt ze. 'Heb je dan helemaal niks te zeggen?'

Ik ben doofstom. Het snot loopt uit mijn neus. Ik bonk opnieuw met mijn voorhoofd op het hout.

'Je wist toch wel dat je tegen de lamp zou lopen? Dat kón toch niet anders? Ik snap het niet. En met Kerstmis nog wel.'

Ik laat de tranen over mijn wangen stromen en op mijn jas lekken. Mevrouw Bell geeft me haar zakdoek.

Ik snuit mijn neus en loop terug naar de auto. Meneer Bell komt me tegemoet. Hij schudt zijn hoofd.

'Je wordt zo meteen opgehaald,' zegt hij. 'Jij gaat terug naar het internaat, en wij gaan door met onze kerst.'

Hij is opeens een totaal andere man.

Maar degene die me op moet halen laat op zich wachten. Ik moet zolang in de keuken zitten. Mevrouw Bell stuurt de jongens naar hun kamer.

'Maar mam, het is Kerstmis!'

'Wat is er met Lou, mam?'

Meneer Bell verorbert een halve kerstpudding, waarmee de familie waarschijnlijk een week of langer had moeten doen. Hij kijkt me niet één keer aan.

Mandy kijkt me wel aan, schudt haar hoofd en zegt: 'tsk.' Ik kan haar wel wurgen.

Ik sla mijn ogen neer en kijk niet meer op, zelfs niet als ik het huis verlaat en in de auto stap. Als de bestuurder me vraagt of ik iets te zeggen heb, herken ik zijn stem. Het is Rennie. Ik bonk met mijn hoofd tegen het zijraam en gil tot hij zijn mond houdt. Ik sla mijn ogen weer neer en kijk pas op als de deur van het internaat opengaat, om te zien wie me binnenlaat. Het is Gertie, en ik wil mijn stilte verbreken en haar om de hals vallen. Maar ze haalt diep adem en ik zie haar denken dat ik schuldig ben.

'Ach, rot allemáál op,' zeg ik.

24

De begeleiders en bewoners van het internaat zeggen elke ochtend dezelfde ochtenddingen, maar ik vind die sleur nu troostrijk.

Vanochtend heb ik een afspraak bij mijn psychiater, dokter Trevor. Ik heb sinds mijn terugkeer zes gesprekken met haar gehad en ik slaag er maar niet in om haar de waarheid te vertellen. Ze is kort van stuk en mollig en ze heeft krullerig lang blond haar, dat ze in twee irritante vlechten draagt.

'Ga zitten,' zegt ze als ik al zit.

Mijn stoel staat recht voor haar bureau en het raam daarachter, dat door perzikkleurige luxaflex uitzicht biedt op een parkeerterrein.

'Hoe voel je je?'

Ze is zachtaardig en moederlijk, dokter Trevor, maar ik ben de zwijgzaamheid zelve bij haar, ondanks dat ik mezelf zielsgraag zou willen blootgeven, antwoord zou willen geven op deze vraag en talloze vergelijkbare vragen, en reacties zou willen krijgen die me hielpen begrijpen wat er mis is. Ze heeft me een vraag gesteld die ik wil beantwoorden, maar ik zit potdicht.

Ik kijk naar haar wenkbrauwen, wat eruit zal zien als oogcontact. 'Gaat wel,' zeg ik.

'Slaap je goed?'

'Ja,' zeg ik. Mijn weerstand is even zinloos als buitensporig. Ik laat haar een slecht figuur slaan, terwijl ik haar juist het idee zou moeten geven dat ze eer met me kan inleggen.

'Je ziet er anders moe uit,' zegt ze.

'Werkelijk?'

'Ja, en je been trilt.'

Ik merk dat mijn rechterbeen inderdaad op en neer wipt, en leg mijn hand op mijn knie om er een eind aan te maken.

'Was me niet opgevallen,' zeg ik.

Ze zwijgt. Een poging om mij aan de praat te krijgen. Ik zie haar een innerlijke peptalk tegen zichzelf afsteken. Ze houdt zichzelf voor dat dit een uitputtingsslag is en dat ze geduld zal moeten opbrengen.

Ze wacht af en vult de tijd met heimelijke beweginkjes. Ik zie haar tongpunt naar haar mondhoek glijden, waar ze uitslag heeft, schilfertjes op een gebarsten roze ondergrond. Ze verschuift een doos tissues zodat die haar niet langer het zicht ontneemt op een foto van God mag weten wie.

Ik schenk haar een warme glimlach, welgemeende warmte, en krijg het gevoel dat ik haar misschien telepathisch kan laten weten dat ik wel zou willen praten maar dat gewoon niet kan.

Wat ik echt wil, is dat ze mijn zwijgzaamheid verhelpt zonder dat ik daar zelf iets voor hoef te doen. Ik wil dat ze helemaal uit zichzelf, op bovennatuurlijke wijze begrijpt wat me mankeert en wat ze eraan moet doen. Het volstaat niet dat ze maar een gewoon mens is, dat ze niet het scherpste scalpel is dat ooit uit een la is gehaald. Ik heb er niets aan dat ze me dingen vertelt die ik al weet.

Ze begint me vragen te stellen over groente, wil weten of ik daarvan houd. Ik beperk me tot het antwoord dat ik er niet van houd, en ook niet van fruit, en vooral niet van appels.

Ze vraagt me of ik wiskunde leuk vind.

'Ik weet dat je er erg goed in bent,' zegt ze, 'maar vind je het ook leuk?'

Ik vertel haar dat te veel wiskunde me duizelig maakt en dat ik er daarom niet zo dol op ben.

Ze zegt: 'Het is niet ongebruikelijk dat jonge delinquenten een hekel hebben aan groente en wiskunde. Sterker nog, probleemjongeren presteren bijna altijd slecht in wiskunde en hebben daarnaast een welhaast pathologische afkeer van alle groenten, en in jouw geval ook van fruit.'

Ik scheld haar uit zonder dat te willen en biedt meteen daarop mijn excuses aan.

'Je mag best kwaad op me worden,' zegt ze. 'Dit is een geschikte plek om kwaad te worden.'

'Wat aardig dat u dat zegt,' zeg ik. 'Dank u.'

Gertie komt de slaapkamer binnen die ik nu deel met Kris en Ivanka, die allebei wegens drugsgebruik uit hun gastgezin zijn gezet.

'Ik wil het even met je over Lisjny Bezoechov hebben,' zegt Gertie. 'Hij is verdwenen uit het detentiecentrum waar hij werd vastgehouden.'

'Zo?' zeg ik.

'En nu vroegen wij ons af of jij misschien kunt helpen. Misschien heb jij een idee waar hij heen kan zijn gegaan.'

'Rot op.'

Ik breng de volgende dag op mijn bed door met pogingen om me alles van Lisjny te herinneren, een test van mijn geheugen, en van mijn gevoelens. Ik geef nog steeds om hem. Ik mis hem zelfs, en ik zou er alles voor over hebben om hem weer te zien.

Ik vraag Gertie of ze hem al gevonden hebben.

'Nee, en we beginnen ons nu echt ongerust te maken,' zegt ze. 'Ben jij niet ongerust?'

'Niet echt, nee. Hij is nu beter af dan dat hij achter slot en grendel moet zitten voor iets wat hij niet gedaan heeft. Zeker in een land dat mensen executeert van wie de schuld niet eens kan worden vastgesteld.'

Ik weet dat het onvolwassen klinkt, maar ik meen wat ik zeg.

Ze glimlacht naar me. 'Heb je enig idee waar hij kan zijn?'

'Wordt hij naar de gevangenis gestuurd?'

'Er zijn bezwarende getuigenissen tegen hem.'

'Net zo bezwarend als die tegen mij?'

'Ik ben bang van wel.'

'Dan weet ik zeker dat hij onschuldig is.'

Ik barst in tranen uit en kan niet meer ophouden. Gertie omarmt me. Ik voel me niet eens echt bedroefd, maar vooral ontredderd en kwaad. Ik vertel haar wat er gebeurd is bij de Bells. Ik vertel haar alles.

'Ik heb die portemonnees niet gestolen,' zeg ik. 'Dat zweer ik.'

'Ik geloof je,' zegt ze.

Als ik ben uitgesnikt, zeg ik dat ik wil gaan liggen. Ik ben zo verschrikkelijk moe dat het lijkt alsof slaap alles goed zou maken.

'Mag ik weer even in jouw bed slapen?'

'Natuurlijk, lieverd. Kom maar mee.'

Als ik wakker word, zit Gertie op het voeteneinde. Ze heeft thee en chocoladebiscuitjes voor me en wil over Lisjny praten. Ze zegt dat alles misschien toch nog goed komt met hem. De politie wil hem alleen maar terug naar huis sturen. Er zijn nieuwe bewijzen in zijn zaak en het heeft er nu de schijn van dat het meisje door iemand anders is verdronken – een kinderloze buurvrouw met psychische problemen.

Ik geloof haar niet.

'Ik zou je dit eigenlijk niet mogen vertellen,' zegt ze, en ze wijst me er nog eens op dat Lisjny niets dan ellende zal kennen als hij voortvluchtig blijft. Dan blijft hij de rest van zijn leven rechteloos en werkeloos, of hij moet als illegale arbeider slavenwerk verrichten, of hij wordt uiteindelijk toch opgepakt en gedeporteerd. En wat er ook gebeurt, zolang hij op de loop blijft, kan hij zijn school niet afmaken.

Op de loop. Op de lóóp. Wat zou hij hebben genoten van die uitdrukking.

Ik drink mijn thee en eet mijn chocoladebiscuitjes terwijl Gertie onverdroten verder praat en een naargeestig beeld schetst van zijn leven als voortvluchtige.

'Geen schaaktoernooien meer,' zegt ze. 'Hij zal nooit grootmeester worden.'

'Arme Lisjny,' zeg ik. 'Altijd op de loop en geen loper meer aanraken.'

Gertie heft een gestrekte hand op en ik denk heel even dat ze me wil slaan.

'Toe nou, Lou. Je móet ons helpen. Vat dit alsjeblieft niet te lichtvaardig op.'

Ze staat op alsof ze weg wil lopen, en ik word opeens bang dat ze nooit meer met me wil praten.

'Wacht,' zeg ik. 'Ik zal je vertellen waar hij volgens mij zou kunnen zijn. Maar op twee voorwaarden.'

Mijn eerste voorwaarde is dat de politie zal zeggen dat ze hem op eigen kracht hebben opgespoord. De tweede is dat ik hem wil spreken voordat een van ons beiden naar huis wordt gestuurd. Ik weet niet zeker waarom ik haar alsnog haar zin geef. Ik heb zelfs het knagende gevoel dat ze me erin heeft geluisd. Ik geloof niets en niemand meer. Maar dat kan me niks schelen. Ik wil hem gewoon terugzien.

Op maandagochtend gaat de telefoon. Phillip neemt op en komt me daarna het nieuws melden.

'Lisjny is terecht. Hij zat bij zijn oom, maar hij was al van plan om morgen terug te gaan naar het detentiecentrum. Hij wil weer bij zijn familie zijn. Dit was een vrouwelijke agent die wil dat je haar terugbelt. Maar neem eerst je ontbijt maar.'

Ik ben menigmaal bang geweest om te slikken, maar nu durf ik niet te kauwen. Ik zit in de gemeenschappelijke zitkamer, waar de tv voor zich uit staat te drenzen.

Er staan twee zwarte honden bij het hek van het detentiecentrum. Gertie vergezelt me naar de receptiebalie en trekt zich vervolgens terug, zodat Lisjny en ik alleen kunnen zijn.

Hij draagt een trui en zijn haar is nog langer geworden. Hij zit in een leunstoel bij een haardvuur. Zijn bewaker wijst me de stoel tegenover hem, zegt dat we een halfuur hebben en loopt de kamer uit.

We zwijgen. Zijn ogen lijken haast wel té blauw, alsof ze hem alleen maar water met een voedingskleurstof te drinken geven. We staren elkaar een poosje aan en schieten dan allebei in de lach, en omdat we niet zeggen waarom we lachen, lijkt het een volmaakt natuurlijke reactie. Het is een verrassend mooie kamer, met boekenkasten rondom en donkere houten meubels. Lisjny oogt ontspannen, alsof hij hier thuis is en ik bij hem op visite ben. Dat brengt me op een idee.

'We wonen in een prachtig huis, Lisjny,' zeg ik. 'We hebben het goed samen.'

'Ja, het is hier heel gerieflijk,' zegt hij. 'Zeker als de honden een dagje weg zijn.'

'Ik ben zo blij dat we geen kinderen hebben genomen.'

'Zo is er meer liefde voor mij.'

'En voor mij.'

Hij staat op en ik hoop dat hij me gaat kussen. Hij pakt een pook en rommelt ermee in het vuur.

Ik steek mijn hand naar hem uit.

'Niets is zo erg als ergens ten onrechte van beschuldigd worden,' zegt hij.

'Dat weet ik,' zeg ik.

'Ja, weet je dat echt? Het gaat niet eens om de gevolgen van de beschuldiging, zelfs niet om de straf die je te wachten staat. Het ergste is wat het met je woorden doet.'

Hij gaat bij zijn stoel staan.

'Om van zoiets beschuldigd te worden, terwijl ik niemand iets heb aangedaan... het maakt me doof en stom,' zegt hij. 'Ik ben doofstom.'

Ik krijg nauwelijks lucht. Ik vertel hem wat mij bij de Bells is overkomen. Hij hoort het verbijsterd aan, vol ontzetting, met zijn ogen vol tranen.

'Ik hecht veel waarde aan jouw woorden,' zeg ik toonloos.

We staren allebei in het vuur.

'Kom je even met me op de vloer zitten?' vraagt hij. 'Er is iets wat ik wil afmaken.'

'Goed,' zeg ik.

We zitten met gekruiste benen op de vloer, tegenover elkaar.

'Doe je ogen dicht,' zegt hij. 'Dit is wat er had moeten gebeuren.'

Ik sluit mijn ogen.

'Het is zondagochtend en het is je gelukt om uit het internaat te ontsnappen. Je gaat naar de grote bibliotheek in Chicago en je ziet me meteen zitten, op de trappen. Je bent heel blij, en ik ook. Je komt naar me toe en geeft me je hand. Ik neem je mee naar binnen, naar een plekje waar ik al vele, vele uren heb doorgebracht. Ik laat je de boeken zien die ik heb gelezen. We gaan op de vloer zitten en kijken elkaar in de ogen.'

Hij stopt. 'Zou jij mij de rest van het verhaal willen vertellen?'

'Ja,' zeg ik. 'Ik zal je vertellen wat er vervolgens gebeurt. We doen onze ogen dicht en houden elkaars hand vast.'

Hij pakt mijn hand. 'Zo?'

'Ja, zo. En we kussen elkaar zoals we dat in het internaat ook altijd wilden, maar nooit konden.'

We hebben nog maar een paar minuten. Vijf minuten hooguit. De tijd is bijna om.

'De bibliothecaresse komt voorbij en we houden onze adem in. Ze praat tegen iemand bij de deur. Ik zeg dat we ergens heen moeten waar we meer privacy hebben, en jij zegt dat je een oom hebt die in een landhuis woont, aan de rand van de stad. We nemen een taxi. Je oom is niet thuis, maar de dienstbode laat ons binnen. We liggen op het bed te roken en drinken wat we willen. We zijn naakt, maar we raken elkaar niet aan. We vallen in slaap en als we wakker worden, liggen we in elkaars armen alsof we dat al jaren gewend zijn.'

Ik praat verder.

'We houden van elkaar en onze liefde is voelbaar aanwezig in deze slaapkamer, alsof ze over ons waakt. We blijven nog even liggen. Je oom komt voorlopig nog niet terug. Hij zal het waarschijnlijk wel goedvinden dat we bij hem komen wonen in dit landhuis. We nemen alle tijd. En dan gaan we naar beneden en maken de open haard aan. De butler kan elk moment komen zeggen dat de maaltijd wordt opgediend. Het wachten is aangenaam.'

Ik zwijg even.

'Zullen we onze ogen weer opendoen?' vraag ik.

'Ga je gang, als je wilt, maar ik doe ze nooit meer open,' zegt Lisjny.

'Dan houd ik ze ook dicht. Je zult het laatste zijn dat ik ooit gezien heb.'

Hij laat mijn hand los. En wat het ook geweest is dat ons samenhield, het is nu weg.

'Ga maar weg,' zegt hij.

Ik houd mijn ogen dicht, sta op en loop achteruit naar de deur. Ik vind de deurknop op de tast, draai hem om en loop naar buiten, de lange gang in. De bewaker staat te wachten.

'Zijn jullie klaar?'

'Ja,' zeg ik.

Gertie rijdt me terug naar het internaat, met haar korte armpjes stijf en stram aan het stuur.

'Je moeder heeft een dringende fax naar het hoofdkantoor gestuurd,' zegt ze.

Mijn hart begint te bonken.

'Een fax? Mijn moeder heeft nog nooit van haar leven een faxmachine gebruikt!'

'Tja, maar nu wel. Hij is behoorlijk lang en er staat "vertrouwelijk" boven. Hij ligt in een envelop op je bed.'

'Weet je wat erin staat?'

'Nee, hij is vertrouwelijk. Het kan zijn dat iemand hem gelezen heeft, maar ik niet.'

Als we terug zijn in het internaat, wil ik een kop koffie, maar de keukendeur zit op slot. Rennie Parmenter zit er waarschijnlijk een nummertje 'Met hoevelen zijn we hier?' op iemand los te laten. Ik wil die fax niet lezen. Ik loop naar het getraliede raam. Gertie komt bij me staan en ik steek mijn hand naar haar uit. Ze pakt hem. Ik ben niet zenuwachtig. Ik wil alleen maar met haar bij het raam staan, en dat doen we.

'Kijk,' zeg ik. 'De Italiaanse kelner staat weer aan de overkant.'

De kelner van het Italiaanse restaurant staat dagelijks op de stoep zijn blauwgeruite tafelkleedjes uit te slaan. Hij glimlacht er gul bij naar de mensen die langslopen. Trots en onverzettelijk staat hij daar, met gespreide benen en achter zich de lange strengen knoflook in de etalageruit.

Ik vertel Gertie dat ik hem vaak telepathische boodschappen stuur omdat ik op hem gesteld ben geraakt. Hij is een oude man, klein en tenger maar met een parmantig buikje.

Als ik vroeg ben opgestaan, kijk ik 's ochtends voor het ontbijt ook graag naar hem. Ik vertel Gertie dat hij dan naar buiten komt met een mand vol broden.

Hij pakt die broden er een voor een uit en klopt ze met kracht tegen de buitenmuur van het restaurant, elk brood precies drie keer, en dan gaat hij weer naar binnen. In het begin leek dit me dwangmatig en bijgelovig. Maar nu tel ik aandachtig met hem mee, een twee drie, en houd mijn adem in, bang dat hij zich op een dag zal vergissen en een groot onheil over zich afroept door een keer te weinig of te veel te kloppen.

Ik vertel Gertie dat als ik bij het ontbijt toast eet, ik soms mijn ogen sluit en me voorstel dat ik in zijn restaurant zit, aan zo'n tafel met een blauwgeruit kleedje, vers brood en espresso. Dan fantaseer ik dat hij met zijn familie aan een belendend tafeltje zit en mijn kopje bijvult zodra het leeg is.

Ik vertel Gertie dat ik soms mijn ogen sluit en dan een blauwgeruit kleedje voor me zie, en een Italiaanse kelner op me af zie komen met een ei in een eierdop.

Hij vraagt: 'Wil je vanochtend niet eens een eitje voor de verandering?' En ik zeg dat me dat inderdaad lekker lijkt. En dan zet hij dat ei voor me neer, en de radio speelt Vivaldi.

Gertie knijpt in mijn hand. 'Dank je wel,' zegt ze. 'Ik vergeet weleens om goed om me heen te kijken.'

Ik glimlach en beantwoord haar kneepje. Haar warmte voelt weldadig aan.

'Het komt heus wel goed met jou.'

'Dank je,' zeg ik.

Ik ga terug naar mijn kamer.

Mijn nieuwe kamergenote Kris komt uit Noorwegen.

'Hai,' zegt ze als ik de kamer binnenkom.

Ze ligt op haar bed, met haar hoofd diep in het kussen weggezakt.

'Ik was op van de slaap,' zegt ze.

Als ik hier was gebleven, hadden we waarschijnlijk wel met elkaar overweg gekund.

'Heb ik je wakker gemaakt?'

'Ja, maar dat geeft niet. Er ligt een brief op je bed.'

Ik ga op de rand van mijn bed zitten en hoop dat ze naar beneden gaat om tv te kijken in de zitkamer. Ze heeft bloeddoorlopen ogen en de kraag van haar jasje heeft een rode streep op haar wang achtergelaten. Ze gaat even rechtop zitten, maar ploft dan weer languit neer.

'Shit,' zegt ze, haar stopwoordje, alsof er iets ergs is gebeurd.

'Is er wat?' vraag ik.

'Ik wou dat het eens stil werd in mijn hoofd. Ik ben die chaos beu.'

Dat heeft ze al eens eerder gezegd en ik weet precies wat ze bedoelt. Ik mag haar wel, maar ze onthoudt niet wat ze je al verteld heeft. Ik krijg een idee waar we misschien allebei iets aan hebben. Ik pak de fax op.

'Weet je wat? Als jij dit nu eens voor me leest,' zeg ik. 'Niet hardop voorlezen, maar voor jezelf doornemen en alleen de dingen doorgeven die volgens jou van belang zijn voor iemand in mijn situatie.'

Ze grijnst, begrijpt direct wat de bedoeling is. Ze pakt de envelop aan, haalt er de velletjes uit en gaat op haar rug liggen lezen. 'Hier staat iets over een baby...'

Ik ga voorover liggen, met het kussen onder mijn borst. 'Ik ben totaal niet benieuwd naar baby's of de laatste roddels. Wat mijn zussen zoal doen, de cricketwedstrijden van mijn vader, het interesseert me allemaal niks. Ik wil alleen de grote dingen horen. Zijn er geen grote dingen, verscheur het dan allemaal maar en gooi het in de vuilnisbak.'

Ze leest in stilte verder, het ene velletje na het andere, met een uitdrukkingsloos gezicht. Haar dikke lippen blijven volkomen roerloos. Ze ziet eruit alsof ze echt nadenkt over wat ze leest. Ze heeft een intelligente uitstraling. Ik bestudeer haar gezicht om uit te vinden waarom ze zo intelligent lijkt. Misschien is het de grootte van haar ogen, die nooit te wijd open maar ook nooit helemaal dicht zijn.

'Dit zou weleens relevant kunnen zijn,' zegt ze.

'Relevant, mooi woord is dat,' zeg ik. 'Je spreekt echt goed Engels. Hoe komt het dat jouw Engels zo goed is?'

'Het is gewoon een schoolvak bij ons. Ik ben niet zo bijzonder, hoor.'

Die dikke lippen wijken uiteen voor een glimlachje dat het doet lijken alsof haar tanden een uitbraak willen wagen.

'Goed,' zeg ik, 'vertel me dan maar wat er zo relevant is.'

'Moet ik het voorlezen of in mijn eigen woorden navertellen?'

'Je eigen woorden.'

Ze legt de velletjes op haar borst en sluit haar ogen. Ze ligt doodstil.

'Je moeder schrijft dat ze je vader heeft verlaten. Ze is haar leven thuis zat en je zussen komen haar ook de keel uit. Ze heeft een man leren kennen, en die man heeft de...'

Ze pakt het laatst gelezen velletje en leest een woord voor: 'Sweepstake?'

Maar ik heb de indruk dat het niet dat woord is waar ze op is vastgelopen.

'Ja,' zeg ik. 'Dat is een soort loterij. Mensen leggen geld in, kiezen een nummer en kunnen zo miljoenen dollars winnen.'

Ze legt het papier weer op haar borst. Ik zie het langzaam op en neer gaan.

'Die man heeft drieënhalf miljoen gewonnen en je moeder zegt dat hij daarvoor al steenrijk was, en dat jij dat wel grappig zult vinden.'

Ik kan het niet erg grappig vinden.

'Ze schrijft dat ze bij hem is gaan wonen en jij mag ook bij ze intrekken als je wilt. Het is een huis met een zwembad en een bubbelbad en een privé-bioscoop en een bibliotheek en paarden. Je mag zo lang blijven als je wilt, en je kunt op hun kosten naar de universiteit. Ze wijst er nog op dat hij geen crimineel is of zo, als je dat mocht denken.'

Ik richt me op en tast naar mijn sigaretten, maar vind ze niet. Ik neem een diepe teug lucht en dat voelt eigenlijk best lekker. Ik ga met roken stoppen.

Ik vraag me af hoe het met mijn vader gaat.

'Ze schrijft dat ze je op het vliegveld zal ophalen.'

'Is dat allemaal waar?' vraag ik.

Ze gaat rechtop zitten en kijkt me aan. 'Hoe moet ik nu weten of het waar is?'

Ik pak de velletjes van haar borst en verscheur ze.

Ze zegt: 'Ik had nog één velletje moeten lezen, hoor.'

Ik ga liggen en sluit mijn ogen.

Kris staat op en loopt naar de deur, waar ze zich omdraait. 'Hoe weet je nu of ik het niet allemaal verzonnen heb?'

Ik kijk haar aan. Haar dikke lippen blijven open, voor het geval dat ze ze weer moet gebruiken.

'Maakt niet uit,' zeg ik. 'Ik moet hoe dan ook mijn koffers pakken, en mijn plaats in het vliegtuig is ook al geboekt.'

We glimlachen naar elkaar en ze loopt de kamer uit.

Ik lig op mijn bed te denken. Ik denk diep na over wat ik zoal gedaan heb en wat ik nu zal moeten doen. De schemer valt en het wordt langzaamaan donker in de kamer. Er trekt een paarsige vlek door de vervuilde hemel. De straatverlichting is nog niet aan.

Op de gang brandt een lamp en het licht valt in een warme oranje streep onder de deur door. Samen met de kooklucht uit de keuken.

Ik heb honger maar blijf onder etenstijd op bed liggen. Ik verwacht dat Gertie me komt halen voor het eten, maar als blijkt dat ze dat niet doet, voel ik me niet gepasseerd.

Ik heb het koud, dus ga ik onder de dekens liggen. Ik besluit de hele avond in bed te blijven, getroost door het gedempte kabaal van de tv en het gelach en gepraat beneden. Ik hoor twee jongens in hun kamer met elkaar lachen, en ik hoor Gertie de trap op komen om ze te zeggen dat ze mee naar beneden moeten.

Aangenaam is dit. Ik houd ervan om mensen op andere etages of in andere kamers hun gang te horen gaan, om te luisteren naar wat ze doen. Niet vergeten dat ik dit straks aan Gertie vertel als ze me komt vragen hoe het gaat. Ik zal haar alles vertellen. We zullen praten tot ik in slaap val.

En als ze niet komt, ga ik een tijdje bij het raam zitten. Om naar de mensen op straat te kijken, en me af te vragen wie ik naar huis zou willen volgen.